BUENOS AIRES

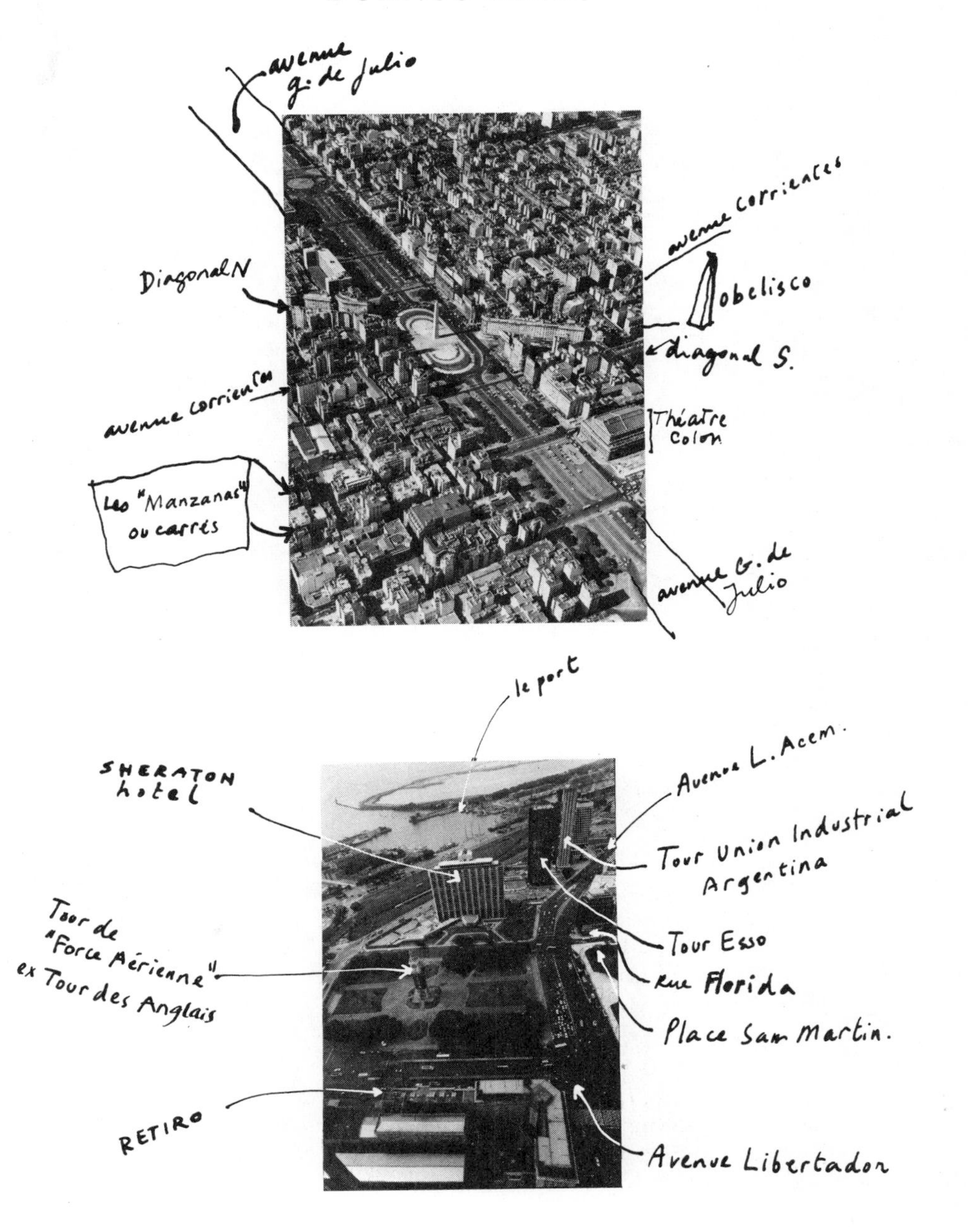

BUENOS AIRES

Dirigé par Graciela SCHNEIER-MADANES

AUTREMENT REVUE : 4, RUE D'ENGHIEN, 75010 PARIS.
TÉL. : (1) 47.70.12.50.

Directeur-rédacteur en chef : Henry Dougier.

Rédacteur en chef adjoint : Bruno Tilliette. *Rédaction :* Laurent Chemineau. Nicole Czechowski. Yan de Kerorguen. Brigitte Ouvry-Vial. *Fabrication/Secrétariat de rédaction :* Bernadette Mercier, assistée de Pascale Bouchié. *Direction artistique :* Corinne App.

Secrétaire général : Jean-Pierre Cerutti. *Directeur des ventes :* Thierry Malvoisin. *Gestion et administration :* Anne Allasseur. Agnès André. Pascale Mairé. Bruno Marcel. Nathalie Moquay.

Service de presse : Hélène Werlé.

Graciela Schneier-Madanes dédie cette revue à Lola et Manolo qui l'ont fait naître à Buenos Aires et remercie pour leur aide Jose Luis Castineira de Dios, Gustavo Vainstein, Frédéric du Laurens et tout particulièrement Pierre Kalfon. Une pensée particulière à Bruno Tilliette qui s'est dévoué sans compter (hormis les feuillets) à la cause portègne.

Nous remercions le Commissariat général aux relations internationales de la communauté française de Belgique.

BABEL HORIZONTALE

N'allez pas à Buenos Aires. Buenos Aires est une ville qui n'existe pas. Née d'un fleuve immobile et boueux, elle oublie ses quais, naguère grouillants, et dérive à l'infini vers la pampa, prise d'un vertige horizontal.

Architecture : aucun signe particulier. Pittoresque : ni centre typique, ni ruelles tortueuses, ni quartiers étonnants. Exotisme : pas de restes de civilisation indienne, pas de métissage sculptural de descendants de l'esclavage. Même le tango : l'empire tanguero se meurt et il faut chercher longtemps pour retrouver l'ombre de Gardel.

Il n'y a rien à voir à Buenos Aires que vous n'ayez déjà vu ailleurs. Copie conforme de tous les modèles, Paris d'Amérique ou Athènes du sud, c'est une ville d'Europe réinventée par l'Amérique latine et rêvant de New York. Son histoire brève mais dense, concentré de l'histoire mondiale, est surtout une histoire de malentendus : ses « bons airs » ne sont que chaleur étouffante, ses Porteños ont tourné le dos à leur port et dans ce pays d'Argentine aux fortunes chimériques, ils ont bien souvent les poches vides. Quant à sa démocratie, même si elle est aujourd'hui de retour, elle a été bien souvent malmenée.

Un conseil donc, si vous cherchez des itinéraires touristiques fléchés et bariolés, si vous voulez rapporter de belles diapos à projeter le soir à vos amis, Buenos Aires n'est pas pour vous. Arrêtez-vous plutôt à Rio (pour l'exotisme) ou à Knokke-le-Zoute (le voyage est moins cher).

Car on ne visite pas Buenos Aires, on l'explore. C'est une ville secrète qui se cache. Elle aime la nuit et s'aime dans la nuit. Ses trottoirs, faussement rectilignes, sont des laby-

PAR GRACIELA SCHNEIER

architecte, géographe, chargée de recherches au CNRS

rinthes où il est bon d'errer pour retrouver un temps qui s'écoule avec douceur plus qu'il ne passe.

Débarrassée de sa gomina, elle se dévoile, populaire et snob, moderne, décoiffée, futuriste. Moraliste et pudibonde mais coquine, triste et nostalgique mais pleine d'humour.

Cette ville ouverte, toujours en construction, imaginative, riche de toutes les cultures des immigrants qui la constituent et qui gardent leur esprit pionnier, il faut la penser, l'inventer, la rêver au jour le jour pour y vivre et y survivre. Tout y reste possible.

Et pour la connaître, il faut s'y promener longtemps et la recomposer au gré de ses propres états d'âme. C'est ainsi que font les Porteños pour qui l'aventure est toujours au coin de la rue, là où se tient le café. C'est à une telle balade que ce numéro vous convie. Des premiers regards à l'analyse économique, de l'introspection nostalgique à l'envoûtement nocturne. Et cette balade, comme dans Marelle *de Julio Cortazar, vous pourrez la faire selon le cheminement qui vous convient.*

Balade accompagnée et vous aurez pour guides Borgès, Sabato, Viñas ou Horacio Ferrer. Promenade explicative et vous comprendrez la place paradoxale de l'argent dans cette ville riche où il y a tant de pauvres. Déambulation intérieure et vous vous sentirez l'âme d'un immigrant toujours en quête de sa vérité. Virée joyeuse et vous découvrirez la ville où toutes les femmes sont belles.

Mais le voyage terminé, il vous restera encore tout à faire. Il vous faudra construire votre Buenos Aires et surtout essayer de la quitter. Ce ne sera pas aisé car Buenos Aires est une des seules villes du monde où être étranger reste un privilège.

CHRONOLOGIE

1516 : Découverte de la « mer douce » (le río de la Plata) par les Espagnols.
1536 : Première fondation de la ville par Pedro de Mendoza. Elle sera détruite par les Indiens.
1580 : Deuxième fondation par Juan de Garay.
1713 : Les Anglais ayant obtenu l'exclusivité de la traite des Noirs alimentent en esclaves tout le « cône sud » à travers Buenos Aires.
1776 : Buenos Aires devient la capitale de la vice-royauté du río de la Plata.
1806 et 1807 : Échec de deux tentatives anglaises pour s'emparer de Buenos Aires.
1810 : 25 mai, les habitants de Buenos Aires s'érigent en gouvernement, profitant de l'invasion de l'Espagne par Napoléon (fête nationale).
1816 : Déclaration de l'indépendance le 9 juillet : le pays s'appelle les « Provinces Unies du río de la Plata ». Pendant 60 ans, des luttes sanglantes vont opposer les partisans d'une fédération de provinces à ceux d'un État centralisé. Buenos Aires est le centre de la province la plus puissante.
1853 : Constitution nationale.
1860 : Officialisation de la République argentine.
1869 : Code civil.
1880 : Buenos Aires devient la capitale fédérale du pays. Fixation de l'actuel périmètre urbain. Grandes vagues d'immigration européenne. Grands travaux : port, tramway, métro, assainissement, électricité.
1916 : 2 millions d'habitants à Buenos Aires. Irigoyen (radical), premier président élu au suffrage universel (masculin), secret et obligatoire. Industrialisation. Crise des exportations.
1930 : Premier coup d'État militaire. Début de la « décennie infâme » : crise sociale et politique, gouvernements militaires.
1940 : Grandes vagues de migrations internes.
1945 : 17 octobre : plébiscite populaire de Perón.
1946-1955 : « La période la plus controversée de l'histoire argentine. » Double présidence de Perón, interrompue par un coup d'État de la marine. Industrialisation, grands travaux, équipements sociaux. Forte extension du Grand Buenos Aires.
1956-1958 : Répression.
1958 : 6,7 millions d'habitants.
1958-1966 : Présidences radicales de Frondizi et Illia, écourtées toutes les deux par des coups d'État militaires. Proscription du péronisme.
1966-1973 : Gouvernements militaires. Début de la guérilla urbaine et rurale. L'opposition se cristallise autour du péronisme.
1972 : 8,3 millions d'habitants. Premier retour de Perón après 17 ans d'exil.
1973 : Mars : victoire péroniste aux présidentielles. Juin : deuxième retour de Perón. Septembre : élection de Perón à la troisième présidence.
1974 : Juillet : mort de Perón. Isabel Perón devient président. Apparition des premiers groupes paramilitaires.
Mars 1976 : Coup d'État du général Videla.
1978 : Mundial de football. « Chirurgie urbaine » : autoroutes, rasage des bidonvilles de la capitale fédérale (150 000 expulsés).
1982 : Guerre des Malouines.
1983 : Élections et investiture du président Alfonsín (radical). 10,9 millions d'habitants.

QUELQUES DONNÉES

Buenos Aires : Capitale fédérale (CF) + Grand Buenos Aires (GBA).

CF : dépend du gouvernement national, siège du gouvernement national. Son maire est nommé par le président.

GBA : 19 *partidos* (communes) de la province de Buenos Aires qui dépendent du gouverneur de la province. Le maire et le conseil municipal de chaque *partido* sont élus par les habitants.

Population (1980, en millions d'habitants) : 2,9 (CF) + 6,8 (GBA) = 9,7 soit 35 % de la population du pays.

Superficie (1980, en km²) : 199,5 (CF) + 3 680 (GBA) = 3 879,5.

Densité (1980) : CF : 14 650 hab./km² ; GBA : 1 859 hab./km².

Transports : 11 000 km desservis par les *colectivos* ; 63 km de métro (5 lignes) ; 2 aéroports internationaux ; le port.

Médias (1980) : 12 journaux (tirage moyen : 2,5 millions), 13 radios, 4 télévisions.

LEXIQUE

Asado : quartiers de bœuf coupés et rôtis de façon traditionnelle. Le *asado « con cuero »* est l'un des plus tendres ; cuit avec la peau à la broche.

Cabecita Negra : littéralement tête de nègre. Nom péjoratif donné aux habitants quelque peu basanés originaires de l'intérieur. Peut être utilisé de manière tendre : « Mes *cabecitas* » disait Eva Perón.

Che : expression vocative très fréquente dans la conversation.

Churrasco : viande juteuse et savoureuse sans os.

Colectivo : autobus privé, constitué d'une carrosserie et d'un châssis de camion. Il est peint de couleurs brillantes et différentes selon les lignes.

Compadrito : individu des faubourgs s'habillant avec recherche. Il regarde le reste de l'humanité avec hauteur et défi.

Criollo : « fils du pays ». Équivalent de créole dans la première acception de ce terme.

Manzana : littéralement « pomme ». Les pâtés de maisons carrés, de 100 m de côté (= 1 ha), en vertu des lois de la colonisation espagnole. Buenos Aires est composée de 20 000 manzanas.

Maté : calebasse ou récipient en bois où l'on boit la *yerba maté* (herbe du maté), à l'aide d'une pipette métallique. La *yerba maté* peut être préparée en infusion.

Porteño : habitant de la ville de Buenos Aires. Vient de son origine portuaire.

Telo : hôtel en verlan. Il est utilisé pour les hébergements transitoires.

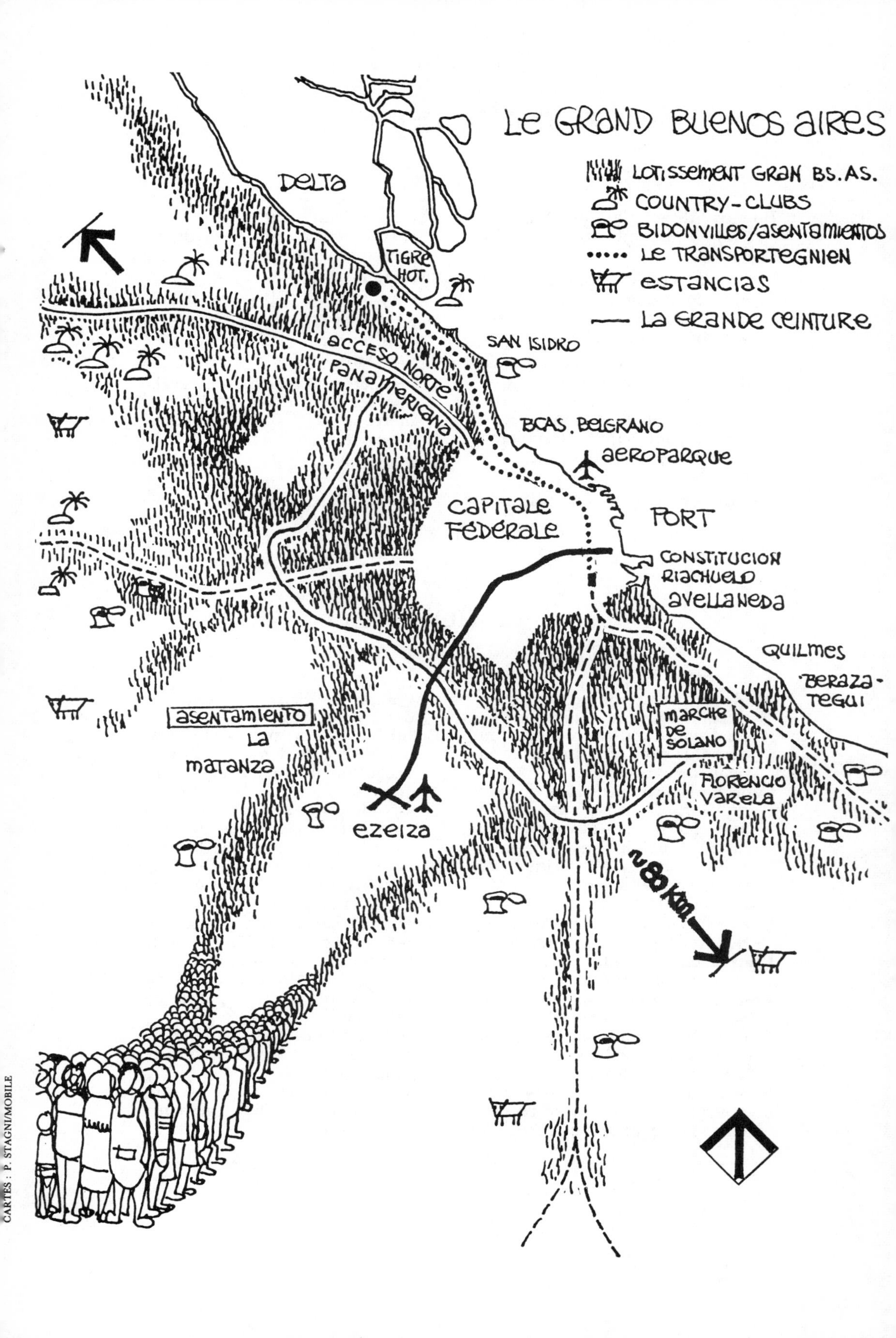
Le Grand Buenos aires
Lotissement Gran Bs. As.
Country-clubs
Bidonvilles/asentamientos
Le transportegnien
estancias
La grande ceinture
Delta
Tigre Hot.
San Isidro
acceso Norte
Panamericana
Bcas. Belgrano
aeroparque
Capitale Fédérale
Port
Constitucion
Riachuelo
avellaneda
Quilmes
Berazategui
marche de Solano
asentamiento
La matanza
Florencio Varela
ezeiza
≈80 km

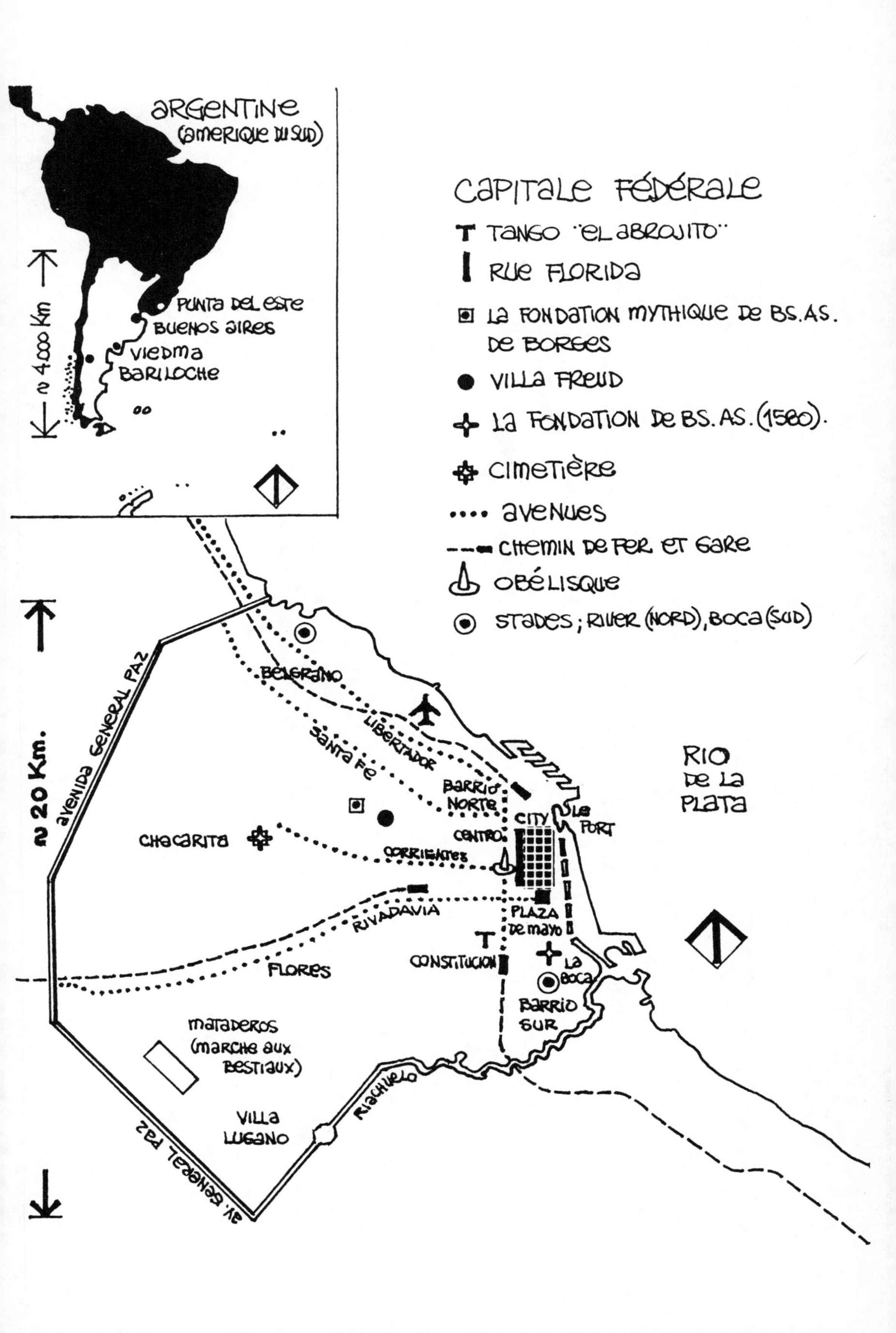
ARGENTINE
(AMERIQUE DU SUD)
≈ 4.000 Km
PUNTA DEL ESTE
BUENOS AIRES
VIEDMA
BARILOCHE
CAPITALE FÉDÉRALE
TANGO "EL ABROJITO"
RUE FLORIDA
LA FONDATION MYTHIQUE DE BS.AS. DE BORGES
VILLA FREUD
LA FONDATION DE BS.AS. (1580).
CIMETIÈRE
AVENUES
CHEMIN DE FER ET GARE
OBÉLISQUE
STADES ; RIVER (NORD), BOCA (SUD)
≈ 20 Km.
AVENIDA GENERAL PAZ
BELGRANO
LIBERTADOR
SANTA FE
BARRIO NORTE
CITY
CENTRO
LE PORT
CHACARITA
CORRIENTES
RIO DE LA PLATA
RIVADAVIA
PLAZA DE MAYO
CONSTITUCION
LA BOCA
FLORES
BARRIO SUR
MATADEROS (MARCHE AUX BESTIAUX)
VILLA LUGANO
RIACHUELO
AV. GENERAL PAZ

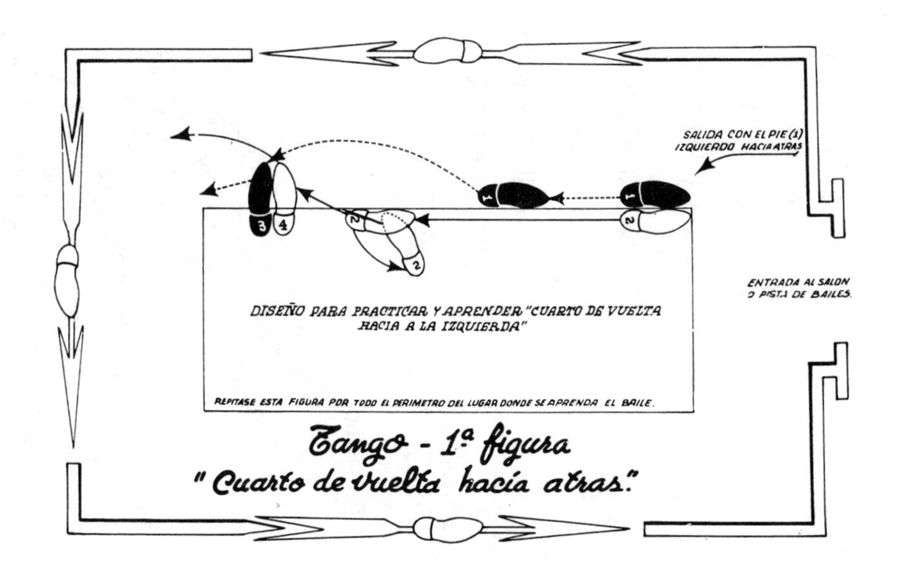

Tango - 1ª figura
"Cuarto de vuelta hacía atras."

1

DU RIO À LA PAMPA

« En dépit de l'humiliation transitoire que parviennent à nous infliger quelques édifices élevés, la vision totale de Buenos Aires n'a rien de vertical. Buenos Aires n'est pas une ville ascendante ou hissée qui inquièterait la divine limpidité par la fréquence de ses tours extatiques, ou par la populace embrumée de ses cheminées diligentes. C'est plutôt une transcription de la plaine qui l'éteint, dont l'aplomb exténué se prolonge dans la rectitude des rues et des maisons. Les lignes horizontales ont raison des verticales... et quatre infinis traversent chaque carrefour. » Jorge Luis Borgès, Buenos Aires, *B.A., 1928. (Traduction Jean-Pierre Bernès).*

JEAN CANESI

PERÓN, GARDEL, FANGIO ET LES AUTRES...

Tache de couleur perdue à l'extrémité australe du continent américain, l'Argentine signifie bien peu de chose pour le voyageur français qui n'a pas fait escale à Buenos Aires : au pire, une simple « expression géographique » ; au mieux, une nation « sans histoire(s) »...

Soyons francs : pour les argentinisants profanes que nous sommes presque tous, les flux et reflux de l'actualité ont abandonné sur les plages de notre mémoire toute une jonchée d'informations symboliques qui résument notre vision de ce pays.

L'Argentine, ce fut ainsi — et c'est toujours — le tango, cette invention bien française du bon M. Gardel, qui fit le tour du monde après avoir été brevetée en Argentine... Ce rythme nostalgique s'était dilué dans les bruits de notre modernité, quelque part entre le Balajo et Chez Gégène, avant de revenir en force sur l'avant-scène de la mode, paré de toutes les séductions d'un produit rétro et clean...

Politiquement, l'Argentine s'est réduite, trois décennies durant, à un seul nom, celui de Perón... Perón et le peronisme, Perón au pouvoir et Perón en exil, Perón ou la version politique du mythe de l'éternel retour : pour un Français non féru de politologie, il s'agissait d'une sorte de gaullisme social, vaguement mussolinien, avec Evita à la place de Tante Yvonne, mais sans le retentissement moral de l'appel du 18 Juin... Les lecteurs du *Monde* comprirent que le flip de trois générations d'Argentins avait sérieusement fait flop quand Isabelita, ployant sous le poids du nom et de l'héritage, eut confié le flambeau du peronisme au trouble M. Lopez Rega...

EXPERTS EN SORCELLERIE DÉMOCRATIQUE... ET FOOTBALLISTIQUE

Plus récemment, ce diable de pays interpella notre conscience de citoyens-téléspectateurs avec la ronde lancinante des « folles » de la Place de Mai qui nous répétaient en silence que le fascisme des généraux argentins n'était pas seulement d'opérette mais qu'il pouvait donner sa mesure sur un théâtre d'opérations, celui des tortures et des « disparitions »...

Puis il y eut, en 1982, le coup de tonnerre des Malouines. Côté médias une merveilleuse bataille navale pour enfants d'État pervers, dont seul l'Exocet français sortit réellement vainqueur.

Côté politique, une fausse « bonne guerre » pour les généraux au pouvoir à Buenos Aires, soucieux de redorer leur blason, et une sorte de « divine surprise » à l'envers pour la gauche universelle qui n'attendait pas, là et maintenant, une démocratie modérée, humaniste et pragmatique, incarnée de surcroît par un président radical en qui le monde devait découvrir un véritable expert en sorcellerie démocratique, capable de gérer l'imprévisible et l'irrationnel argentin avec un bonheur au-dessus de toute analyse politique...

L'Argentine a été, aussi et surtout, la nation vedette du Mundial, en 1978 et en 1986. Dans ce prodigieux réacteur où entrent en fusion tant de mythes populaires et de fantasmes collectifs, force est de reconnaître que l'équipe argentine ne déçoit pas... Quand Burruchaga, à genoux sur la pelouse du stade de Mexico, remercie le ciel de ce troisième but qui redonne *in extremis* la victoire à une équipe encore sous le choc de l'égalisation réalisée par les Allemands, nous savons que Dieu, le football business et des dizaines de millions de téléspectateurs sont avec l'Argentine : grâce à Maradona et à ses compagnons, les bidonvilles communiquent directement avec le star system, et le monde paraît tout d'un coup moins injuste...

DES CHAMPIONS, DES VIOLENTS, DES SÉDUCTEURS

Mais à vrai dire, ce pays exotique et familier s'est surtout fait connaître à nous par une étonnante collection de grands hommes, une véritable galerie de portraits qui occupe l'espace transculturel qui s'étend de Plutarque à *Paris-Match*... Laissons les noms affluer dans le désordre à notre mémoire : Perón, Borges, Gardel, Che Guevara, Monzon, Fangio, Vilas, Maradona... Des champions, des violents, des séducteurs, et des rapides : à travers eux s'est forgée, qu'on le veuille ou non, l'image d'un « Argentin imaginaire » gaucho-macho-facho qui n'en finit pas de hanter nos esprits, traînant derrière lui un panache de sang, de volupté et d'héroïsme, tel un personnage de *Tintin* revu et corrigé par Hugo Pratt et habillé d'esthétisme barrésien...

A noter au passage que les femmes (machisme oblige) sont peu représentées dans cette cohorte de figures symboliques, et seulement à titre de compagnes/comparses (Evita ou Isabelita pour Perón, Suzanna Jimenez pour Monzon)...

L'Argentine a ainsi exporté vers l'Europe ses champions, ses intellectuels, et les événements de son actualité politique : elle a suscité en retour des mouvements de sympathie et des sentiments d'incompréhension profonde, tant il est vrai que nous n'avons recueilli de ce peuple que l'écume des communiqués de presse et des reportages journalistiques...

Si le monde contemporain est devenu à bien des égards le « village planétaire » que prophétisait McLuhan, l'Argentine y tient la place d'un « lieu-dit » excentré et mal connu...

Portrait de Carlos Gardel par Menchi Sabat
« Guitarra, guitarra mia »

JEAN CANESI
Voyageur n'ayant jamais mis les pieds à Buenos Aires

Buenos Aires : La Reina del Plata

par Rita Schlaen et Graciela Schmeier, architectes

① Où le Señor Rio féconde Dame Pampa.

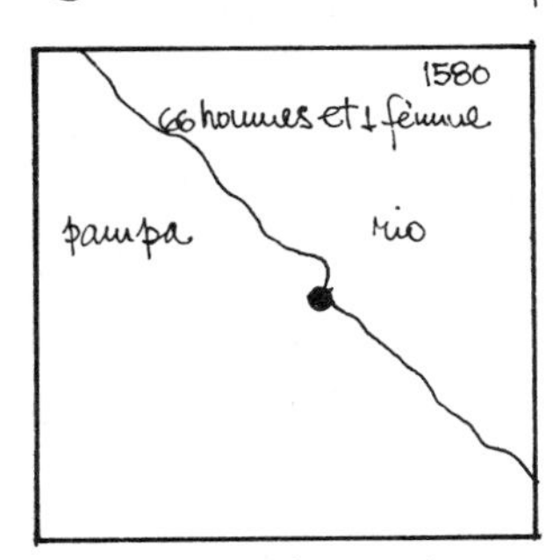

la ville coloniale

Simple point dans l'immense empire espagnol : une place et un damier.

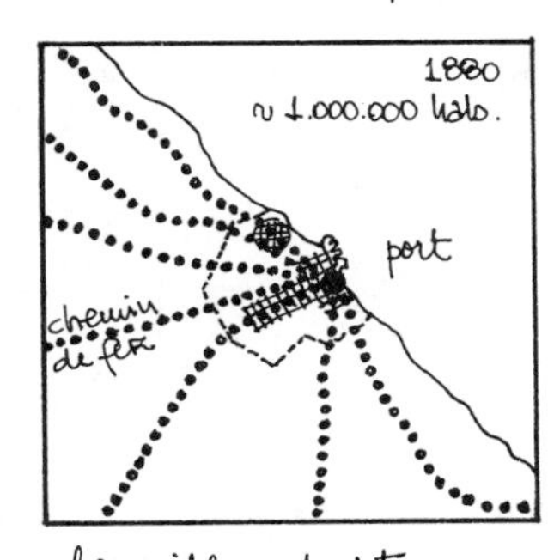

la ville-port

L'exportation agricole faite ville : un tracé radial et concentrique à partir du port.

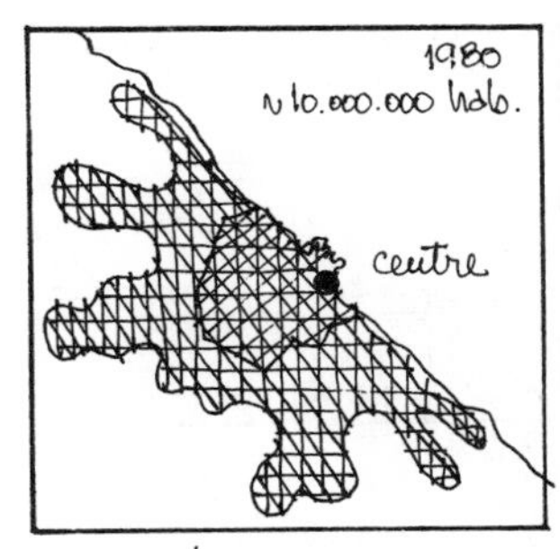

la métropole

La concentration du pouvoir : consolidation du centre et extension illimitée.

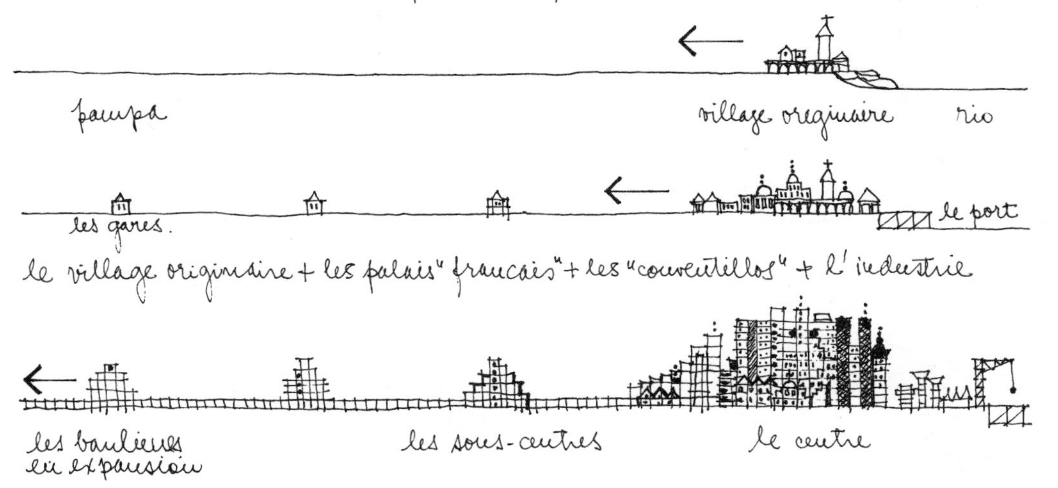

et la ville a grandi en tournant le dos au rio.....

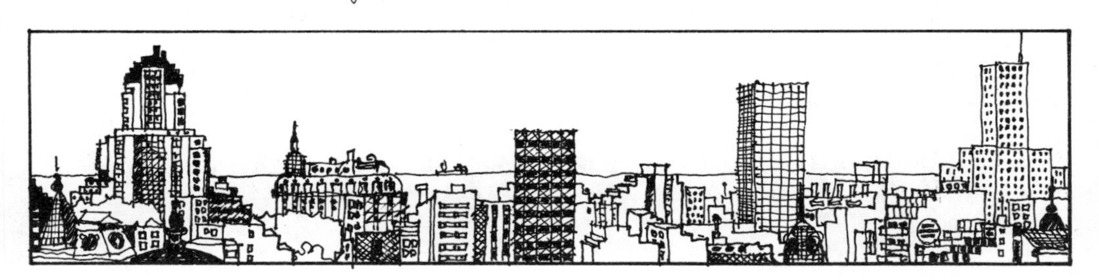

② Un jeu de construction géant

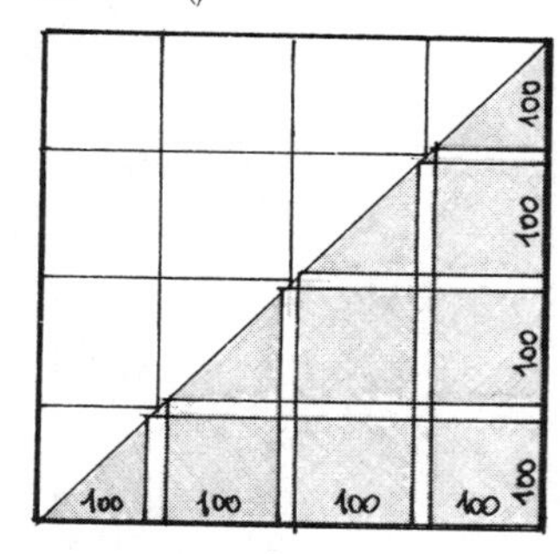

le damier : une trame rationnelle, uniforme dont la rigueur se répète à l'infini.
les 2 modules : la "manzana" (plein) la rue (vide) Séparation nette entre espace public et privé.

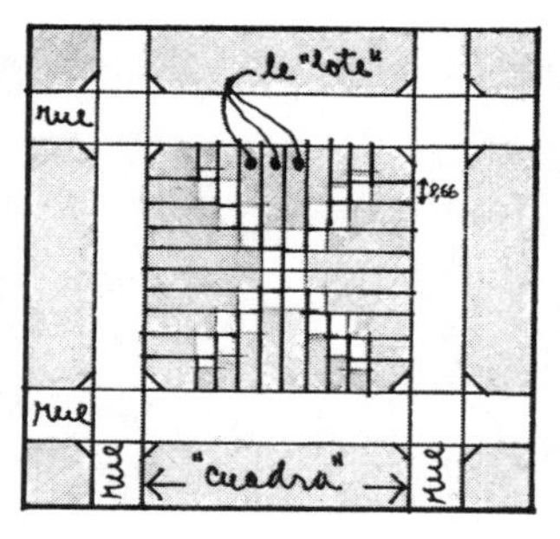

"manzana" : l'unité de base de l'urbanisation. Un carré de 100 x 100 m. qui se répète
"cuadra" : la rue et ses façades sont l'unité d'espace vécu.
"lote" : la parcelle de 8,66m (10 aunes)

La juxtaposition de typologies diverses a créé un profil discontinu des "façades-collage" et une architecture non désirée : celle des murs mitoyens.

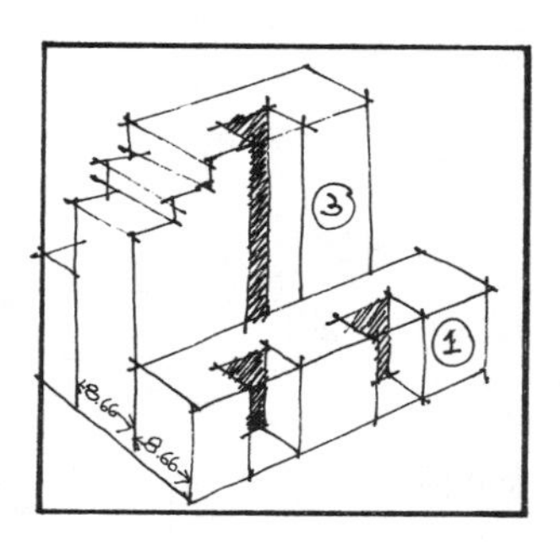

les typologies : l'architecture a trouvé ses typologies à partir de l'utilisation et de l'exploitation maximale du "lote" colonial : la maison (1) "chorizo" le chalet, la propriété "horizontale" (3)

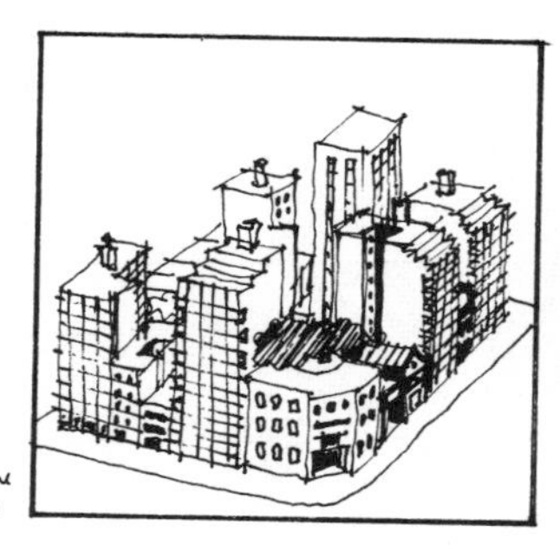

un jeu de construction et de "façades-collage" : un charabia de styles et de cultures diverses en un processus d'intégration.

... comment faire parler ces rues et ces "esquinas" où tout se transforme, tout est singulier ?

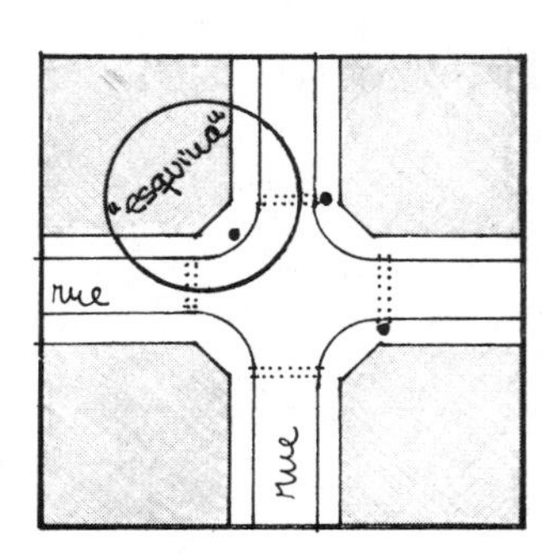

la "esquina" : le croisement de 2 rues définit 4 "esquinas". La "esquina" est le lieu de différenciation : c'est le site du café, de l'épicerie, de la pharmacie ou de la boutique.

les poètes de la ville ont trouvé dans les "esquinas" leur source d'inspiration : "L'HOMME AU COIN DE LA RUE ROSE" (BORGES), SAN JUAN Y BOEDO ANTIGUO (TANGO) etc, etc.

Quels mystères unissent les arbres et les hommes, les oiseaux et l'architecture, les bruits et les silences, les lumières et les pavés ?

③ La forme d'une ville

L'objet symbole

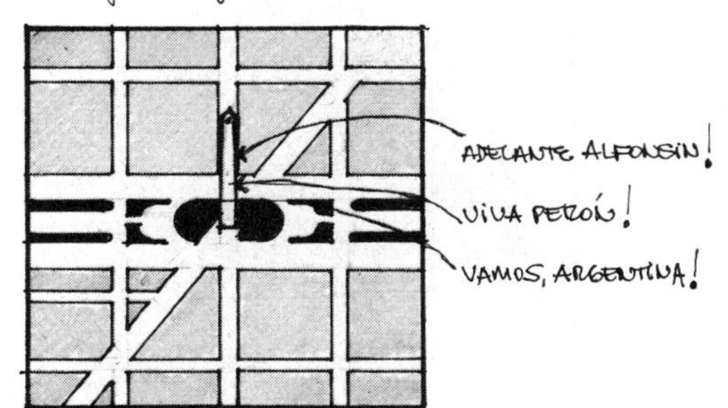

"Obelisco" :
le vrai "centre" et le cri
de la ville. Super pan-
neau d'affichage, lieu
de rassemblement et
de manif.
L'anti-Place de Mai où
le pouvoir et l'opposi-
tion ont depuis toujours
l'habitude de célébrer
leur grandes masses.

Un mille-feuilles de propriétaires

dans chaque
balcon un
jardin.

à chaque coin
de rue un feu
rouge

Des "cuadras", des
immeubles, des ap-
partements : un te-
rritoire anonyme
quadrillé par des
concierges.

Barrio sweet barrio

l'atelier
le linge.

le "maté" et
le balai.

les pavés

Des "cuadras", des maisons,
des arbres, des trottoirs
et ce "temps personnel"
fait de petites choses :
le bonjour à la voisine,
le compte ouvert chez
l'épicier, le rendez-vous
au coin de la rue, le
ballon des enfants.

Les paysages mouvants

El "bajo"

Plaza Congreso

A l'origine étaient l'usine, la gare, les immigrés : les italiens, les espagnoles, les anglais....

Belgrano R

Riachuelo

Mais la ville débloque.... Dans l'espansion, ce qu'on croyait être la limite, la fin ne l'est plus. Surgit un Buenos Aires inconnu →

les poteaux d'électricité et les antennes de T.V.

la banlieue:

Un chantier en croissance permanente peuplé de petits propriétaires et de bidonvilles.
Une idée de ville réduite à sa plus simple expression: des rues déjà tracées au cordeau.

Un magma bien ordonné, un collage démesurément grand de pièces et de morceaux. Une histoire faite de beaucoup d'histoires où chaque quartier est un monde et chaque coin de rue un souvenir.

④ Les "bons airs" de Buenos Aires
ou les week-end sacrés ~

maisons sur pilotis

canot à moteur/ voilier.

quai

le Delta

200 kms d'îles et de petites rivières.
Un monde immense et sauvage.

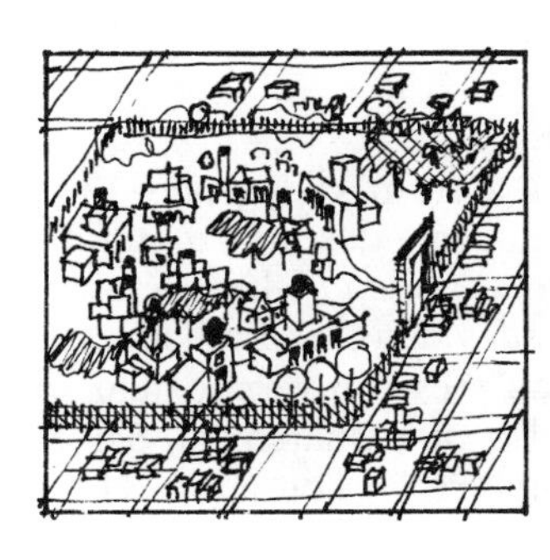

les "murailles"

terrain de golf/piscines

architecture somptueuse/ rues immenses.

les "countries"

Des citadelles de luxe, enclavées dans la pauvreté de la périphérie pour une classe moyenne qui veut et qui parfois peut.

et ceux qui ne peuvent pas?

le pique-nique

hot-dogs, coca et "choripan"

vente d'artisanat

le foot des grands et des petits.

la promenade publique

Invasion (littérale) de tout espace non occupé par des constructions.

et puis les "clubs"…. jusqu'à lundi

DAVID VIÑAS

DE MA FENÊTRE

« ... les choses qu'on a vues là, elles n'ont été écrites nulle part : manger la chair rôtie de son propre frère... » Luis de Miranda, 1536.

« L'air est assez tempéré, très semblable à celui de l'Andalousie. » Acárate du Biscay, 1658.

« La viande est si abondante qu'on la porte par quartiers en charrette sur la place, et si, par accident, il en tombe un quartier comme je l'ai vu, le conducteur, même si on le prévient, ne descend pas le ramasser ; et si, par hasard, un mendiant passe par là, il ne prend même pas la peine de l'emporter jusque chez lui. » Concolorcorvo, 1773.

« ... nous pouvons dorénavant placer Buenos Aires parmi les villes de trois cent mille habitants qui ont quelque importance dans le monde, comme Baltimore avec ses 320 000 habitants récemment recensés ». Sarmiento, 1882.

Avec Borges, heureusement, Buenos Aires a enfin sa légende. Et personne ne peut penser que c'est là un stratagème destiné aux touristes : vers 1925, son premier livre, *Ferveur de Buenos Aires,* était le commentaire de certaines de ses promenades dans les faubourgs à l'heure de crépuscules bon marché, sans fanfares ; ou vers le quartier, jusqu'alors resté inaperçu, que cernent les rues Guatemala, Serrano, Paraguay et Gurruchaga, vers ce périmètre où l'on a situé la fondation imaginaire de « la ville au bord du fleuve immobile [1] ».

— Tu l'aimes ?
— Qui ?
— Borges.
— Je l'ai admiré jusqu'au plagiat.
— Et quand il parlait de politique ?
— Aurais-tu parlé avec Perón de poésie !

Et Buenos Aires... J'ouvre la baie vitrée, je respire à fond comme si j'allais plonger dans une piscine, je fais tomber de mes lèvres quelque chose qui me gênait, je me souris à moi-même, je sifflote sans conviction, je regarde en bas et je la trouve là : à l'heure de la sieste, le teint maladif, feignant d'être hautaine, désinvolte presque, au bord de ce fleuve plat comme un lac, « couleur de lion [2] ». Ce sont des cubes : je veux parler de ces gratte-ciel transparents. Oui, on sait : les cubes de Los Angeles ou de Dallas. Qu'y faire ? Et à peine cinq tours comme des tétons poussiéreux : Congreso, au bas de la ville, où soufflent les tornades du sud-est ; le Barolo, qui tient du sombre Polyphème ; une autre tour à coupole où mon père allait se cacher dans sa garçonnière, comme on disait vers 1910 ; celle d'une vénérable clinique italienne qui est maintenant un tribunal, fiscal de surcroît. La cinquième tour ronde, avec son phallus encore plus altier, me rappelle, inexorablement, une certaine rue de Turin.

— On discute à Buenos Aires pour savoir si les écrivains qui sont restés là, durant la dictature militaire, ont tous été des collaborateurs.
— Est-ce exact ?
— Non.
— Et inversement ?
— On dit que ceux qui se sont exilés ont filé, comme des rats qui abandonnent le navire, prendre des vacances à Paris ou en Californie.
— C'est faux dans les deux cas : des gens craintifs et complaisants qui sont restés sur place, il y en a eu ; des profiteurs à Paris, aussi. Mais parmi ceux qui ont dû rester, Herman Schiler, par exemple, ne s'est nullement compromis. Parmi ceux qui sont partis, Bayer Osvaldo et Gustavo Roca n'ont pas passé leur temps en vacances.
— D'ailleurs, ce n'est pas par là que passe la ligne de partage des eaux.

UNE BALEINE GRISÂTRE COUCHÉE AU BORD DU FLEUVE

« Rondes et charnues » : cinq cheminées de bateaux qui se dirigent vers le sud où flottent les eaux du Riachuelo. Ce quartier de La Boca, plein d'Italiens, d'odeur de viande avariée, de Gênois et de *conventillos*[3] à toit de zinc. Cinq tours à coupoles donc, qui disent au revoir depuis le lac cendré qui se résigne à être perforé par des cubes et des cylindres de ciment. « Bon voyage ! » Adieu.

— Et sur les murs de Buenos Aires, quoi ?
— Des grafitti : dégoulinants de peinture, pleins de santé et d'insolence.
— Aujourd'hui ?
— Oui, en 1986. J'en ai retenu certains par cœur, et avec Sole nous en rions : « Masturbation = autogestion », « Non à l'avortement : faites la chose autrement », « Si Evita vivait, Isabel serait vieille fille », « Semaine Sainte = la Foire aux curés ».

Là, en bas, Buenos Aires fait la morte. Sans odeur. En fin de compte, le ciment ça ne peut pas se flairer. Pourtant, je hume l'air :

il n'y a pas de vent, il n'y a pas de nuages, à peine une brume dont je sens le goût sur ma moustache. « Comme une gaze insipide ». Non. Comme un reste de *dulce de leche*[4]. Buenos Aires est un maquis. Non. Les cuisses d'une jeune fille. Non plus. Un jeu de cubes en bois, jaunis. Non. Blanc crayeux. Je lève les yeux et, là-haut, flotte le ciel portègne : on dirait qu'on l'a passé à la teinture d'iode. Le ciel de Buenos Aires : un foie énorme.

— Tu es né ici ?
— Moi ? Oui.
— Ton père aussi ?
— Oui, en 1887.
— Ton grand-père ?
— Il a été emporté par la dernière épidémie de choléra.
— Et tes fils, David ?
— Les deux... Assassinés.
— Par qui ?
— Les militaires.
— Enterrés ici ?
— Oui. Tous.
— Sous Buenos Aires il y a donc un charnier ?
— Oui. Sous toutes les villes.

Je pourrais lui passer la main sur la tête : comme sur la tête d'un enfant récemment tondu ou comme si je passais mes doigts le long d'une haie de troènes. « Rêche ». Buenos Aires n'est pas rêche, elle est âcre : elle a cette odeur qu'on sent sur les polygones de tir. « Buenos Aires un polygone ». Ou une énorme peau de vache clouée à ses extrémités et qui sèche au soleil. « Écartelée ». Et moi, quoi ? Je vis et je me penche au faîte d'une crête qui s'étire en zigzag au centre de la ville. Ma maison un refuge ? « Un colombier ». Ou une sorte de mirador peut-être. Et je contemple cette baleine à grosses taches — baleine grisâtre — qui s'est couchée entre le Riachuelo et le fleuve. De plomb, le premier, et marron, *zaino*, le plus large.

— Vous avez dû réapprendre à marcher, Viñas ?
— Oui, en revenant à Buenos Aires.
— Examen d'entrée ?
— Un méchant examen. Trop longtemps différé.
— Vous avez été reçu ?
— Je ne sais pas. On n'aime pas ma façon de marcher.
— Les trottoirs sont défoncés ?
— Tout est défoncé, détérioré.
— Vous sentez Buenos Aires fragile ?
— Tout est fragile, jusqu'à... Comment s'appelle-t-il ?
— Qui ?
— Le président.

— Alfonsín.
— Fragile, Alfonsín, alors. Et les trottoirs, et les femmes — mes amies — auxquelles je me raccroche pour ne pas tomber au coin des rues.
— On vous aime, Viñas ?
— On me supporte : après tout, Buenos Aires, c'est là que je baigne dans mon jus. Et à mon retour, en 83, j'ai joué le tout pour le tout.
— Buenos Aires est une bonne carte ?
— Un peu comme un as de trèfle ?
— Non.
— C'est une jument. Et je la joue gagnante.
— Vous parlez de ses prouesses ?
— Absolument pas. De mes limites.

UNE PORTE SUR LA MER ET DE MODESTES SECRETS

Et maintenant, au lieu de me pencher à la fenêtre, c'est moi que je regarde. Je me pourlèche ? Comment dire ? Je me savoure : on me l'a fondée vers 1536. Je parle de Buenos Aires. Défaite de Mendoza et de ses premières chaloupes : attaques d'Indiens, fièvres, échanges inégaux et flèches de feu ont liquidé cette première tentative. Obstiné, Garay revint à la fin du même siècle. Bon. Ce fut un succès. Si l'on veut. Et « une porte sur la mer[5] » est restée ouverte, en équilibre entre des marécages et des *camalotes*[6] le long du fleuve tiède.

— Buenos Aires a-t-elle des secrets ?
— Peu. Elle en a deux, et plutôt modestes : faute de catacombes, elle a les lignes de métro qui partent de la Plaza de Mayo et de la cathédrale vers les divers quartiers, comme une main aux doigts crispés posée sur la ville sans atteindre ses limites. Aussi nerveuse que le réseau des chemins de fer qui s'ouvre vers le sud, vers l'ouest insipide et les Andes, et vers le nord. Vieilles provinces et pampa presque patagonique.
— Premier secret de Buenos Aires. Bien... Et l'autre ?
— Modeste, lui aussi : les meublés. Hôtels de passe : les *alojamientos* : mélange de bordel clandestin, de scènes d'Ettore Scola, de kitsch et de couples furtifs, anxieux...
— Faire l'amour a toujours été un péché à Buenos Aires, cité vigilante.
— Et maintenant ?
— Maintenant ? Elle ne commet plus de délations comme avant. Elle se borne à dénoncer, avec prolixité.

— Certes. Oui. Ou, moraliste et impuissante, elle en est réduite à l'envie.

Alors, depuis 1580, il y a un perpétuel malentendu : *río-Plata* (fleuve-Argent) ; *Argentina-pais* (Argentine-pays) ; *Aires-Buenos* (bons airs). Il n'y a pas d'argent et il y a des orages quotidiens, iodés, vers le delta du Paraná d'où montent des vagues de chaleur en été — des moustiques en décembre — et où s'étendent aussi des champs de roseaux qui progressent en direction du sud. Voilà ce qu'il y a, jusqu'à cacher le fleuve.

— Deux.
— Quoi ? Deux ?
— Deux emblèmes primordiaux de Buenos Aires : Perón et Borges. Deux vieux, deux morts, deux parents éloignés et qui se ressemblent, entre deux femmes : Evita et Victoria Ocampo, celle de la revue *Sur*.
— Les deux hommes, vous les avez souvent invoqués ?
— Plus que je n'ai invoqué ma mère. Surtout entre 1950 et 1980, trente ans. Borges et Perón : littérature et politique. A leur mort, la politique et la littérature ont réuni leur assemblée consultative.
— Comment cela, Viñas ?
— On remet tout en question. C'est ça. Rien n'a plus sa place. Et tous nous sentons que nous sommes « déplacés ».
— Mais, du « verticalisme » chez Borges ?
— Oui. Même s'il n'y paraît pas. Oui : quand il priait, verticalisme vers le haut, symboliquement, dans ses « prières ». Tout comme le verticalisme de Perón transparaissait dans ses ordres : de haut en bas.
— Et aujourd'hui ?
— Je viens de le dire : on remet tout en question. Il n'y a plus de vieux qu'on révère : ni pères ni jehovahs. Il n'y a plus de totems à Buenos Aires.

PAS DE SUCRE, PAS DE COTON MAIS DES VACHES QUI S'OBSTINENT À PROSPÉRER

Et le passé ? Il compte, il pèse le passé à Buenos Aires : histoire brève mais dense, inéluctable. Depuis sa fondation : car après Mendoza et Garay, les baraques de la côte ont à peine proliféré. Seizième, dix-septième. Je parle des siècles. Avec les Bourbons espagnols — Charles III et les autres — la ville aussitôt se met à grandir. Ils perçoivent le « danger anglais » et là commence l'interminable procès latent des Malouines. De 1776 à 1982. Et la queue dressée du lézard sud-américain qu'est l'Argentine, cette extrémité de l'empire espagnol, se transforme petit à petit avec ses vice-rois, ses bureaucrates basques, ses représentants de la Couronne et ses trafiquants de Noirs — en petit nombre, les Noirs. Pas comme à Cuba ou au Brésil. Ici : pas de sucre, pas de coton mais ces vaches qui s'obstinent à prospérer au milieu de la pampa après que les fondateurs en aient amené un petit troupeau. Ces vaches qu'il faut marquer après les avoir rassemblées. Un travail qui s'effectue avec peu d'esclaves et à cheval, bien qu'avec quelques Indiens, là, en face. Pas autant qu'au Pérou — entendons-nous bien — et beaucoup moins qu'au Mexique. Et on a fait déguerpir ces Indiens vers le sud, dans les « réductions » de Quilmes ou en les liquidant sans trop de remords et un peu n'importe comment.

— Le *lunfardo* se parle toujours ?
— Le quoi ?
— ...
— Le *lunfa*, oui. Ce qui était « à l'origine le langage des voleurs », et qu'on retrouve dans les paroles des vieux tangos. Et maintenant dans les réunions des jeunes snobs et parfois dans quelque mélancolique académie de danse. Mais il a tendance à disparaître...
— Le voleur envolé, non ?
— Oui, bien sûr... Il disparaît. Je veux dire : le *lunfardo*. Mais maintenant ce sont les jeunes qui, tous les jours, inventent un mot nouveau : *cholulo* (kitsch), *groncho* (tête de Noir), *trolo* (pédé), *te gasto* (j'te la coupe), *cheto* (joli-cœur), *achica el panico* (arrête de paniquer). Et autres vivacités.

Et ma baie vitrée. Entre deux de ces tours rondes qui naviguent et semblent dire au revoir, l'Obélisque : phallus dressé et carré, qu'on considère un peu comme l'emblème de la ville. Comme l'est l'Oncle Sam, quand les États-Unis doivent enrôler d'urgence des recrues. Et quand tombe un certain crépuscule, il indique, presque gaiement, le centre de la nuit portègne. Portègne = qui est du port. Comme on l'est à Valparaiso au Chili, à Veracruz en Nouvelle-Espagne et en d'autres embouchures depuis le Mexique jusqu'à la Terre de Feu... Cette nuit portègne mythique, mythologique, qui se complaît en elle-même, lourdaude et attachante, mélange de Naples, de Chicago au bord de son grand lac et d'un peu de Catalogne.

— Elle ne vous rappelle pas Madrid ?
— Non. Mais les quartiers qui sont au nord — Recoleta, Palermo et Belgrano — veulent encore passer pour le « Paris d'Amérique du Sud ».
— Par naïveté ?
— Non. Par patriotisme.
— Compatriotes, Argentins, concitoyens, voisins, Portègnes, cochons !
— Non, pas chez Borges, mais avec Mujica Lainez qui avait besoin de nommer sa ville pour la purifier des émanations qui lui viennent d'Europe.

LA GRANDE DAME LIBÉRALE ET L'ARRIVISTE PLÉBÉIENNE

Car après le marquage au XVIIe siècle sur la croupe des génisses et des veaux, le commerce s'étendit dans la campagne. On appela *estancias* ces exploitations agricoles. Si je monte sur la terrasse de mon immeuble je remarque tout là-bas qu'elles subsistent encore et rongent les bords des plus lointaines banlieues de Buenos Aires. *Estancias* = vastes domaines d'où sont sortis les chefs du pays, qui étaient grands propriétaires terriens et/ou généraux. Tous, en fait : Rosas, le plus célèbre, puis, après 1852, Urquiza dont la modernité consista à produire de la viande non plus pour des esclaves mais — avec régularité — pour leurs maîtres et pour les clubs de Londres — le Canning Club — pour Bristol et pour Chelsea.

— Des femmes ?
— A Buenos Aires ?
— Oui, Viñas.
— Deux prototypes principaux. Vous le savez bien : Victoria Ocampo et Eva Perón ; la grande dame libérale et l'arriviste plébéienne. Disons l'aristocratie et le peuple.
— Et au théâtre ?
— Comme symboles ?
— Oui, Viñas, oui.
— Deux propositions : la Mirta Legrand de *Tovaritch* et, bizarrerie, la Nacha Guevara[7] d'*Evita*.
— Opposées ?
— Un peu... Là encore : ce qui est supposé être le grand monde et de l'autre côté ce qu'il y a de plus braillard, en fait, sur le même axe, proposé comme modèle aux femmes de Buenos Aires, avec un seul parcours : tutu, première communiante, porte-drapeau au collège, institutrice en blouse blanche et, pour finir, bonne fée.
— C'est là l'apogée ?
— Il semblerait...
— Des exceptions ?
— Voyons... Oui : une Alfonsina. Alfonsina Storni.
— Elle aussi une bonne fée ?
— Non. Une femme poète qui s'est suicidée.

Je n'ai pas de fleurs sur mon balcon. Non. A peine des géraniums. « Si communs », comme disait ma tante Jorgelina, célibataire, professeur de français et en fin de compte victorienne. Elle avait découvert Anatole France en 1917 et, avec bonheur mais avec réserve, Colette durant les années du tango à Paris et Rudolf Valentino... D'en bas monte un air de tango. Oui. De la rue. Un peu comme la chaleur du delta en février.

— C'est une sueur, le tango ?
— D'entrejambes, assurait Jorgelina entre *Chéri* et *La Chair*. Sueur qui ne coule aujourd'hui que pour un certain tourisme brésilien, pour quelque Japonais avec sa femme et sans Kodak, et pour les vieux Porteños nés à l'époque du krach de 1929 ou sous Franco et sa Guadalajara la sèche et sous Mussolini.

— Les jeunes dansent ?
— Le tango ? Non. Ils l'ignorent. Ils le trouvent ridicule, tout juste bon pour les oncles de province qui descendent, en août, à Buenos Aires.
— Ils préfèrent le rock ?
— Oui. Et national... Le tango d'Arienzo, de Pichuco ou de Piazzola, ils le destinent aux bandes sonores, à Paris — qui achète toujours en brocante — et aux touristes, aux maîtresses d'école ou aux colonels à la retraite. Sans plus. En 1986, c'est Fito Paez, pas Canaro.
— Et Gardel ? Gardel non plus, Viñas ?
— Non plus. Des vieilleries, dit ma nièce.

ON ATTENDAIT DES BLONDS, ON VIT VENIR DES MÉDITERRANÉENS À CHEVEUX FRISÉS

Et depuis 1880 environ, les immigrants : une fois liquidés les Indiens, par un semblant d'exploit militaire, et les gauchos, avant et un peu après, par notre triple guerre avec les Brésiliens et les Uruguayens, ils sont arrivés. Buenos Aires *était l'Amérique* à défaut de New York : ils fuyaient la faim, les pogroms. Notre constitution, si libérale, les avait convoqués. Elle employait le « nous » et elle les appelait « les hommes de bonne volonté ». On attendait des blonds, on vit venir des Méditerranéens à cheveux frisés : de Sicile, d'Odessa, de Catanzaro ou de Lérida la noire et de Vitoria et de Mataró. Les romanciers de l'époque, charitables, grands seigneurs, adeptes de Lombroso, les décrivaient comme ayant la même « tronche d'animal » qu'ils avaient attribuée à l'Indien des pampas.

— Des Français ?
— Peu : des gigolos, des viticulteurs de Toulouse en crise, un arpenteur, un philologue rébarbatif, savant, la mère de Gardel (une blanchisseuse, mère célibataire), de tendres, d'habiles cocottes et des employés de la société Dreyfus ou du Crédit Lyonnais.
— Des Anglais ?
— Avec le chemin de fer : ils s'appelaient Coghlan, Armstrong — plu-

sieurs cousins germains —, Wilson ou Leenbourough. Obstinés, couverts de taches de rousseur et matinaux. Ils firent de beaux mariages. Ils devinrent propriétaires fonciers. Ils envoyèrent leurs fils à Rugby, parfois à Eton ou bien dans les tranchées de Medan.

— Sujets de Sa Majesté en même temps que de Buenos Aires ?

— Disons : joueurs de football. Ils mirent à la mode, vers 1913, le *wing*, le *back-hand, referi* et *juniors* à La Boca.

— Et ailleurs ?

— Aussi. Les clubs *River, All Boys, Hundred*... et *Jockey, Pedrige, Links*, et *Rowing* vers le Tigre.

— Le Tigre, Viñas ?

— Dans le delta : cours d'eaux, *cottages*, nuées de moustiques et Sarmiento — le plus grand bourgeois et le plus grand écrivain d'Argentine — au bord du Carapachay. Un cours d'eau au nom guarani.

— Et dans le fleuve ?

— Des poissons, d'agiles *pejerreyes*, des daurades, un *surubí*, quelques sirènes attardées, à cheveux teints, sans nombril près d'un cercueil, trois Gênois en uniforme et un poulpe incurable, des joncs poisseux, Shirley Temple les yeux écarquillés, les restes du *Mafalda* et un crapaud-évêque qu'on n'arrive pas à décoller du fond...

— On se baigne dans le fleuve ?

— Non, c'étaient les lavandières de 1890 qui se baignaient ou les membres de la fanfare *Los Cafiolos de La Paternal* pendant le Carnaval de 1933.

ODEUR DE RAVIOLIS, DE POLENTA ET DE NOUILLES VERTES

Dans ma baie vitrée, c'est déjà la nuit et la géométrie écrasée du début se peuple d'ombres romanesques. « Production poétique due à l'emploi savant des lumières » (cf. Adolfo Appia). Là-bas, en face, au centre du pâté de maisons d'autres que moi regardent par la fenêtre. Ils épient la ville, comme moi : voyeurs de Buenos Aires. A l'écoute derrière le mur de Buenos Aires. Renifleurs de ma ville. Il n'y a plus qu'à la prendre et à se la mettre dans la bouche. Comme le tango qui monte de la rue et qui est plus saccadé et plus réel. Charnu. Je sens l'eau me venir à la bouche. « Sexe et tango ». Oui. Bien sûr. « Authentique musique portègne », c'est ce que je crois moi-même. Ou ce que je feins de croire. Tandis que le *Broadway* affiche Depardieu et Fellini. Je crois aussi en eux. En fin de compte, Buenos Aires — la nuit — cesse d'être texane ou parisienne pour devenir du cinéma : inévitable, surtout après dix années de généraux, d'aiguillettes, de triomphalismes, d'archiprêtres, de malheurs et de dames distinguées en robes de tulle.

— Buenos Aires a grandi depuis les militaires ?

— On le dit.
— Avec deux cultures occultées. Celle des pédérastes. Nombreux. Qui virevoltent, supérieurs, délicieux, dans l'avenue, là où la foule est la plus dense. Et celle des lesbiennes : aguerries, insolentes, débordantes de santé. Une de mes cousines — Maria Cristina — milite parmi elles.
— Elles attendent la venue du pape ?
— Bien entendu. Oui : en 1987. Ce sera en avril. On ira l'accueillir. Avec tous ces couples sans pudeur ni discrétion. Ou, dans les recoins, ces fumeurs de marijuana, ces *fumemas* (comme les appelle un de mes amis qui a lu Lévi-Strauss et s'est fait son disciple), ces corps qui s'offrent (avec parcimonie), surtout dans les kiosques à journaux.
— Les militaires reviennent ?
— Eh là ! Non. Je ne sais pas... Ou plutôt oui, je sais : ils se sont cachés comme le colonel Tejero à Madrid. Tout seul. Ou avec quelques soldats.
— Ce n'est pas un nouveau Juillet 36 ?
— Non. Je ne crois pas. Je prie pour qu'il n'en soit rien. Je prie ce qui, on le sait, revient à parler tout seul, à discuter tout seul, à perdre tout seul... Après leur grotesque épopée, à la D'Annunzio, aux Malouines en 1982, ils se sentent honteux et comme castrés.
— Prêts à la revanche ?
— Certains colonels, oui. Certainement.

Le tango monte d'en bas, de plus en plus fort. A la manière de Carpani (qui est mon ami, qui a dessiné à Paris des danseurs, des zèbres, des filles et des accordéons, et qui, maintenant, s'obstine à faire des gribouillages). Odeur de potée de haricots. « A Buenos Aires il n'y a pas de haricots. » Si, maintenant il y en a. Odeur de raviolis, de polenta et de nouilles vertes et lovées, odeur qui s'est répandue peu à peu depuis 1909. Parallèle à la malchance. Accompagnant nos messieurs en prince-de-galles et nos grèves d'anarchistes qui avançaient vers le centre de la ville à partir des « campements rouges ».

— Et les hommes ?
— De Buenos Aires ?
— Oui, Viñas, oui.
— Un double rêve mais une seule passerelle : du balcon de la Maison Rose, tous veulent chanter un long tango en imitant les gestes de Perón ou de Gardel.

Et les immigrants venus de l'étranger. Oui : en 1880, en 1900, en 1910. Peut-être jusqu'en 1920. Ce n'est pas pour rien que vit encore le souvenir de la Semaine Tragique de Janvier. De 1919. C'était le gouvernement d'Yrigoyen et le premier radicalisme de cette classe moyenne de fils d'Italiens, de Juifs et d'Espagnols. On connaît. C'est presque un lieu commun : la comédie créole, le *sainete*, et les grotesques d'Armando Discepolo : *Don Stefano, Mateo y Relojero.* Mais, après 1930, il ne s'agit plus d'immigrants venus d'Europe mais de gens venus de nos provinces : les *cabecitas negras,* le support social de Perón le 17 octobre 1945. « C'est un sociologue », résume mon cher ami Juan José Sebrelli. La deuxième grande vague qui a peuplé cette ville, s'étend là-bas. Sans l'odeur du tango ni de la polenta mais avec le rythme du *chamamé* et de la polka, et des nostalgies provinciales.

— On sent leur odeur ?
— Leur odeur non. Mais on entend leurs cris et surtout le gros tambour, le *bombo,* de ces gens qui ont « envahi » Buenos Aires entre 1935 et 1940.
— Ont « envahi », Viñas ?
— Oui, absolument : un autre mélange, épais, dramatique, une pâte qui lève... Vous entendez le *bombo* ?
— Non, Viñas. Je n'écoute plus.
— Tendez l'oreille. Vous l'entendrez encore, à la périphérie.
— Ils avancent ?
— Quoi ?
— Je vous demande s'ils avancent, Viñas.
— Vers le centre de Buenos Aires. Là-bas, vous voyez ? Parmi ces lumières...
— Et alors ?

« LES PARALLÈLES NE SE CROISENT PAS, BÉBÉ »

Je fais semblant d'être un écrivain pour me déguiser en Borges. Je hume le brouillard et la gorge me brûle : « C'est un voile. » L'apparence d'un voile. Je contemple le ciel mort et je respire de nouveau. Un oiseau sombre plane devant ma fenêtre. Ce pourrait être une chauve-souris. Non. Je pourrais tendre le bras et le laisser s'y poser. « Ce n'est pas une colombe. » Je m'ébroue, alors, je contemple une fois de plus cette ville comme si j'arrivais à un aéroport imprévu. « Ce n'est pas Belchite. » C'est Buenos Aires. Et, comme si je m'en allais, je dis « au revoir ! ». De nouveau. Je rentre, je ferme la fenêtre, je tire le rideau. Je passe un chiffon sur la vitre presque humide. Je pose un baiser sur un vase. J'aime caresser le bord de mon vase Ming. Et je m'apprête à sortir. A descendre dans Buenos Aires. Je vais sortir de chez moi, traîner les pieds le long du couloir, relire — inquiet, au passage — cet avis rouge contre les incendies. « Je suis vigilant. » *Soyez sur vos gardes, Viñas.* Je le sais. Je vais appeler l'ascenseur, je vais sortir dans la rue. Oui. Sans me regarder dans cette glace obscure. Autre grafitti : « Les parallèles ne se croisent pas, bébé. » Et la rue : humide. Je vais donc marcher tout au long de Corrientes, je vais passer devant le *Broadway* et l'Obélisque. Je me laisserai fasciner par ces annonces lumineuses, rouges, si rapides. J'arriverai rue Florida où il y a plus de boutiques d'Arméniens que de Juifs immigrés. Puis je tournerai vers Retiro et la Tour des Anglais. Là, il y aura une forme floue, impatiente.

— Et La Recoleta ?
— Vous me demandez si je la vois de ma fenêtre ?
— Oui...
— Non. Je ne la vois pas. Mais c'est là qu'on va pour mourir, pour être enterré.
— Comme Borges.
— Non. Lui, il aimait tellement Buenos Aires que déjà malade, il est allé mourir à Genève, son canton.

(Traduit de l'espagnol par Françoise Rosset.)

DAVID VIÑAS
Écrivain

1. Livre très connu de Eduardo Mallea.
2. Expression de Borges pour désigner le río de la Plata.
3. Maison d'habitation patricienne dont chaque pièce est sous-louée à une famille, tous les occupants partageant la cuisine, les WC... et le patio.
4. Confiture de lait.
5. Acte de la 2e fondation de Buenos Aires en 1580.
6. *Camalotes* : plantes aquatiques du delta.
7. Actrices connues.

BÉATRICE MUTEREL-ECHO

CARMEN, LA FLEUR DE TANGO

entretien avec
CARMENCITA CALDERON

Vendredi soir. Les racés du tango sirotent leur « parfum de fin de semaine ». Bandonéistes et chanteurs dominent l'acoustique de *l'Abrojito,* vignette tanguistique et réserve des initiés. Ils attendent le plat de résistance, symbole de leurs nuits portègnes, Carmencita Calderon, petit boud'femme vêtue de rouge qui arrive seule et qui se faufile entre les tables, accueillie à grandes embrassades par tous les compères attablés. Toute menue, elle sautille comme un moineau et échappe vite aux éternelles retrouvailles. Elle grignote d'une table à une autre et disparaît de siège en siège. Un solitaire au regard brumeux et sévère la surveille, recroquevillé sur son assiette ; ce grisonnant d'allure imprécise, attend et guette les mesures musicales. A minuit les couples dansent déjà. Danseur de tango professionnel, le grisonnant se glisse sur la piste et se métamorphose en s'unissant à sa compagne vêtue de rouge : Carmencita, symbole vivant d'un tango originel. On ne sait pas à quel moment de la nuit les couples ont commencé à danser.

Chaque couple épris de tango développe indépendamment ses propres figures, qui ne peuvent être fixées en une chorégraphie, puisque improvisées. Un couple se distingue de la masse — ensemble ondulé de courbures et modelé par l'expression d'un libre jeu de jambes — pas de rectitude dans le corps comme chez les autres couples, et leurs visages se touchent presque, orientés dans une même direction (position originelle, qui changea en 1939, lorsque la femme commença à chercher un travail dans les cabarets ; dans une position inverse, elle pouvait converser avec le partenaire afin de discuter le prix d'une conquête).

Lui, le chanceux compagnon de Carmencita, exerce ses talents depuis plus de trente ans comme professeur de danse. Il est aujourd'hui le successeur des plus grands danseurs de tango qui ont dansé avec la petite Carmen, « la fleur de tango », à qui José Gobello a dédié un tango : *La piba sin tiempo* (la gamine sans âge).

VOLONTAIRE, INDÉPENDANTE ET FIÈRE

Née vers 1912, elle était la deuxième fille des Calderon, famille de six enfants aisée et bien argentine. Elle grandit à Buenos Aires dans le quartier de Villa Urquiza et Villa Pueyrredon et apprit à danser avec ses frères qui s'entraînaient entre copains. Chacun développait un genre de danse précis, se stylisant pour la mazurka, pour le fox-trot, la valse, le paso-doble ou la milonga. Ils lui enseignèrent les nuances de ces différentes danses. Gourmets de tango, ses parents dansaient aussi ; sa mère lui corrigeait les pas. « Elle m'a appris à ne jamais regarder au sol. » La « petite », alias *la ñata* n'avait pas seize ans lorsqu'elle décida de se marier afin d'échapper au contrôle familial. Discrètement elle se sépara immédiatement afin de conserver son indépendance pour pouvoir danser professionnellement.

La ñata débuta avec José Giambuzzi Tarila (1889-1961), danseur très habile qui devint célèbre en 1945, et qui n'eut que deux compagnes au cours de sa carrière : sa femme, puis Carmen Calderón. Tarila la guida et la forma comme artiste de théâtre. Elle ne dansa jamais dans les cabarets et ne fréquentait pas les dancings. Le tango fut pour elle une véritable passion qu'elle développa par des figures toujours improvisées et de création personnelle.

Femme modeste et effacée mais volontaire, indépendante et fière, elle ne se laissa pas dominer par les *kings* du tango et se fit ainsi respecter pour sa témérité de femme libre[1].

« Le macho cherche toujours à conquérir. Un bon danseur doit être capable de prévenir les possibilités de sa compagne, en la guidant subtilement sans lui imposer des figures brutales. J'ai toujours réalisé mes propres figures grâce au libre jeu de jambes qui par le tango peut se déployer d'avant vers l'arrière. Lorsque mon partenaire tentait de m'imposer un ensemble de pas trop monotones à mon goût, je n'hésitais pas à lui donner quelques coups de genoux, détail que le public considérait comme étant une fantaisie combinée mutuellement.

L'opinion publique me cataloguait sans doute comme étant la "petite amie" du célèbre partenaire avec qui je dansais. Si j'avais été la maîtresse de tous ces héros, je n'aurais jamais vu le fruit des fortunes que nous gagnions à cette époque, car les machos argentins aimaient entretenir les femmes comme bon leur semblait. Ils les faisaient travailler puis jouaient au *golden rush*. La femme idéale était une sorte d'ornement utile pour d'éventuelles intrigues. Dans la danse, je suis l'ornement du couple, nécessaire au déroulement harmonieux de chaque moment. Malgré le qu'en-dira-t-on, j'ai réussi à gagner ma vie honnêtement et mes partenaires m'ont toujours protégée contre tout malentendu. »

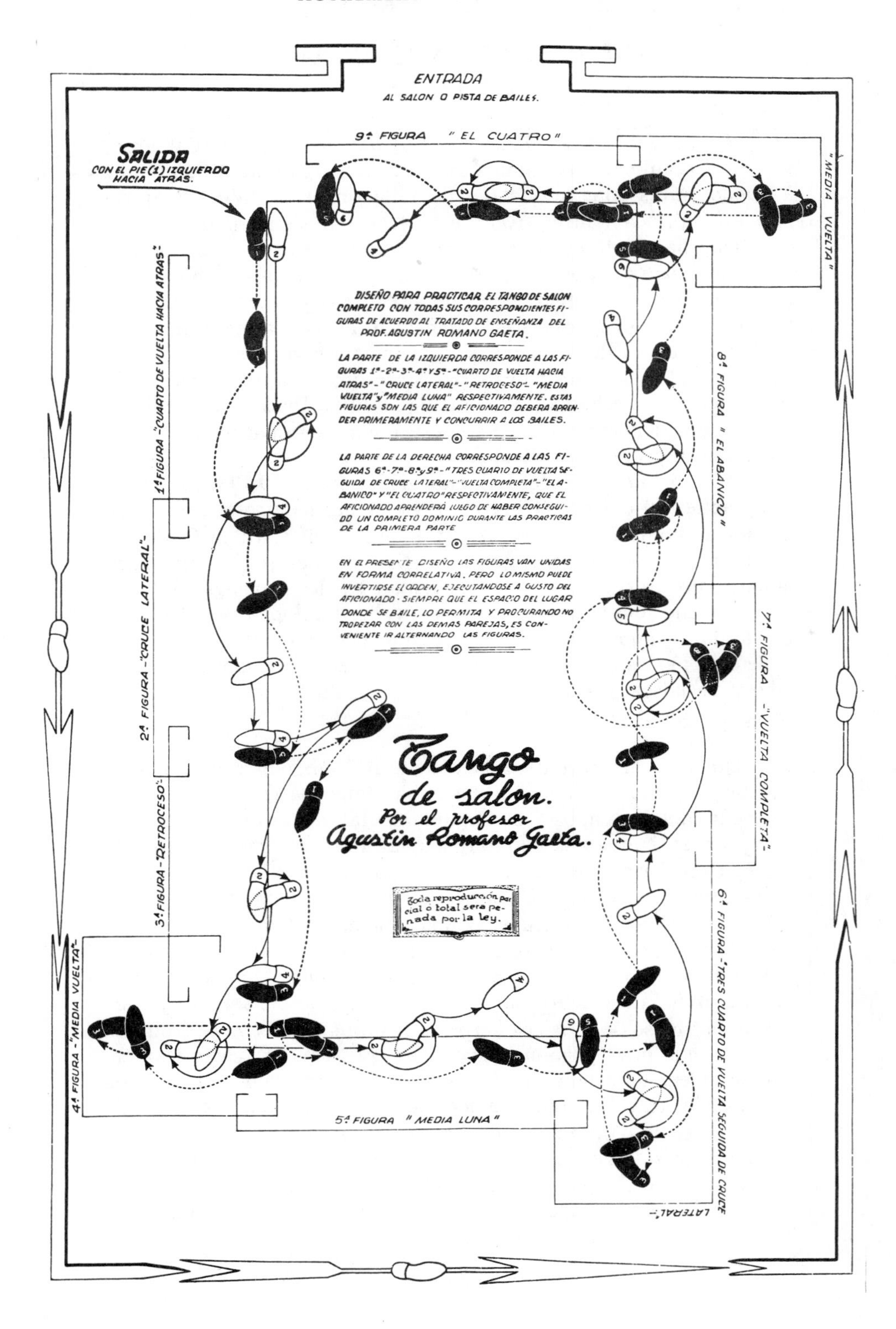
ENTRADA
AL SALON O PISTA DE BAILES.
SALIDA
CON EL PIE (1) IZQUIERDO HACIA ATRAS.
9ª FIGURA "EL CUATRO"
"MEDIA VUELTA"
1ª FIGURA "CUARTO DE VUELTA HACIA ATRAS"
2ª FIGURA "CRUCE LATERAL"
3ª FIGURA "RETROCESO"
4ª FIGURA "MEDIA VUELTA"
5ª FIGURA "MEDIA LUNA"
6ª FIGURA "TRES CUARTO DE VUELTA SEGUIDA DE CRUCE LATERAL"
7ª FIGURA "VUELTA COMPLETA"
8ª FIGURA "EL ABANICO"
DISEÑO PARA PRACTICAR EL TANGO DE SALON COMPLETO CON TODAS SUS CORRESPONDIENTES FIGURAS DE ACUERDO AL TRATADO DE ENSEÑANZA DEL PROF. AGUSTIN ROMANO GAETA.
LA PARTE DE LA IZQUIERDA CORRESPONDE A LAS FIGURAS 1ª-2ª-3ª-4ª Y 5ª - "CUARTO DE VUELTA HACIA ATRAS" - "CRUCE LATERAL" - "RETROCESO" - "MEDIA VUELTA" y "MEDIA LUNA" RESPECTIVAMENTE. ESTAS FIGURAS SON LAS QUE EL AFICIONADO DEBERA APRENDER PRIMERAMENTE Y CONCURRIR A LOS BAILES.
LA PARTE DE LA DERECHA CORRESPONDE A LAS FIGURAS 6ª-7ª-8ª y 9ª - "TRES CUARTO DE VUELTA SEGUIDA DE CRUCE LATERAL" - "VUELTA COMPLETA" - "EL ABANICO" Y "EL CUATRO" RESPECTIVAMENTE, QUE EL AFICIONADO APRENDERÁ LUEGO DE HABER CONSEGUIDO UN COMPLETO DOMINIO DURANTE LAS PRACTICAS DE LA PRIMERA PARTE
EN EL PRESENTE DISEÑO LAS FIGURAS VAN UNIDAS EN FORMA CORRELATIVA. PERO LO MISMO PUEDE INVERTIRSE EL ORDEN, EJECUTANDOSE A GUSTO DEL AFICIONADO - SIEMPRE QUE EL ESPACIO DEL LUGAR DONDE SE BAILE, LO PERMITA Y PROCURANDO NO TROPEZAR CON LAS DEMAS PAREJAS, ES CONVENIENTE IR ALTERNANDO LAS FIGURAS.
Tango de salon.
Por el profesor Agustin Romano Gaeta.
Toda reproducción parcial o total sera penada por la ley.

ENTRADA
AL SALON o PISTA DE BAILE
15
14
13
1
12
2
A
B
11
POSICION Y TOMA CORRECTA DE LA PAREJA
LA MANO IZQUIERDA SERA TOMADA POR LA DERECHA DE LA DAMA, (OBSERVESE FIGS. A Y B), AMBAS MANOS QUEDARAN A LA ALTURA DEL HOMBRO IZQUIERDO DEL CABALLERO. (OBSERVESE FIGS 1. 3. 9. 11 Y 12).-
LA MANO DERECHA TOMARA EXACTAMENTE DE LA CINTURA Y CENTRO DEL CUERPO DE LA DAMA, CON LOS DEDOS DE LA MISMA, UNIDOS ENTRE SI, (OBSERVESE FIG. 9).-
LOS CUERPOS DEBERAN ESTAR UNIDOS DESDE LA CINTURA HACIA ARRIBA Y VISIBLEMENTE SEPARADOS DESDE ESTA HACIA ABAJO. (OBSERVESE FIGS 2. 6 7. 8 10 13 Y 14).
LA MANO DERECHA DE LA DAMA TOMA DEL ANTEBRAZO IZQUIERDO DEL CABALLERO, MAS ABAJO DEL HOMBRO, CON LOS DEDOS DE LA MISMA, UNIDOS ENTRE SI (OBSERVESE FIGS 6. 8. 10 14 Y 15).-
3
10
COMO CONDUCIR A LA DAMA PARA BAILAR CON CORRECCION Y HABILIDAD
CONDUZCA EN FORMA CORRECTA A LA DAMA PARA OBTENER PASOS Y FIGURAS ACORDES CON LOS QUE VD REALICE. CUANDO HAGA LOS PASOS HACIA ATRAS, PARA HACER AVANZAR A LA DAMA, CON SU BRAZO DERECHO UBICADO EN LA CINTURA, LLEVELA HACIA VD Y ELLA ENTONCES REALIZARA LOS PASOS HACIA ADELANTE. (OBSERVESE FIGS 7. 9. 14 Y 15).-
CUANDO REALICE LOS PASOS HACIA ADELANTE, PARA HACER RETROCER A LA DAMA, CON SU MANO IZQUIERDA LA LLEVA PARA QUE ELLA REALICE LOS PASOS HACIA ATRAS.-
CUANDO REALICE LOS PASOS LATERALES PARA OBTENER LOS MISMOS DE LA DAMA, CON SU MANO DERECHA LA LLEVA HACIA SU COSTADO IZQUIERDO. PARA QUE AMBOS REALICEN LAS FIGURAS LATERALES (OBSERVESE FIGS. 2 3. 4. 8 Y 10).-
4
9
5
6
7
8
CUANDO REALICE VUELTAS O GIROS PARA OBTENER LOS MISMOS DE LA DAMA, DEBERA LLEVARLA HACIA EL LADO QUE SE GIRE (DERECHA O IZQUIERDA) Y CON AMBAS MANOS LA CONDUCIRA HACIA EL LADO QUE DESEE Y ACORDE À SUS GIROS O VUELTAS (OBSERVESE FIGS. 5. 12 Y 13).-
POR EL PROF. AGUSTIN ROMANO GAETA.-
Toda repoducción total o parcial será penada por ley de derecho de propiedad intelectual.

DANSER AVEC LE « CACHA » ÉTAIT UN PLAISIR EXTRÊME

« J'étais toute jeune et timide lorsque Tarila m'emmena au célèbre salon de Rodríguez Pena. Je voulais écouter l'orchestre et voir danser les meilleurs danseurs de l'époque. L'un de ses amis, José Ovidio Bianquet (Benito Bianquet) était là, le Grand Maître du tango, surnommé le *Cachafaz* (le « fier »). C'était un homme grand, assez laid, qui séduisait par son élégance naturelle ; un homme décidé et autoritaire, un gentleman qui savait se valoriser avec dignité. C'était un ami excellent. Il parlait très peu. On le respectait, on le vénérait. Les femmes étaient folles de lui et il aimait toutes ces guerrières. J'ai commencé à danser avec lui ! Tout était ondulation et élégance. Il "marchait" pour marquer le passage de chaque pas. Sa caractéristique était de danser droit ; mais le jeu de jambes... "contorsions de ver de terre" difficilement imaginable.

« Il était à l'aise dans ce que personne d'autre que lui n'a réussi à exécuter jusqu'à présent. Le tango du Cacha était un ensemble voluptueux, affectueux, mais non amoureux. Il suggérait une attaque qui se dissolvait en douceur. Habile et admirable dans ses arabesques tordues de provocation, il estompait la complexité du mouvement avec une canaillerie inconsciente qu'il transmettait avec humour et complicité. Danser avec lui était un plaisir extrême. Il sentait les possibilités de la partenaire et savait la mettre en valeur. Très macho, il dominait et menait la danse. Il exécutait les pas. Dans ses glissements il indiquait à la femme la réponse qu'elle devait transmettre en sensualité afin d'unir le geste au charme pour un tout harmonieux. J'ai été sa partenaire officielle de 1935 à 1942 (1942 : date de sa mort, le 7 février, à 23 h 45 à Mar del Plata).

« Mes souvenirs du Cachafaz sont surtout professionnels ; il ne parlait pas de sa vie privée. Son langage était la danse du tango. Nous communiquions ainsi. Je ne peux parler d'histoire lorsque chaque danse était une création permanente. Il était très populaire et je suis devenue une sorte de mythe pour l'avoir accompagné dans sa gloire. Ses adoratrices me faisaient des cadeaux somptueux afin de le conquérir par mon intermédiaire.

« Le Cachafaz était de père français et de mère catalane. Il vécut rue Venezuela au n° 500 jusqu'à l'âge de neuf ans, puis près du marché de l'Abasto où il s'entraînait dans les rues avec les experts de la « danse du couteau ». Pour lui, c'était un jeu, une farce, car il n'eut jamais besoin d'une arme pour disputer ses atouts de bon danseur. A quinze ans, c'était un rival imbattable : c'est alors qu'on le surnomma le Cachafaz, car ce victorieux relevait chaque défi la tête haute. Il débuta comme professeur de danse à l'Olimpo, où il forma quelques spécimens se distinguant dans la haute, dont il fut très fier.

Il dansait dans les salons, dans les maisons spécialisées, dans les académies comme le Boxing Club.

« Le Cachafaz était très ami de Carlos Gardel à qui il prêtait un appartement situé entre Sarmiento et Cangallo, rue Parana. Lorsqu'en 1935 Radio Belgrano annonça la mort de Carlos Gardel, le Cachafaz devint "couleur cendre". Il pleura. Le tout Buenos Aires s'étrangla d'émotion.

« J'ai dansé avec les plus grands danseurs de tango, avec Alfredo "le maigre", avec le Negro (Bernabé Simara) qui dansait en costume de gaucho ; son style était très sensuel, ses mouvements étaient surtout de "Candombe". Il fut surnommé le "roi du tango" lorsqu'il dansa à Paris en 1911. J'ai dansé avec Egidio Escarpino le "roi de l'arabesque", avec Santillán, "le métis", roi du tanguito, et bien d'autres. Aujourd'hui, Virulazo[2] est à mon avis l'un des meilleurs danseurs mais qui malgré tout, ne danse pas le tango authentique, comme le firent les *compadritos*. Aucun n'a réussi à égaler le talent du Cachafaz... »

LA CHUTE DE L'EMPIRE TANGUERO

« Autrefois, la danse était plus lente qu'aujourd'hui, plus sensuelle et plus intime. Le couple dansait presque corps à corps. Les figures étaient plus variées et marquées d'improvisation. On a défini un tango *orillero* comme étant un tango venant du port de Buenos Aires, très imprégné d'italianisme (Tarila, gamin italien qui apprit à danser dans les rues, définit son style comme étant orillero). En parlant du Cachafaz, on mentionnait son style comme étant un tango *canyengue*. En réalité, orillero et canyengue sont un même tango, car, venus du port ou venant de la rue, ils se sont réellement développés dans la rue.

« Danser était un plaisir extrême, et je ne comprends pas pourquoi Discépolo, par exemple, parle d'une "danse triste et pleurnicharde". Lorsque je danse, j'éprouve une joie très profonde ; c'est une joie silencieuse que partage chaque partenaire. Le sérieux de la danse est confondu avec tristesse. Si nous semblons être graves et sérieux, ce n'est pas par "misère", mais pour concentrer notre attention afin de ne pas perdre la mesure de la danse.

« Le mécanisme du tango est inespéré, accidentel, imprévu et surprenant. Aujourd'hui, on tente de styliser le tango en le fixant par une chorégraphie "prête à porter". Il est devenu monotone à cause des répétitions ; il a perdu son caractère. Dans les dancings, les couples expriment un certain état d'âme du tango, reflet caricatural de l'expression portègne. A l'étranger, le tango est une mise en scène : les couples forment un ensemble d'ombres dansantes, mécanisées de raideur. On ne sent plus de volupté sensuelle entre l'homme et la femme, mais une certaine exagération indifférente à toute sensibilité. La véritable identité du tango s'est perdue, peut-être dans les salons parisiens, lorsqu'on a commencé à confondre les tracés d'un mouvement racé avec les restes de danses conventionnelles.

« De plus, les gens ne savent pas différencier les nuances de chaque tango. Il existe peut-être trois schémas principaux différents, selon l'identité du thème proposé. Je ne peux danser la *Cumparsita* comme le *Don Juan*, ou comme *Derecho Viejo*, tangos qui requièrent un ballet différent pour chacun. La différence que je sens dans chaque tango m'a permis de développer mon propre style, que je nuance par l'improvisation. Lors d'un reportage, on me disait : "Carmencita, ta danse est une chanson". »

Depuis quatre ou cinq ans, le tango est à la une d'un rétro éphémère. Avant de tenter une aventure artistique internationale, quelques danseurs ont prudemment suivi une formation « Calderón ». Le tango possède une gamme impressionnante de figures. Mais son caractère véritable se cache dans la démarche des immigrants qui, sans travail, trépignaient d'impatience en esquissant au sol des pas qui demeurent le moyen d'expression pour une race d'exilés.

Carmencita Calderón continue à danser avec beaucoup de souplesse ; le public la réclame et l'applaudit. Mais ce n'est plus un public aussi friand qu'autrefois. Carmencita, qui connut l'âge d'or du tango, vit dans l'ombre, comme beaucoup d'artistes argentins qui n'ont jamais été appelés à déployer leur talent en dehors du siège social récemment baptisé « le bout du monde ». Après la chute de l'empire tanguero, ses souvenirs la protégèrent de la misère et elle se confondit dans les tatouages d'un pays brouillé d'incertitude.

BÉATRICE MUTEREL-ÉCHO
Critique d'art

1. L'image de la femme « dominée » est un mythe d'exportation. L'Argentine a une vieille tradition de « femmes libres », refusant le mariage. Exemple fameux : Paquita, une des premières femmes bandonéistes.
2. Virulazo a dansé à Paris dans un récent spectacle de tango au théâtre du Châtelet.

MARIANO SCHNEIER

LE TANGO, RAS LE BOL !

Un après-midi, fauchés comme d'habitude, les amis se rencontrent dans une maison du quartier d'Almagro. Ils bavardent, boivent du maté, du rouge, même un Gancia Cola avec, bien entendu, beaucoup de bonne musique en plus.

Alors, tout de suite, le dilemme : quel genre de musique écoutent-ils, les jeunes Porteños, disons entre dix-huit et vingt-cinq ans (sans que cela veuille dire pour autant que les exclus, ce sont déjà des vieux...) ? Mario « le Gros », Marina « la Russe », Marcelo « le Maigre », et Antonio « le Spaghetti »[1] représentent à merveille des stéréotypes musicaux, qui ne sont pas immuables, mais qui font partie de la culture populaire de la ville.

Voici, par exemple, ce garçon, Mario, qui se sent proche des problèmes de son peuple, mais qui, en même temps, s'identifie à la force du heavy metal anglais ou américain. Voici encore un autre mélange : Marina, une fille d'origine juive, prosoviétique, qui écoute de la musique folklorique argentine. Le troisième, Marcelo, peut-être plus intello, et qui est à la recherche de nouveaux partis politiques, se retrouve mieux dans le jazz. Quant à Spaghetti, lui, il veut danser. Il est fatigué de tant de répression et cherche dans le *candombe*[2] et dans les groupes soi-disant « amusants » un exutoire, après toutes ces années de dictature militaire.

Chacun s'exprime comme il peut : le tout, c'est de s'exprimer, de « s'éclater ». Et chacun le fait avec ses propres mots, son propre argot, mêlé au *lunfardo* de Buenos Aires — l'argot de tous — mais enrichi d'inventions personnelles. Car c'est surtout dans le milieu musical populaire que sont créées la plupart des nouvelles trouvailles de notre jargon quotidien.

Et maintenant, écoutons-les parler.

Le Gros : Mais non, mon vieux, arrête avec le tango, laisse ça pour ma sœur qui a trente-six ans.

Le Maigre : Mais c'est *Cambalache*[3] chanté par Caetano Veloso[4], le jour du concert qu'il avait donné la dernière fois qu'il est venu du Brésil !

Le Gros : Qu'est-ce qu'on en a flippé ! Caetano le chantait mieux que nous, personne dans le public ne se rappelait les paroles... Mais je t'en prie, mets quelque chose avec du punch, de l'énergie, quelque chose dans le genre démocratie « que nous avons su conquérir[5] », va ! T'as pas Iron Maiden, AC-DC, Scorpions, ou Pappo's Blues, à la limite ?

Le Maigre : Peut-être Led Zeppelin ?

Le Gros : Mais non, écoute, c'est sinistre, à l'entendre on dirait que ton frère vient juste de crever !

Le Maigre : Bon ben... écoutons quelque chose de chez nous ; Litto Nebbia, par exemple.

Le Gros : Et voilà, ça te reprend, le nationalisme ringard.

Ils chantent : « *On dit que le cœur se fortifie lorsqu'on voyage / Ah, si cela pouvait m'arriver / pour que mes peines se reposent / jusqu'à la prochaine fois / Et pour que je retrouve une colombe blessée / Qui me raconte son poème...* »

Le Gros : Maintenant, tu es passé de la nostalgie à la mélancolie. Décidément tu veux me gâcher mon dimanche !

Le Maigre : Mais non. A propos de voyages, c'est impressionnant Pedro Aznar jouant avec Pat Metheny, hein ? C'est comme si Gardel et Piaf...

Le Gros : Bof ! C'est l'exception à la règle. Ici, ou bien tu vas au cinéma, ou bien tu vas boire un coup. Ou tu t'achètes une basse, ou un clavier. Les deux choses à la fois, jamais vu.

Le Maigre : Mais Pedro, lui, il a gagné du fric avec Charly Garcia, avec Seri Giran. C'est bien le meilleur groupe de rock que nous ayons jamais eu !

Le Gros : Arrête, t'exagères ! Et des grands-pères alors, qu'est-ce que t'en fais ? Souviens-toi d'Almendra, de Los Gatos, de Manal, de Sui Generis...

Le Maigre : Ah oui ! Tu te rappelles du « Radeau », il y a mille ans ?

Ils chantent : « *Je me sens triste et seul, abandonné dans ce monde / J'ai une idée, c'est de partir là où l'envie me prenne / Je vais me faire un radeau pour aller naufrager...* » (Chanson des années 60.)

Le Maigre : Et Pedro et Pablo, eux, chantaient : « J'habite une ville où les gens / Mettent de la gomina / Ils vont au bureau / Et n'ont du temps que pour cela... »

Le Gros : Et tu ne vas pas me dire que *Muchacha*, de Luis Alberto Spinetta, c'est pas ce qu'il y a de plus grand, ah ? C'est presque notre hymne national !

Ils chantent : « *Jeune fille aux yeux de papier, où vas-tu ? / Reste jusqu'à l'aube / Jeune fille aux petits pieds, ne cours plus / Reste jusqu'à l'aube / Rêve lentement un rêve entre mes mains / Jusqu'à ce que le soleil / Monte par la fenêtre...* » (Chanson de la fin des années 60.)

Le Gros : Que veux-tu que je te dise : je le trouve mille fois mieux que Charlie Garcia.

Le Maigre : La ferme, « che » ! Tu mélanges la poésie de Spinetta avec la vision journalistique de Garcia. Tu fais une salade d'immigration musicale : l'Italien Spinetta et l'Espagnol Garcia. Écoute-moi ça et note la différence :

Il chante : « *Moi qui ai grandi avec Videla / Moi qui suis né sans pouvoir / Moi qui ai lutté pour la liberté / Mais sans l'atteindre / Moi qui ai vécu parmi des fascistes / Et qui suis mort sur l'autel... / A présent je ne me sens plus tranquille / Pourquoi me sentirais-je tranquille ? / Nous avons tous grandi sans comprendre / Et je me sens toujours un anormal...* » (Charly Garcia.)

« *Ricky est foutu, il est devenu dingue / En plus il doit faire son service militaire à la marine / Et pour s'en sortir il ne fait qu'avaler des pilules et il ne touche plus aux livres / Il ne veut rien entendre, parce qu'il s'en va / Une paire de piles neuves pour le walkman / Et un billet d'autobus pour Rio...* » (L.A. Spinetta.)

Le Gros : Excuse-moi, t'es baba mais t'as raison, maintenant je vois la différence : ce sont deux manières de montrer la même réalité. Mais dis-donc, t'es en train de picorer quelque chose, toi ? Tu pourrais au moins convier, non ?

La Russe (qui entre) : Salut, les mecs, on se dispute ? Ça ne m'étonne pas : nous les Argentins, on fait que ça : discuter. A la fin, on n'est même pas capables de choisir un disque.

Le Maigre : Ah, la barbe ! V'la l'emmerdeuse du PC !

Le Gros : Tu parles ! elle appartient à la troisième immigration, celle-là !

La Russe (en yiddish) : Schoïn Kinder ! Mon doux intello, t'as des problèmes avec ton groupe[6] ? Pourquoi tu ne nous fais pas entendre une chanson latino-américaine, la « Negra » Sosa, Zupay, Quilapayun, Tarragos Ros, Leon Gieco ?

Le Maigre : Bon, puisque tu m'appelles doux, d'accord !

Il chante : « *Soleil du Pérou, visage de Bolivie, étain et solitude / Un Brésil vert embrasse mon Chili de cuivre et minéral* (on entend des applaudissements.) / *Je monte du Sud vers les entrailles d'une Amérique totale / Toutes les voix, toutes / Toutes les mains, toutes...* » (Mercedes Sosa.)

Le Maigre : Bon, ça va comme ça. Maintenant ne me demande plus rien dans le genre : tu sais que l'Amérique latine finit juste au périphérique de Buenos Aires.

La Russe : Mon Dieu, qu'est-ce qu'on doit pas entendre ! Alors Tarrago Ros, pour toi c'est nul ?

Le Gros : Aïe, aïe, aïe ! Pas de *chamamé* ou de *cuartetos*[7] s'il vous plaît ! Vade retro, Satanas ! Le peuple a besoin de rock. Le peuple péroniste veut de la sueur.

La Russe : Non, mais... il est complètement bourré celui-là ! J'vois pas le rapport. Par contre, c'qu'il y a, c'est que t'es colonisé par les Anglais, en matière musicale.

Le Gros : Fais attention à ce que tu dis. Les Malouines et la Thatcher, c'est une chose ; mon cœur et Mick Jagger, c'est une autre.

La Russe : A mon avis, il a le SIDA, ce mec.

Le Maigre : Bon, bon, je ne vous écoute plus et je mets le disque qui me chante. Voilà, on est comme ça au PI[8] : on est décidés et, bien sûr, on est intransigeants. Du jazz, M'sieurs dames. Luis Borda, Jorge Navarro, Larrumbe, Cerávolo, Astarita, Lapouble, Remus, et — pourquoi pas ? Vitale, Baraj, Sujatovich, Gonzalez, etc.

Le Gros : Je ne savais pas que tu te mettais à faire des enregistrements clandestins dans les caf'conc'. Ceux-là, ils sont très bons musiciens mais ils n'enregistrent jamais.

Le Maigre : C'est parce que l'industrie du disque n'en veut pas.

Spaghetti (qui entre à son tour) : Aro ! Aro ! Aro ! Salut, peuples du lointain Almagro ! Chipoum ! Chipoum ! Chic, chic ! Chipoum !

La Russe : Oh là là ! A le voir si content, on sent qu'il est radical, celui-là !

Le Gros : Ça va, le Béret blanc[9] ?

Spaghetti : Devinez d'où je viens ? Je viens de Obras[10]. J'ai été écouter le Negro Rada. C'est ça, la vraie vie ! Vous vous rendez compte ? les Uruguayens nous ont rendu le bon côté du folklore. Le rythme, le pinard... Vive le *candombe* !

« *Que chevere mamacita* » : il fredonne quelques mots du jargon des Caraïbes puis chante : « *Juana avec Arturo / Rosa avec Manuel / Luisa avec Armando / Laura avec Gabriel / Ils luttent tous sans se décourager / Pour que leur peuple puisse avancer / ... Juana avec Andres ils ont perdu le rire à cause d'un colonel / Qu'elle est belle la liberté !* »

Le Maigre : Eh oui ! Les flics uruguayens ont fait quand même une chose de bien, c'est de pousser leurs musiciens de l'autre côté du fleuve pour qu'ils viennent faire du candombe ici. C'est tout ce qu'il y a eu de gai dans notre processus militaire.

Le Gros : Pour la musique des Uruguayens, je suis d'accord. Pour ce qui est du pinard... C'est à discuter. Flaco, passe-moi un Gancia-Cola s'il te plaît. En plus, mon vieux, t'as l'air d'oublier nos musiciens de Rosario.

La Russe : Oui, ils sont de Rosario, mais pour triompher, ou bien tu viens à Buenos Aires, ou bien, personne même un rat, ne t'écouterais. C'est le cas de Litto Nebbia, il y a mille ans, ou celui de Baglietto, Fito Paez, Goldin, etc.

Elle chante : « *Je suis né en soixante-trois... / Après il y a eu l'école, et le Viet-nam, et les Yanquis / qui juraient amour éternel au napalm. / J'ai joué du folklore, plus tard du rock and roll / Et Lennon arriva pour nous parler d'amour. / Qu'est-ce qui se passe sur cette terre ? / Le ciel devient à chaque fois plus petit.* »
(Fito Paez.)

Spaghetti : Avec cette musique-là, personne ne danse. Vous n'allez pas comparer avec la musique du Brésil : Milton, Chico Buarque, Elis Regina : c'est la nuit et le jour, la souffrance et la joie.

Le Maigre : Mais, Spaghetti, je suis étonné que tu ne voies pas la problématique latino-américaine ! Je veux te faire entendre cet autre disque de Litto :

Chanson : « *Je voulais écrire une zamba*[11] *pas comme les autres... une zamba qui explique un peu d'où nous venons / Il serait alors plus simple de savoir où nous allons / Les Brésiliens sortent de la forêt / Les Mexicains procèdent des Indiens / Mais nous, les Argentins, nous descendons du bateau...* »

La Russe : Vous voyez, je découvre maintenant que dans ce groupe il y a un infiltré. Mais dis-moi, Spaghetti chéri, il y a quand même quelque chose qui te plaît, dans notre pays ?

Spaghetti : Surtout la viande. Puis, m'amuser avec les Twist, avec les Abuelos de la Nada (les Grands-parents du Néant), avec Sueter ou avec les Redonditos de Ricota (les Rondelles de Ricotta)[12]. Passe-moi un Gancia, à moi aussi.

La Russe : Tu te rends compte combien tu es superficiel ? En plus, tu prends du Gancia, avec du Coca-Cola, tu as l'estomac colonisé !

Le Maigre : Euh ! Fermez-la ! Vous avez réfléchi à la quantité de festivals de musique qu'il y a en ce moment à Buenos Aires ?

Le Gros : Par exemple, le festival de rock. Tout à fait comme celui du Brésil.

Spaghetti : Oui... à quelques millions de dollars près !

Le Gros : Et le festival de rock de la ville de Cordoba.

La Russe : Et le festival de Valle del Sol à San Luis. Et le Tantanakuy[13] dans la Quebrada d'Humahuaca. Et le succès du retour d'Anacrusa...

Le Maigre : Et les concerts de Pat Metheny, Yes, Nina Hagen, L. Hampton, Paco de Lucia, etc. Qu'est-ce qu'il nous arrive ?

Le Gros : « *Peut-être que nous ne sommes plus des tout-petits* », chantait Spinetta.

La Russe : Il paraît que la démocratie est arrivée aussi sur le terrain de la musique. Il y a de tout, partout, et pour tous les goûts. Ah ! *Le Meilleur des mondes !* Aldous Huxley... Pour moi, du rouge.

Spaghetti : Moi je te rends le Gancia, je voudrais aussi un peu de rouge.

Le Maigre : Non mais... il faut démocratiser nos goûts ! Notre Catalan adoré, Serrat[14], l'a très bien dit : « *A chaque fou sa marotte.* »

Ils parlent tous à la fois : Le tango, on en a marre... A l'heure actuelle, il représente le vieux, le périmé... La jeunesse a hâte de créer de nouvelles formes musicales... Elle n'en veut plus du passé. C'est juste le contraire du vieux poème espagnol : « Tout le passé est bien meilleur. » Pour elle, il est bien pire !

« *Et si tu vas à droite / Et que tu changes à gauche, vas-y / tout est préférable à rester immobile / N'importe quoi c'est mieux que d'être un flic / J'aime les chansons d'amour / J'aime ces nouvelles coiffures un peu bizarres / Je ne veux plus critiquer / Je veux seulement être un bon infirmier / Si tu bosses pour rien et que tu fais quelque chose de nouveau, vas-y / Si tu chantes à la lune et que tu perds ta vie en un seul instant, vas-y / Et si tu as lutté pour un monde meilleur et qu'elles te plaisent / Ces nouvelles coiffures un peu bizarres, vas-y également / Je ne veux plus voir le docteur, je ne veux voir que l'infirmier / Éteins la télé / Si tu aimes crier, débranche le fil du haut-parleur / Le silence a de l'action / Et le plus raisonnable, c'est celui qui délire le plus !* » (Charly Garcia.)

MARIANO SCHNEIER

Musicien

1. Russo : juive en argentin. Spaghetti : tano : italien.
2. Musique d'origine noire du río de la Plata ; très populaire en Uruguay.
3. Tango très connu.
4. Chanteur brésilien.
5. Paroles de l'hymne national argentin.
6. « d'analyse ».
7. Le chamané est une danse populaire d'origine guaranie pratiquée au Paraguay et en Argentine sur un rythme syncopé. Les *cuartetos* sont des chansons et danses très animées qui sont nées ces dernières années à Cordoba et ont connu un grand développement dans les secteurs populaires : drôles, cocasses, grossières, elles peignent les amours et les histoires quotidiennes de leurs habitants.
8. Parti Intransigeant, petit parti de gauche (troisième formation du pays avec une certaine influence parmi les jeunes).
9. Symbole du radicalisme.
10. L'équivalent du Zénith où se passent toutes les grandes manifestations musicales de rock.
11. Musique du folklore pampéen.
12. Nouvelles musiques « paraculturelles ».
13. Groupe de recherche musicale et de folklore. J.L. Castiñeira de Dios et Susana Lago, les musiciens de « L'exil de Gardel ».
14. Le chanteur catalan Juan Manuel Serrat est une véritable idole en Argentine.

EDMUNDO E. EICHELBAUM

QUI A VOLÉ LE PORT ?

« Les nefs se balancent, / ses phares clignotent. / Ce sont les regards / du monde qui nous fixent. » Ce vieux tango oublié chantait les gloires cosmopolites du port de Buenos Aires dans les années 20. Le souvenir de 1910, où la célébration du centenaire de la Revolución de Mayo (révolution de mai 1810, point de départ des guerres de l'Indépendance) avait coïncidé avec le « record » des 30 000 bateaux entrés et sortis de ce port, porteurs des mille et un produits du florissant commerce argentin avec le monde, ce souvenir était encore vivant.

Et la chanson populaire s'accordait d'ailleurs aux sentiments des poètes dits cultivés qui chantaient aussi la grandeur du port, clef du pouvoir et de la culture. « Les pupilles du port s'allument. Les navires, / spectres dans les ombres du soir, / font murmurer les mers et soupirer les fleuves / sous le ciel de sang qui blanchira bientôt[1]. »

C'était bien le culte du port de *Santa María de los Buenos Aires*, dont le nom est devenu aussi celui de la ville, oubliant qu'elle avait été baptisée « de la Santísima Trinidad » (de la Très Sainte Trinité). La mère du Christ et les bons vents l'avaient emporté dans l'esprit des populations.

La prédominance du port était implicite dans les raisons mêmes de la deuxième et définitive fondation de la ville par un Basque, Juan de Garay, honnête homme au caractère de fer, capable de maîtriser les volontés de ses jeunes et braves compagnons, tous nés en Amérique, dans la ville de Asunción del Paraguay. Cette nouvelle fondation eut lieu en 1580 et sur l'emplacement même de la ville antérieure, que Pedro de Mendoza avait commencé à bâtir en 1537 sous de mauvais auspices, et ultérieurement dépeuplée. Garay voulait « ... une porte ouverte sur ces territoires... », comme il l'avait écrit au roi pour lui arracher la permission.

Le village initial était fondé. Un vaste pays s'étendait à l'intérieur du continent, un pays où il fallait travailler dur pour arriver à survivre, car les présumées richesses minières, l'or et l'argent espérés par les premiers conquérants, n'existaient pas dans le sous-sol de cette contrée du Nouveau Monde.

Le Pérou riche et le Paraguay fertile étaient loin, les « lois des

Indes » auxquelles étaient soumis les territoires des colonies espagnoles empêchaient le libre commerce. On ne le pratiquait donc pas.

Cela a duré longtemps : le port n'était qu'une métaphore en suspens. Le fleuve le plus large du monde faisait une sieste prolongée, et les pauvres habitants n'allaient sur ses bords que pour la lessive, pour bavarder et pour jouir du soleil. On pouvait y pêcher, bien sûr, ou bien, à la faveur de l'ombre nocturne, recevoir les chargements des contrebandiers portugais, hollandais, parfois créoles et même espagnols, qui étaient alors doublement coupables... Ils apportaient les denrées que les habitants n'auraient pu se procurer d'une autre façon : des draps, des tissus pour les vêtements, des verreries et des poteries...

En échange, les cuirs et la viande de bœuf — ces animaux s'étaient multipliés librement dans ces plaines humides — sont devenus une « monnaie » interdite, certes, mais employée pour survivre.

L'AVENTURE À LA CROISÉE DE LA PAMPA ET DE L'OCÉAN

Ainsi le port a commencé à prendre de l'importance, sans que personne se rendît compte clairement du fait. La vie quotidienne paraît toujours hors de l'Histoire. Dans ces circonstances se forgea le caractère des riverains du río de la Plata.

On ignore le moment précis où quelqu'un a appelé pour la première fois *Porteños* (ceux du port) les hommes et les femmes qui menaient la dure vie du Buenos Aires colonial. J'ose imaginer que ce fut quelqu'un de cette ville qui a dit non sans fierté : « Moi, je suis un *Porteño.* » Car la lutte pour la survie donne aussi un sens aigu de l'indépendance et de ses propres forces.

Mais le terme a connu sa fortune un peu plus tard, quand les gens de la vaste province de Buenos Aires, qui vivaient à la campagne, ont voulu se démarquer des habitants du port. Le « grand village » devenu grande ville, puis capitale de la République, tirait son pouvoir de l'activité portuaire, ce qui a déterminé les nuances avec lesquelles on prononçait ce mot dans les provinces. Et les échos de cette querelle qui opposait les provinces à la ville-port ne se sont pas encore tout à fait éteints.

Au-delà des conflits, il y a d'autres différences. Les ports regardent toujours vers l'inconnu ; mais quand ils ont derrière eux un vaste continent, leurs enfants portent la marque d'un mystère qui les différencie des gens de l'intérieur. C'est une espèce de malaise et en même temps une vocation. Quelque chose qui est toujours ailleurs et qui attire l'esprit aussi impérieusement que l'amour du pays.

Lors de la période coloniale la ville heureusement échappa à la convoitise des pirates ainsi qu'au désir de conquête de différents pays. Et bien qu'il n'y ait pas eu d'armée, les Britanniques se sont fait chasser dès 1806. Il fallait donc regarder vers le port aussi bien pour être averti des menaces possibles que pour maintenir le commerce.

Le village s'étendait donc, les paroisses et les quartiers se développaient, et Buenos Aires devint un pôle d'attraction pour les gens de l'intérieur, même indiens ou métis, qui s'installèrent dans certains quartiers périphériques. Pour les Porteños, tournés vers le fleuve, le continent était aussi le mystère, la mer terrestre aussi étendue et inconnue que l'était l'océan. Ils se sentaient attirés en même temps par les deux côtés, puisque l'aventure pouvait se trouver à la croisée des chemins, en traversant les pampas et les forêts, ou sur les routes mouvantes de la mer.

Mais peu à peu ils se sont aussi mêlés à d'autres gens qui ne provenaient pas du continent mais arrivaient par bateau des lointaines contrées d'Europe. Des Anglais, des Irlandais, des Français, des Suisses, des Allemands, des Nordiques, des Italiens, des Grecs, dont les noms sonnaient bizarrement et qui apportaient avec eux des nouvelles du monde, ainsi que des professions et des artisanats nouveaux.

INVENTAIRES

Pendant la troisième décennie du XIXe siècle on trouvait ainsi parmi les *negociantes* (hommes d'affaires) qui remplissaient certaines fonctions de la banque — celle-ci n'existait pas encore — des noms tels que Weller Anderson, George Becker, Bertram, Armstrong et Co, Juan Eschenburg, Fischer y Klike, Stewar M'Call y Ca., Zimmermann Frazier y Ca., à côté des Alzaga, Capdevilla, Fragueiro, Sarratea et autres Espagnols.

Sur la liste des épiciers, bouchers, boulangers, les noms espagnols sont largement majoritaires : Alfonsín (comme l'actuel président d'Argentine), Anchorena, et surtout les Álvarez, Escudero, Fernández, Gómez, Rodríguez. Tandis que dans les spécialités moins liées aux besoins élémentaires de l'être humain, apparaissaient des noms tels que Aymard (marbres), Bolman (tailleur), Bramont (chaussures), Chausin et Cooper (chapeaux), Deschamps (armes), Esnard (graveur et sculpteur), Foggo (menuisier), Hallet (imprimerie), Hasse (horlogerie), Moulien (chocolats), Ristorini (dentiste).

C'est pourquoi, à l'université de Buenos Aires, créée au début des années 1820, on étudiait le français et l'anglais. Les relations du port avec le monde prenaient un caractère plus exigeant. Les Porteños s'initiaient au cosmopolitisme en même temps qu'ils apprenaient l'art de se gouverner, non sans difficultés ni sans luttes.

Il se nouait aussi des relations plus étroites, plus intimes, entre le port et le fleuve. Comme on l'a déjà vu, on y faisait la lessive, on y pêchait, on s'y délassait. Les bords du río de la Plata se prêtaient aux promenades charmantes des amis et des couples, aux escapades des enfants suivant les cours pratiques d'école buissonnière (sauf quand éclatait l'orage, avec son effroyable accompagnement de toutes sortes de manifestations électriques, celles qui avaient fait frissonner d'épouvante les premiers conquérants aventurés sur le fleuve).

La nuit, dans les quartiers les plus proches du port, s'ouvraient des *pulperías* et des *almacenes* — épiceries où l'on servait des boissons alcoolisées, ancêtres des bars et des cabarets — où ceux qui voulaient se divertir pouvaient boire en compagnie des filles et dans une ambiance animée par la musique. Cette tradition établie dès le début de l'activité portuaire allait trouver ses jours les plus brillants dans les premières décennies du XXe siècle. Alors, plusieurs vagabonds, plus tard célèbres, se sont rapprochés des côtes du río de la Plata et ont fréquenté les bars et les *cafetines* (des cafés minables) du « Bajo » (quartier bas de la ville) riverain du port : le jeune Charles Chaplin, artiste de music-hall ; le futur dramaturge Eugene O'Neill, alors marin ; Rubén Darío, le grand rénovateur de la poésie castillane. Mais le plus grand nombre était composé d'êtres anonymes, protagonistes ignorés de romans, de pièces de théâtre.

Personne ne se souvient de ce poète et narrateur de la vie du port de Buenos Aires, Héctor Pedro Blomberg, également auteur de plusieurs chansons populaires qui racontent l'histoire, et les histoires, du port jusqu'aux années 30. On a oublié ses inventaires des cafés du quartier du « Bajo », ses peintures de personnages arrivés dans les entrailles palpitantes des navires en provenance de n'importe quel pays. Ses femmes exotiques, tendres et tragiques ; ses hommes téméraires dont la destinée les conduisait vers les marécages de l'alcool, parfois jusqu'à la mort violente. « Schneider a été tué une nuit / dans le bistrot de la Paraguayenne ; / il avait les yeux bleus / et le visage très pâle. / ... / Moi j'ai pleuré Schneider une nuit de pluie / dans le bistrot de la Paraguayenne [1]. »

Le même poète nous a laissé le souvenir de María Kemperfeld, voyageuse impénitente, de Myriam Gray ou de la Japonaise ; ou la vision des habitués du bar de l'Australienne. Blomberg partageait, tout comme les autres Porteños, la vie de ces êtres dans les sordides pensions, les hôtels minables, les cafés obscurs toujours ouverts aux matelots et aux évadés du bout du monde.

LA NOSTALGIE DES « MOJARRITAS »

Buenos Aires était donc ce grand port au trafic incessant, dont les alentours écoutaient toutes les langues vivantes. Les poètes se sentaient attirés en même temps par les mélanges humains et par la confusion de tour de Babel des idiomes, et l'appel cuisant du voyage.

A travers le brouillard de la mémoire m'apparaissent plusieurs images. Je me vois, vers 1928, habillé en petit marin. Mes parents et moi nous étions sur le quai du port pour dire adieu à quelques membres de la famille qui partaient vers l'Europe. Pour l'enfant que j'étais, c'était une promenade toujours fascinante bien que habituelle. Aujourd'hui personne ne la fait plus. Les parents et les grands-parents n'y amènent plus les enfants. Et s'ils le voulaient, ils seraient obligés de demander une permission spéciale aux autorités : le port est une zone militarisée.

Plus tard, dans les années 30, c'est l'image de l'avenue *Costanera* (côtière) qui s'allonge en suivant le contour du fleuve. C'était le site des bals populaires, le samedi soir et l'après-midi du dimanche. L'été, bien sûr, mais parfois aussi certaines journées d'hiver où le soleil brillait haut. La radio de la municipalité de Buenos Aires faisait des émissions en direct pour que tout le monde puisse danser, même chez lui, au rythme des orchestres qu'elle avait engagés. La promenade sur les trottoirs de l'avenue Costanera était classique pour les Porteños et spécialement appréciée par les enfants et les adolescents, qui parfois pêchaient les petits poissons immangeables, les *mojarritas* du río de la Plata.

A chaque âge son port. Et le parcours nostalgique ne peut pas ne pas s'offrir les images, encore plus précises parce que plus proches de nous, d'un bar à l'ambiance brumeuse, le « First and Last », large hangar en tôle et à la structure de poutres en vieux bois abîmé, dont les tables, les chaises et le comptoir crasseux n'étaient nettoyés que lors de la fermeture hebdomadaire.

C'était un antre inquiétant, géré ou plutôt commandé par une blonde sans âge, au corps énorme et qui jamais ne regardait personne dans les yeux, comme si rien des êtres humains ne l'intéressait ; sauf quand c'étaient quelques vieux marins, ses amis, qui venaient la voir régner sur sa grotte enfumée. On y parlait un castillan suspect, et parmi les personnages qui fréquentaient la maison on trouvait souvent le Polonais Witold Gombrowicz, seul ou accompagné du poète argentin Carlos Mastronardi, en quête d'émotions et de surprises et voulant se confondre avec les habitués.

Les matelots faisaient partie du spectacle des rues de Buenos Aires. En 1905 on avait fondé le club de football Boca Juniors, devenu le plus populaire, et pour le maillot que devaient porter les joueurs on avait choisi le jaune et le bleu des bateaux suédois, dont les cheminées attiraient l'attention de très loin. Oui, mais...

Déjà en 1921 la statue de Christophe Colomb était placée le dos à la ville et regardait vers le fleuve. Comme si le découvreur de l'Amérique (le dernier et définitif, en tout cas) avait eu la nostalgie de l'océan et des navires, pourtant très nombreux à l'époque.

Il y a un peu plus de dix ans, une entreprise argentine a placé très près de l'entrée du fleuve une barge de très fort tonnage où l'on pouvait emmagasiner en vrac des marchandises très différentes. Les grands cargos, en effet, ne pouvaient alors entrer au port de Buenos Aires à cause des dimensions de leur quille et, grâce à ce bateau, le chargement des produits redevenait possible. Ce poumon artificiel venait au secours du port penché sur un fleuve dont le lit monte chaque jour et dont le canal d'accès devient impraticable sauf pour les petits tonnages.

DES PORTEÑOS SANS PORT

Nous l'avons vu : autrefois le port était essentiel ; s'il se portait bien le pays tout entier se développait, et une partie de ses habitants prospérait ; s'il stagnait l'appauvrissement s'emparait des gens et de l'économie.

Tout avait été organisé en fonction du port et dans le sens du río de la Plata : les routes, les chemins de fer, les entreprises commerciales et industrielles, les organismes publics de tous ordres. La culture officielle était aussi un produit d'importation. Les Argentins du port regardaient vers l'extérieur tout comme la statue de Colomb. La possession du port était la clef de l'histoire de la nation, ce qui provoquait sans cesse des affrontements entre la Buenos Aires portuaire et les provinces subissant sa domination. Domination qui engendre toujours de profonds déséquilibres économiques, sociaux et géopolitiques en Argentine.

J'avance l'hypothèse que la majeure partie des confusions, des erreurs et des désaccords actuels proviennent de cette contradiction, jusque-là sans solution : à Buenos Aires *nous sommes des Porteños sans port.* Tout un pays a été pensé et développé sur la base d'un port, c'est-à-dire du dehors et vers le dehors, et ce port s'est évanoui dans l'irréalité historique.

Le jour est proche où le signifié du mot Porteño sera : « habitant de la ville de Buenos Aires », et on n'y entendra plus le mot « port ».

Mais cette dérive du sens sera due à des phénomènes historiques et sociaux très précis. Il faut reconsidérer la ville — le pays — à partir du fait qu'elle n'est plus un port. Repenser et écrire le scénario du futur. Et c'est urgent. L'enjeu : ne pas rater le futur pour ne pas finir comme le bateau dans la bouteille. Le poète Blomberg l'a dit aussi : « Minuscule navire égaré dans la brume, / de la fumée des pipes plus jamais, toi et moi / n'écouterons les lointaines chansons de l'écume / ni le grand vent de Dieu ne soufflera pour nous [1]... »

EDMUNDO E. EICHELBAUM
Écrivain, journaliste

1. Extraits de poèmes de Héctor Pedro Blomberg, écrits dans les années 20.

EDUARDO GUDIÑO KIEFFER

¿ HABLA PORTEÑO ?

Vraiment, pense l'étranger à peine arrivé à Buenos Aires, vraiment, la langue que j'entends dans les rues est indubitablement de l'espagnol. Mais quel curieux espagnol ! Prononcé différemment, sur un ton plus doux, moins sonore. Les « s » exagérément accentués par les Castillans de pure souche ont disparu. De même, a disparu l'emphase déclamatoire, pour laisser place à une délicate cadence italianisante. Les verbes ? Ce sont les mêmes, mais conjugués différemment. L'Argentin change non seulement de forme verbale, mais aussi de pronom, à la deuxième personne du singulier[1]. Il ne dit pas « *vete* » (va-t'en), mais « *andáte* »... Il utilise quelques mots incompréhensibles pour le Madrilène[2]. On l'accentue différemment, on le module à sa manière... De l'espagnol ? C'en est, à coup sûr, mais c'est l'espagnol de Buenos Aires. C'est la langue de Buenos Aires.

On dit beaucoup de choses sur les Argentins, en particulier sur les Porteños. On raconte, par exemple, que si les Mexicains descendent des Aztèques et les Péruviens des Incas... les Argentins descendent des bateaux ! Ce n'est pas une plaisanterie douteuse. En vérité, ce pays — et en particulier la mégalopole qui en est la capitale — est peuplé, en général, par les descendants d'Européens qui, évidemment, arrivaient par bateau du Vieux Continent.

Ce furent d'abord des conquistadors, fondant et colonisant au nom de l'Espagne. Ils liquidèrent pratiquement les tribus indigènes et imposèrent la croix à la force de l'épée, et le castillan à la force de l'usage. Cependant, de nombreux vocables, issus de langues locales, enrichirent l'idiome de cette mère patrie que l'on aurait nommée — si on avait alors connu les idées d'un certain Sigmund Freud — mère castratrice.

Fils bâtard de cette mère, l'espagnol de Buenos Aires ne fut jamais pur. Il fut, dès l'origine, condamné à une salutaire contamination. Il se nourrit des parlers mulâtres, qui lui donnèrent sa touche de métissage exotique : *gaucho, pampa, mate, ombú*[3], *tacuara*[4]... et tant d'autres, qui constituèrent un authentique créole idiomatique.

Mais les gens continuèrent à descendre des bateaux. A la fin du siècle dernier, et au début du nôtre, arrivèrent au port de Buenos Aires des millions d'immigrants d'origine européenne. Ils fuyaient les menaces de guerre, attirés par des promesses qui ne furent pas toujours tenues. Dans leur grande majorité, ces immigrants venaient d'Italie. L'unique richesse qu'ils apportaient était leur langue. Ce fut l'italien — on trouve plus de patronymes de cette origine que d'origine espagnole dans l'annuaire des téléphones de Buenos Aires — qui marqua de son empreinte la langue de la ville, non seulement en imposant des vocables et des tournures, aujourd'hui d'usage courant, mais aussi, par une intonation différente, une modulation différente, un accent différent.

LE LUNFARDO, DE LA RUE À L'ACADÉMIE

Si New York a le *slang,* Paris l'*argot,* Rio de Janeiro la *giria...* Buenos Aires a aussi son code secret : le *lunfardo.* Ou *lunfa,* comme on dit généralement, à travers la manie argentine et urbaine de l'abréviation.

Mais qu'est-ce que le lunfa ? Il ne s'agit pas d'un idiome ou d'une langue, pas même d'un dialecte : c'est, comme on l'a dit plus haut, un code, un répertoire des voix originelles de l'immigration et de la marginalité. A ses débuts, ce fut probablement un répertoire réglementé presque occulte, tel que le requéraient le sous-prolétariat et les délinquants, pour communiquer secrètement. Il a aujourd'hui perdu ce caractère sordide et pittoresque, et la plupart de ses expressions se sont incorporées, surtout dans la conversation, au parler quotidien de Buenos Aires.

Issu des grands courants d'immigration mentionnés plus haut, le lunfardo est rempli d'italianismes, gallicismes, brésilianismes et quichuismes. Mais jamais il n'a totalement coupé le cordon d'avec le *corpus* hispanique ; il manque de structures syntaxiques propres et a nécessairement recours à des formes verbales, prépositions, articles, etc., du langage conventionnel, qu'il enrichit d'une teinture de pittoresques apports populaires personnels. C'est un fait lexicographique incontournable, ce qui lui vaut d'être reconnu par les intellectuels portègnes, dont Borges.

A Buenos Aires fonctionne une académie portègne du lunfardo, institution qui étudie les caractères de ce langage très particulier, ses apports à la langue et sa fonction. Cette fonction, suivant un membre de ladite académie, « ne consiste pas à se transformer en langue, mais — mission accomplie en permanence — à enrichir l'espagnol, à le remplir de musiques et de couleurs ».

A l'origine, le tango était un péché. Un péché aux yeux de la religion et aux yeux des mœurs sociales. Mais le tango s'est imposé au début de ce siècle, à Buenos Aires. On l'a vu pointer, en toutes lettres, dans les salons aristocratiques, imposant peu à peu une réalité inéluctable. Parce qu'elle est le thème central du tango, la femme est le thème central de Buenos Aires. Au point que les références à la même Buenos Aires sont presque toujours au féminin.

Il est certain que le tango, élément de la réalité portègne, a contribué à enrichir Buenos Aires d'un filon de tons et de tournures irremplaçables. Bien que déconcerté au premier abord, le visiteur constatera qu'il se fait rapidement à ces paroles d'allure étrange. Car leur usage naturel et spontané les intègre au contexte syntaxique, tout en colorant l'espagnol d'une nuance différente, par rapport aux autres grandes cités hispanophones.

Avec le lunfardo apparaît une coutume ludique et badine, pleine, néanmoins, de dissimulation et de secret : l'inversion des syllabes d'un mot. *Tango* devient *gotan* ; muchachos : *chochamus* ; *barrio* (quartier) : *rioba* ; macho : *choma* ; et ainsi de suite. Il est évidemment impossible de faire un dialogue complet en verlan *(vesre)* ; cette modalité argotique contient les limites mêmes de l'argot : le recours nécessaire aux structures idiomatiques syntaxiques générales.

Le verlan est une nuance du lunfardo, fait partie de son expression orale et s'intègre aussi au discours quotidien et à la littérature... Car il existe une littérature lunfa et, à cet égard, nous nous référerons à Luis Ricardo Furlan, qui établit une distinction entre la « littérature lunfarda » proprement dite (qui rassemble l'œuvre écrite par d'authentiques malfaiteurs purgeant, ou ayant purgé, leur peine en taule *(leonera)*, et la *« lunfardesca »*, constituée par les créateurs, cultivés ou non, qui écrivent dans cette langue. Parmi eux, on ne compte pas seulement des poètes et des prosateurs, mais d'autres écrivains, également, reconnus comme membres de l'intelligentsia locale.

LES CODES DES QUARTIERS

Si nous divisons arbitrairement la ville en trois secteurs, délimités par de grandes avenues, nous pouvons dresser une carte — tout aussi arbitraire — de la langue de Buenos Aires. Sur le trajet sud-nord, entre le Riachuelo et l'avenue Belgrano (au sud), nous trouvons un langage populaire sans préciosité ni recherche, mais aussi sans raffinement, abondant de tournures et de mots argotiques. Entre l'avenue Belgrano et l'avenue Santa Fe — avec, au mitan, la noctambule avenue Corrientes — nous trouvons la langue du « centre », réservée aux situations équivoques et aux cas d'urgence, adaptée à la communication bureaucratique, dans la journée, et au syndrome de la drague, la nuit. Enfin, entre Santa Fe et Libertador, nous croiserons l'idiome du quartier nord, utilisé par les gens dits « de la haute », dont l'épicentre se trouve dans une aire de sophistication et de contradiction : La Recoleta. La Recoleta est le cimetière le plus ancien de la ville ; autour de ce mini-royaume de la mort s'est constituée une réduction bavarde et multicolore de la vie. Autre paradoxe de Buenos Aires...

Naturellement, les frontières ne sont pas limitatives. La langue les dépasse. On peut aussi bien croiser un jeune zonard en train de crier ses anathèmes argotiques sur La Recoleta, qu'une Marie-Chantal — oui, à Buenos Aires, ce personnage ineffable existe aussi — protestant de ses tics alambiqués, à travers la station bondée du chemin de fer de Constitución. Dans le centre, c'est sûr, la mixture est inextricable.

Probablement en réaction contre l'invasion de la langue populaire, les hautes couches sociales imposent leurs propres codes, dans certains milieux. Par exemple : c'est ringard *(es un quemo)* de dire *rojo* (rouge) ; les gens bien se reconnaissent entre eux en nommant le rouge *colorado*. Le Porteño moyen dîne *(cena)*, le soir. Mais si un hôte s'entretient avec des gens qu'il estime hors du commun, jamais il n'utilisera le verbe dîner, mais un autre, plus évident : manger *(comer)*. Si l'on vous invite à manger, il est sous-entendu que c'est le soir ; à midi, il s'agira de déjeuner *(almorzar)*, et de petit déjeuner *(desayunar)* le matin tôt. Mais le dîner *(horresco referens)*, ne concerne pas les gens « de la haute » *(la gente como uno)*.

Le haut du pavé, c'est ce groupe équivalent aux *very few* anglo-saxons. Ces gens ont une façon de parler assez spéciale, comme s'ils avaient une pomme de terre dans la bouche, en allongeant les mots du milieu vers la fin. On ne dira pas, par exemple, *amoroso* (charmant) — mot très à la page —, mais *amooorooosooo*. Sont des termes tout aussi pertinents *regio* (royal) (prononcer *raagiooo*) et *divino* (divin) (prononcer : *diviiiuuunooo*).

Les jeunes inventent des tournures qui ne méritent pas d'être consignées, car elles disparaissent comme elles étaient venues. Récemment encore, dans le quartier de la Biela (fameux bar de la fameuse zone de La Recoleta), pour demander l'heure, il était de règle de dire : « *tirame las agujas* » (« quelle heure est-il ? », littéralement : « lance-moi les aiguilles »). Le snobisme, créateur de tournures recherchées, peut rarement les maintenir longtemps, et moins encore les imposer à la langue populaire de Buenos Aires. Néanmoins, il faut lui reconnaître son pittoresque éphémère.

CHE, BABEL !

Le *Che* mérite un traitement à part. On a tant disserté sur cette interjection, presque toujours utilisée pour attirer l'attention de quelqu'un ! Il existe de nombreuses théories, quant à l'origine du *Che* ; quoi qu'il en soit, cette très courte syllabe exprime aussi bien l'admiration que le mépris, l'attachement que le dédain, la surprise que l'ennui... Voilà pourquoi il est recommandé de ne l'utiliser qu'avec discernement. Cependant, le *Che,* intercalé au milieu d'une phrase décèlera moins le connaisseur de la langue de Buenos Aires, que le « touriste » d'un idiome qui, comme tous les idiomes, mérite le respect.

Il faut également évoquer le voussoiement *(voseo).* Le Porteño, tout comme l'immense majorité des Argentins, n'utilise pas la seconde personne du singulier : le « tu » de l'espagnol originel. Il se réfère au « *vos* » (vous), ce qui, pour certains, équivaut à une corruption linguistique pure et simple. Il reflète, aux yeux des autres, la perpétuation de tournures andalouses du XVe siècle.

Tout cela peut évoquer l'image d'une tour de Babel. Eh bien, non ! Toutes ces variantes, toutes ces mutations, toutes ces nuances s'intègrent avec cohérence dans un système linguistique distinct de l'espagnol académique, mais qui reste espagnol.

La langue de Buenos Aires ressemble à l'habitant de Buenos Aires : un creuset de langues, pour un creuset de races.

(Traduit de l'espagnol par Tita Reut.)

EDUARDO GUDIÑO KIEFFER
Écrivain

1. Espagnol : *Tú eres* (tu es) = Argentin : *vos sos*
Tienes* (tu as) = *tenés
Piensas* (tu penses) = *pensás
vives* (tu vis) = *vivís
mueres* (tu meurs) = *morís
2. *Guita* = argent.
3. Arbrisseau géant de l'Amérique du Sud (NDT).
4. Espèce de bambou gigantesque (NDT).

PHOTOS DE ALBERTO A. ROSSI. TEXTE DE EDMUNDO EICHELBAUM

Au coin de la rue, le café...

et l'homme qui est seul et qui attend.
Le fait de s'arrêter dans un café implique moins le passage que la permanence, une pause dans la marche quotidienne ! Inutile de parler pour commander un café. Il suffit de tendre le bras vers l'avant et de lever parallèlement le pouce et l'index.

Curieuse combinaison de confident-secrétaire particulier, psychanalyste amateur, prêteur sans gages, intermédiaire pour arrangements amiables et même pour conflits de couple, le garçon de café est à lui seul un carrefour de rencontres et d'amitié.

Le Porteño fréquente plusieurs cafés : celui de son quartier, celui de son bureau. Il a sa bande : les amis du café. Il dit souvent : « Je le connais du café... »

C'est autour d'une table que les commerçants (grossistes et détaillants) concluent d'ordinaire l'accord verbal qui tient lieu de contrat.
De la viande grillée, du vin et quelques notes de bandonéon suffisent pour les célébrations.

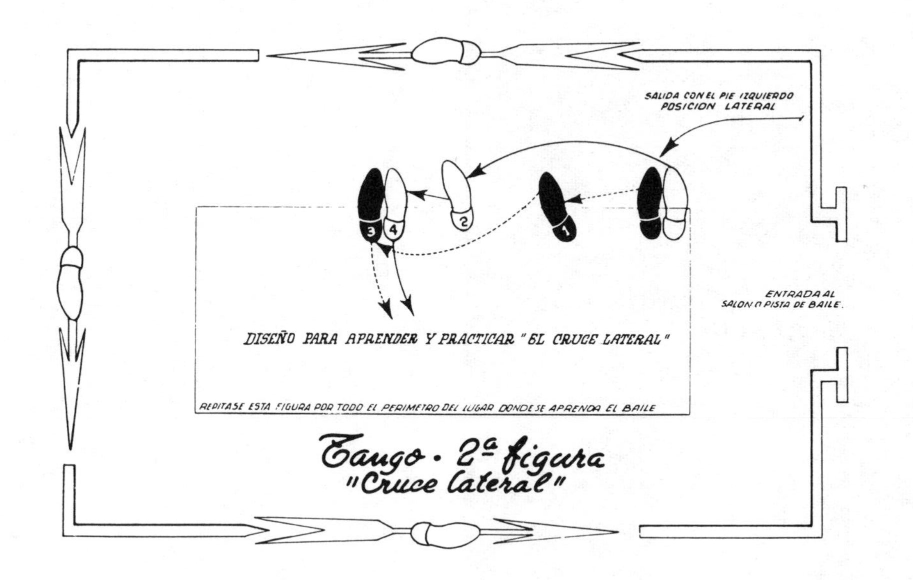
SALIDA CON EL PIE IZQUIERDO
POSICION LATERAL
1
2
3
4
ENTRADA AL
SALON O PISTA DE BAILE.
DISEÑO PARA APRENDER Y PRACTICAR "EL CRUCE LATERAL"
REPITASE ESTA FIGURA POR TODO EL PERIMETRO DEL LUGAR DONDE SE APRENDA EL BAILE
Tango · 2ª figura
"Cruce lateral"

2

EN DESCENDANT LE FLEUVE ARGENT

« Des bruits de poids et de mesures, des tintements de caisses enregistreuses, des cris et des gestes brandis comme des armes, des talons fugitifs semblent le pouls battant de la ville bruyante : ici les banquiers de la rue Reconquista font tourner la roue folle de la Fortune. Plus loin des ingénieurs graves comme la Géométrie méditent les nouveaux ponts et les nouvelles routes du monde. Buenos Aires avance, rieuse : Industrie et Commerce la tiennent par la main.
''Voilà Buenos Aires ! dit-il. La chienne qui dévore ses petits pour grandir.'' » Leopoldo Maréchal, Adan Buenos Ayres. *(Traduction Françoise Rosset).*

GRACIELA SCHNEIER

LE TRANSPORTÉGNIEN

Six heures trente. Le jour pointe, teintant de violet un ciel qui deviendra vite bleu. Nous sommes à l'Estación Constitución, terminus de chemin de fer d'où tous les matins sont déversées dans le centre ville les populations travailleuses de la périphérie sud. De quelle couleur sont leurs visages ? Blancs, pour un voyageur en mal d'exotisme. Mais pour un certain regard local ces millions de migrants de l'intérieur quelque peu basanés ne sont que des *cabecitas negras.*

Le splendide hall des pas perdus de Constitución résonne sous le déferlement de la marée humaine... Véritable foire de la consommation populaire, synthèse inénarrable de marché, de bazar et de kermesse, tout y passe : panneaux publicitaires, odeurs de café au lait et de sandwiches de pain de mie, pains de *grasa,* fritures de beignets, kiosques de journaux tapissés de billets de loterie ou de *Prode* (le loto sportif), des *matés* et des *bombillas,* des montres à quartz, des poupées en plastique.

H. ALFREDO. ESPECTOR

Devant l'esplanade de la gare s'étend jusqu'à l'horizon l'avenue 9 de Julio, la plus large du monde selon les prospectus (300 mètres). Comme des bêtes inquiètes, des centaines de *colectivos* [1] multicolores piaffent en attendant leurs passagers le long des quais parallèles vaguement couverts par des auvents métalliques. Les monstres sont au repos avec l'inscription de leurs parcours, *fileteada* (dessinée avec art en arabesques), sur les flancs : Villa del Parque, Almagro, Palermo ; Plaza Italia, Tigre Hotel...

Quelque vingt lignes partent de cet endroit et étendent leurs ramifications à l'ensemble de l'agglomération. Mais une ligne permet, à elle seule, l'initiation du voyageur curieux : c'est le 60, véritable « transportégnien » qui perce la ville du sud au nord avec des ramifications vers le delta et la route Panaméricaine (qui relie du nord au sud toute l'Amérique latine).

On fait la queue sur le quai du 60 sous un *ombu*, un arbrisseau géant de la pampa. Le *colectivero* nous appelle en jouant avec une espèce de tuyau de métal d'où sortent des rubans multicolores : chaque couleur indique un prix correspondant à la longueur du parcours...

Les gens montent et achètent leurs *boletos* (tickets). « *Cuanto es hasta Congreso ?* (Combien jusqu'au Congrès ?) — *Arriba, señores, rapidito que nos vamos !* (vite, messieurs, en voiture, nous partons !) — *Córrase, señora* (poussez-vous madame). » Je monte, mais je ne peux pas ne pas souscrire au rituel superstitieux qui consiste à vérifier si le *boleto* est *capicúa* (numéro composé d'une série de chiffres symétriques) ou pas. Ou, plus important encore, si l'addition des numéros du *boleto* coïncide ou pas avec la lettre du nom de la personne bien-aimée (passée, présente, future...). Une odeur pénétrante de rose me fait tourner la tête : le colectivo est parfumé pour ce long voyage. On démarre.

D.R.

Le *colectivero*, bel homme basané clair, pantalon gris foncé, chemise bleu ciel, manches retroussées, col ouvert, cheveux noirs gominés, chaîne d'or au cou, est installé sur une sorte d'estrade en tôle où son siège en cuir (véritable) est vissé. Il tient ses mains sur la peau de tigre (synthétique) qui protège l'énorme volant. Sur le pare-brise une sorte de nappe brodée aux couleurs de la patrie, pleine de pompons et de clochettes. Quelques statuettes en plastique, un chaton en peluche, la Panthère Rose et un escarpin fané tiennent compagnie à la Vierge de Lujàn qui, de sa boîte enneigée, sourit au portrait de Ceferino Namuncurà, l'Indien « saint » en costume. Un autre dialogue peut s'établir entre Gardel, Perón (sur son cheval blanc), Evita, Isabelita et Maradona ; leurs photos sont collées autour du règlement du transport public des passagers (19 places assises, 25 debout).

Dans ce premier bout du parcours les voyageurs sont des ouvriers, quelques employés et des femmes — probablement employées de maison ou petites secrétaires. Jeans et chemises sont de rigueur.

Tout le monde est coiffé, bichonné, impeccable... Le colectivero coupe les billets, rend la monnaie, répond aux questions des voyageurs qui montent et — très important — il conduit, roulant où bon lui semble...

SUD

Soudain, un autre 60 essaie de dépasser le nôtre. La compétition s'engage et les deux colectivos se lancent dans une folle course qui ne cesse que dans l'avenue Belgrano : nous passons à côté du Departamento Central de Policia : voitures (Renault) blindées, casques, uniformes bleu marine partout. Et partout, en plus des queues immenses de personnes — le royaume de la démarche administrative —, des panonceaux de boutiques de photocopies, des cabinets d'avocats, des cafés louches. L'incontournable malédiction qui pèse sur l'identité argentine[2].

Un policier monte. Une femme qui a un gosse dans les bras grimpe avec difficulté. Un jeune se lève pour lui céder la place. Merci. Sourires collectifs d'approbation. La population du colectivo s'est urbanisée maintenant : des employés au costard défraîchi, des *señoras* (souvent en pantalon) et des enfants en uniforme scolaire blanc. Poliment, un vendeur à la sauvette demande au colectivero l'autorisation d'entonner une rengaine : « *Disculpen, señores pasajeros...* »

EDUARDO GIL

CENTRE

Nous sommes bel et bien dans le Centro, face au palais du Congrès où siègent le Sénat et l'Assemblée. Le passage du 60 fait envoler les pigeons. Sous les palmiers, les retraités commencent à s'installer malgré l'heure matinale. Ils s'amusent à lire les graffiti des dernières manifs qui ornent à nouveau le splendide monument central : en démocratie on manifeste ici, quoique le lieu préféré reste toujours la Place de Mai qu'on devine au loin.

Ici c'est le kilomètre 0 du pays. A l'angle de la place, dans un salon de thé digne de la Vienne impériale mais élargi aux dimensions latino-américaines, c'est le rendez-vous de la classe politique. Les habitudes sont vite revenues après autant d'années de silence : cafés au lait, croissants et sandwiches de pain de mie. En face, cérémonial analogue dans un café « typique » : baies immenses, mélamine, chaises en métal et plastique. Cette fois-ci ce sont les employés de bureau qui occupent le devant de la scène.

CORRIENTES

Le cœur ou plutôt l'ex-cœur de Buenos Aires. Au fond on devine, impudique, le sexe de la ville : l'Obélisque. Entre port et cimetière, Corrientes égrène bureaux, magasins, bistrots, cafés, cabarets, librairies, cinémas, restaurants, théâtres, music-halls. En 1986, Corrientes l'affreuse se refait une beauté en acrylique sur fond de trottoirs défoncés, de bâtiments en chantier ou d'immeubles murés. A la mémoire de celle qu'elle fut je fredonne un tango...

CHARLIAT. RAPHO

INTERMEZZO

La technique du voyage en colectivo est un véritable art local. Il faut commencer par s'entraîner à monter en marche, puis à descendre en calculant juste l'instant où il va s'arrêter afin de s'arranger pour ne pas être le dernier car vous risquez alors de manquer l'arrêt ou de mourir écrasé en tombant par la portière.

Pour ceux qui sont assis, le problème de la descente se résume en un calcul mathématique qui établit une relation entre le degré d'entassement des voyageurs, la place occupée, la vitesse du colectivo et le nombre des gens qui montent, sans négliger la pression morale qu'exercent certains arrêts : à l'hôpital des Enfants malades vous ne pouvez pas refuser le siège durement conquis à une maman enceinte et qui porte en plus un bébé dans les bras.

Pour le passager debout, la position du corps est essentielle : jambes toujours en flexion pour amortir les secousses et les freinages, bras gauche (ou droit, selon le côté où vous êtes) prêt à accompagner avec grâce l'inertie « que produit tout corps en mouvement ». Quand le colectivo pile, il est indispensable de se cramponner de la bonne main à la poignée... Votre voisin est par ailleurs habitué à ce qu'on lui passe le bras par-dessus la tête... C'est aussi le moment préféré de certains messieurs pour serrer de près la femme de leur choix avec un « *disculpe* » (excusez-moi) de pure forme.

Il s'agit d'arriver sain et sauf à destination, si possible coiffé et pommadé. Et c'est, par définition, un projet collectif, c'est-à-dire partagé. Rien n'est plus exaspérant pour le Porteño voyageant en France que l'égoïsme passif des passagers qui ne se déplacent même pas à mesure que les places se vident pour les rendre plus accessibles aux nouveaux arrivants...

H. ALFREDO. ESPECTOR

BARRIO NORTE (quartier nord)

Après l'avenue Córdoba, la transformation est nette. Ici c'est Paris qui commence : petits hôtels, réverbères, squares, fontaines. Mais surtout des appartements collés les uns aux autres : des densités de casbah pour des prix qui sont proches de ceux de l'avenue Foch.

C'est la zone « chic » de Buenos Aires, beaucoup plus que son 16e. Le Barrio norte est son modèle de vie, d'habitat, d'habillement et de parler. Les commerces de standing fleurissent ainsi que les noms français : « La Clocharde » (boutique), « Le Petit Prince » (jardin d'enfants). Boutiques, salons de coiffure, cinémas, chaussures, salons de thé, galeries commerçantes. Une adresse située Avenida Alvear, Arroyo, ou après les numéros 1000 de Parana ou Esmeralda, constitue toujours un véritable signe de réussite.

Cette métamorphose se reflète à l'intérieur du 60 : le premier garçon blond monte, vêtu de l'uniforme des écoles privées, suivi de jolies filles bien habillées, de bonnes, de messieurs en manteau « poil de chameau ».

Le colectivo roule... Maître à bord, le conducteur décide de sa route... Démarrage, freinage, il s'arrête au milieu de la rue pour prendre une petite vieille. Plus tard, ce sera pour une beauté locale qui court sur ses hauts talons en essayant de gagner le lointain arrêt...

BELGRANO

Maintenant nous roulons sous un tunnel d'arbres aux branches entrecroisées. A droite on devine les terrains de polo et les champs de courses. Dans le colectivo les gens deviennent plus élégants, plus bronzés, certains ont à la main une raquette de tennis.

Ici les rues portent les noms de nos vice-rois. Restes d'un passé nostalgique, voici les jardins seigneuriaux où la spéculation immobilière a fait pousser des milliers de tours de vingt-cinq étages. On ne peut que regretter, dans ces rues ombragées, les fantômes, les poètes, les duels chevaleresques de ce coin de légende cher aux amoureux. On entend une guitare... « *Va por el Alto o por el Bajo, señor ?* » (Allez-vous par le Haut ou par le Bas, monsieur ?)

ALICIA D'AMICO

POR EL ALTO

Après avoir passé l'église ronde, on arrive dans un des centres secondaires : *la esquina de Cabildo y Juramento.* C'est le grand bouchon. Un urbanisme frimeur conçu pour attirer une population jeune, branchée et friande de modernité tapageuse : bulles en acrylique gigantesques, enseignes lumineuses. Les tissus scandinaves côtoient l'artisanat du cuir, les bijoux naïfs, les magasins de matériel électroménager (importé ou entré par contrebande), les cafés et les bonsaïs.

Je crois apercevoir l'étalage de mon grand-père — vêtements pour hommes — et je le vois assis avec sa calebasse de maté. Car derrière cette apparence de frénésie, la vie quotidienne est calme et paisible à l'intérieur des quartiers peu denses, aux rues pavées, aux parfums odorants. Nous sortons à peine de la capitale pour nous arrêter au terminus Del Valle — pour un *cafecito cortado* (café noisette) et un croissant jambon/fromage — ou continuer sur la route Panaméricaine.

POR EL BAJO

Le 60 roule à toute allure au rythme de la musique de Julio Iglesias qui s'échappe du magnétophone. Nous laissons sur la droite les installations des clubs « sociaux et sportifs », vieille tradition portègne qui porte l'empreinte anglaise. Les courts de tennis succèdent aux piscines, puis au stade de Obras Sanitarias, haut lieu du rock and roll, et à l'école de mécanique de l'armée (un silence soudain s'abat sur le colectivo).

Nous sommes déjà à 25 km du centre. Après le supermarché Carrefour, nous roulerons à l'abri d'arbres centenaires, sous la pluie magique — jaune et violette — des fleurs de tipas et de jacarandás... Les uns après les autres défilent les immeubles de luxe, les villas avec piscine et les ineffables châlets aux toits de tuiles rouges, avec leurs garages et leurs jardins fleuris de dahlias et de fuchsias. Ambassades discrètes et maison du Président voisinent avec le club de la marine et celui des épiciers (grande guinguette espagnole dont les membres dansent encore les derniers pasodobles).

Une brise fraîche nous signale la présence du Río. Il est devenu inaccessible, la rive en est entièrement construite : un échantillon unique de ce qui a compté dans l'histoire de l'architecture. Du hamburger au lycée français nous ne trouvons ici que ce qui est « in », « top »... le « must » ou, pour reprendre des expressions intraduisibles, les *exquisiteces* (les choses exquises), *lo lindo* (ce qui est mignon). Les transactions se font bien entendu en dollars. (Loyer mensuel pour une villa avec piscine pour cadres français : 3 000 dollars.) Ce quartier, vitrine luxueuse et inaccessible, attire le dimanche les badauds des classes moyennes... Quelques pancartes annoncent des plages. Accès difficile. Il vaut mieux être invité chez des particuliers. Allez voir le fleuve couvert de yachts, voiliers et planches à voile !

SALGALDO. GAMMA

A San Isidro, village colonial aux rues pavées et éclairées de réverbères, c'est le retour aux origines patriciennes. Ici, les résidences sont des anciennes « têtes » (maison principale) d'estancias. Des lieux bien connus de certains Français illustres, Drieu La Rochelle, Malraux, Caillois, Saint-John Perse. Dans ces maisons dignes des *Qua-*

tre Cavaliers de l'Apocalypse, des domestiques en uniforme servent encore les morceaux de l'*asado* sur des plateaux d'argent. Mais entre ces murs blanchis à la chaux, l'ordinateur est directement relié à Wall Street et à la City.

Au bas de la pente, qui est régulièrement inondé, des bidonvilles et des maisons pauvres rencontrent les premières maisons de la pampa, qui semble avoir aventuré une avant-garde dans cette zone suburbaine. Le 60 n'ira pas plus loin que le bord de l'eau, là où les vieilles maisons du Tigre flottent sur la jungle des îles.

GRACIELA SCHNEIER

1. *Colectivo*, du latin *collectum*, de *colligere* (reprendre) ; contraction de *cum* (avec) et *legere* (prendre). Châssis de camion Mercedes Benz sur lequel on a monté une carrosserie d'autobus dont les caractéristiques sont assez particulières. Triple pare-choc, rétroviseurs multiples, lumières multicolores. L'extérieur est peint de couleurs différentes pour chaque ligne. Exploités à l'origine par de petites compagnies privées sous contrôle public, leur extrême mobilité les a transformés en un système de transport très efficace.

2. C'est en Argentine qu'un Croate, J. Vucetich, a créé le système universellement connu des « empreintes digitales ». L'empreinte du pouce droit est obligatoire sur tous les papiers d'identité.

STYLES DE VIE PORTÈGNES

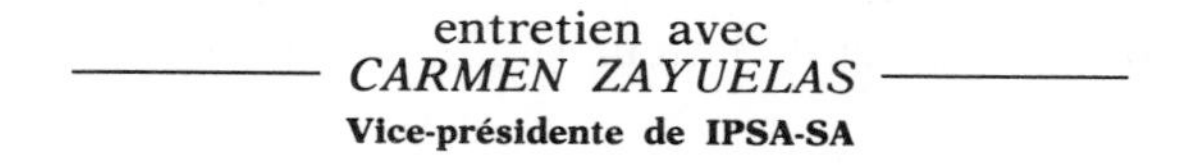

entretien avec
CARMEN ZAYUELAS
Vice-présidente de IPSA-SA

LA SOCIÉTÉ IPSA-SA (AUDITS AND SURVEYS LATINAMERICA) EST UN « OBSERVATOIRE DU CHANGEMENT SOCIAL » EN ARGENTINE À L'INSTAR DE NOTRE CENTRE DE COMMUNICATION AVANCÉE (CCA) FRANÇAIS. NOUS AVONS DEMANDÉ À SA VICE-PRÉSIDENTE, CARMEN ZAYUELAS, CE QU'IL EN ÉTAIT DES STYLES DE VIE À BUENOS AIRES, STYLES DE VIE QUE SA SOCIÉTÉ DÉTERMINE EN UTILISANT LA MÉTHODE DU RISC (RESEARCH INSTITUTE OF SOCIAL CHANGE, LUCERNE, SUISSE) QUI DÉFINIT DES GROUPES DE POPULATION EN FONCTION DES ATTITUDES, DES VALEURS ET DES HABITUDES DE CONSOMMATION.

« Après huit années de dictature militaire, la période 1983/1986 représente un changement fondamental dont les manifestations les plus sensibles s'inscrivent dans le domaine de l'expression tant individuelle que collective. L'ouverture démocratique et l'avènement du nouveau gouvernement constituent assurément un fait majeur dans l'évolution des mentalités portègnes. Sans doute peut-on se permettre d'affirmer que les citoyens ont voté essentiellement contre le désordre et la violence, à la recherche — peut-être inconsciente — d'une sage transition vers la démocratie. Cette ouverture a créé un sentiment de soulagement et un désir de « tourner la page » ; de nouveaux espaces de discussion apparaissent et on assiste à des changements sur différents plans :

Plan économico-politique : la négociation de la dette extérieure, le procès contre les militaires pour la répression, la violation des Droits de l'Homme et la guerre des Malouines. Le plan austral qui annonce avant tout une baisse accélérée de l'inflation. La présence de l'Église (l'État argentin soutient le culte catholique, apostolique et romain. Selon le Code civil, l'Église est une institution de droit public, d'existence nécessaire comme l'État lui-même, les provinces, les municipalités. Il n'existe pas de séparation entre l'Église et l'État), la prégnance de l'Église est particulièrement forte et elle prend position vis-à-vis de nombreux thèmes liés à la famille : le divorce, la morale, la censure, la pornographie.

Sur le plan du travail : les conséquences de la situation critique dans laquelle est resté l'appareil de production se font sentir. D'une part il y a les possibilités d'investissement des entreprises et d'autre part les constantes revendications salariales pour le redressement des revenus et du pouvoir d'achat des travailleurs.

Pour la jeunesse : sa participation politique représente le fait le plus significatif. On assiste en effet à l'irruption de cinq millions de nouveaux votants qui pendant dix ans se sont tus, cherchant leur identité politique à travers leurs propres croyances ou à travers les voies tracées par leurs aînés (péronisme ou radicalisme et petits partis de la gauche modérée).

Par ailleurs, c'est à travers le rock, les nouveaux modes vestimentaires, la liberté sexuelle que les jeunes se sont exprimés le plus manifestement.

L'activité « underground » est peu importante. La drogue n'est pas répandue dans la grande majorité de la classe moyenne de Buenos Aires mais seulement dans quelques noyaux, au sein des classes sociales les plus élevées et les plus basses.

Dans les relations familiales : c'est l'occasion d'une consolidation de la famille grâce à une plus grande fusion de la cellule familiale.

Au Sénat on approuve le décret de loi sur le partage de l'autorité parentale qui était jusqu'à présent le privilège du père. D'autre part, on voit apparaître des demandes pour le soutien de la loi sur le divorce permettant de dissoudre le lien conjugal. En effet, actuellement, les personnes séparées n'ont pas le droit de se remarier.

Dans le mode de vie : en général, on vit davantage à l'air libre ; autour des lacs de Palermo traditionnellement fréquentés ou sur n'importe quelle place de Buenos Aires, on voit des gens trotter, se faire bronzer, rouler à bicyclette.

Sur le plan culturel : la censure préalable a été abrogée ; on observe la prolifération et la démocratisation des spectacles, manifestations théâtrales et musicales, sur les places, dans les parcs et les lieux ouverts.

Il semblerait que l'on soit en train d'apprendre peu à peu de nouvelles manières de vivre les divergences d'opinions et de gérer le temps : c'est le moment d'élaborer et d'établir de nouvelles stratégies individuelles, collectives et sociales. Tous ces changements entraînent des variations continuelles dans la façon de penser, de sentir et d'agir. C'est donc cette situation, cet état d'esprit nouveau que nous avons tenté de cerner en établissant une sorte de carte des styles de vie à partir d'un échantillon représentatif de la population des plus de 15 ans. Cela nous a donné six principales catégories socio-culturelles.

1. *Les jouisseurs-immédiatistes (15 %)*

Moins de 35 ans, hommes et femmes, les jouisseurs/immédiatistes sont à la recherche du plaisir rapide et superficiel. Très préoccupés de leur corps, ils consomment des produits diététiques (le *coca diet* ou le *seven up diet* connaissent un grand succès), de l'eau minérale mais aussi, paradoxalement, des vins fins et des boissons alcoolisées. Ils sont les premiers acquéreurs de congélateurs et de fours à micro-ondes. D'un point de vue vestimentaire, ils suivent les modes françaises et italiennes. Dior, Cardin, Cacharel, Courrèges sont installés et parfois même fabriqués à Buenos Aires. En règle générale, d'ailleurs, les jouisseurs/immédiatistes sont attirés par tout ce qui est importé, à l'affût de ce qui est *made in USA, made in Europa, made in Japan,* des détails nouveaux qui montreront qu'ils sont « à la page ».

Ainsi, ils voyagent surtout à l'étranger mais pas dans les endroits réputés touristiques : plutôt vers des lieux (chers) qu'on se transmet entre initiés et où l'on pratiquera des sports rares.

Ils habitent le *barrio norte,* Belgrano ou San Isidro. Dans le domaine économique, ce sont de grands défenseurs du libéralisme et ils accueillent facilement les entreprises étrangères. Enfin, ils sont favorables au pluralisme politique des partis.

2 et 3. *Les égalitaristes/réformateurs (16 %) et les pionniers (17 %)*

Si l'on réunit ces deux catégories, finalement assez proches, cela nous donne une ville où, sous une forme ou une autre, 33 % des habitants se situent dans le changement *(el cambio).* Les pionniers en particulier le veulent pour eux-mêmes et pour les autres. Leur âge : entre 30 et 45 ans. Leur travail : ce n'est pas un indicateur fiable. En Argentine on fait le travail que l'on peut, pas celui que l'on veut ou dont on est capable (les architectes et les ingénieurs ne sont-ils pas connus pour être d'excellents conducteurs de taxi ?). Les pionniers ont un niveau d'études élevé, votent un peu plus à gauche, pour le Parti intransigeant, le péronisme rénovateur ou le nouveau radicalisme (« l'alfonsinisme »).

Les hommes et les femmes pionniers se soucient peu des apparences. Leurs voitures ont tous les perfectionnements techniques mais elles ne sont pas voyantes : les symboles traditionnels de prestige n'ont plus raison d'être. Et ce n'est pas chez eux que vous trouverez un poste TV dans le salon pour montrer qu'ils ont réussi !

Élégants, sobres, ils s'habillent avec un autre esprit que les jouisseurs/immédiatistes : la cravate est portée pour le plaisir et non pas en tant que symbole classique de différenciation de la masse... Créatifs dans tous les domaines, ils mangent peu mais de tout. Sans que soit abandonnée la tradition carnivore, le hamburger — avec ses multiples possibilités de préparation — prend la place du *bife* ou du *churrasco* ! Une nouvelle manière de manger.

Leurs quartiers : le vieux Palermo et certainement ceux qui ne sont pas à la mode. Leurs meubles : mobiles et modulaires. Il faut que ça change !

4. LES COMPÉTITIFS/ENRACINÉS (18 %)

Ils sont le symbole même d'une société d'immigrants et constituent un groupe important qui a été le moteur de l'Argentine des années 50, mais est aujourd'hui en perte de vitesse. Ils consacrent beaucoup d'énergie à la réussite personnelle en restant très classiques : ils font attention à leur apparence, suivent les modèles imposés et sont attirés par le prestige.

Leur âge : tous les âges !

Leur travail : petits employés, ouvriers qualifiés. Ils sont capables de gros efforts pour faire faire des études à leurs enfants et deviennent les clients privilégiés des multiples petits établissements religieux pas chers et plus fiables que l'école publique.

Leurs valeurs : la réussite, l'ascension sociale. Tout est bon pour le montrer : ils passent de la TV noir et blanc à la couleur dès qu'ils peuvent puis au magnétoscope. Voiture : celle qu'ils peuvent mais « ils en ont une ». (Ce sont les clients de petits modèles Fiat.) Mode : imitation de la mode (celle qui a une petite étiquette quelconque pour imiter les griffes connues).

Les compétitifs/enracinés mangent et boivent beaucoup et varié, plus que la moyenne. Mais c'est encore maman qui prépare tout comme dans le bon vieux temps. Et pourtant même dans ce domaine sacré les choses bougent : ils deviennent les plus grands consommateurs de desserts tout prêts (il n'y a pas pire insulte pour une maman argentine ayant préparé un beau gâteau dégoulinant de *dulce de leche* que de lui dire qu'il est « exquis ». (C'est la marque des principales pâtisseries toutes prêtes d'Argentine.)

Dès qu'ils peuvent, ils abandonnent le *barrio* et déménagent vers des quartiers de classes moyennes, dans de petits appartements où ils se rapprochent au moins un peu des grandes avenues.

Ils gardent bien entendu une attitude traditionnelle par rapport à la politique, votent péroniste et attribuent un rôle important à l'État, et aux organisations de la société civile (partis, paroisses, syndicats).

5. LES DÉMOTIVÉS (15 %)

Ce groupe par son importance différencie Buenos Aires des autres villes du pays. Il est le symbole même de la fin d'une époque. C'est un groupe âgé, constitué par les immigrants de l'intérieur venus dans leur jeunesse travailler dans l'industrie et la construction. Ce sont les fameux « cabecitas negras » (têtes de nègre) qui ont constitué la base sociale du péronisme et qui se retrouvent à la fin de leur vie sans emploi ni ressources. Des gens qui ont souffert d'un long processus de déracinement et de perte d'identité et qu'on retrouve dans la ceinture du Grand Buenos Aires.

Ils sont les plus grands consommateurs de maté, la boisson nationale.

6. Les précaires/dépendants (19 %)

Groupe à faibles revenus, enclavé dans la vie quotidienne de son quartier, il fuit le désordre ou la violence et requiert l'appui de l'État, des paroisses ou de son groupe d'appartenance. Il se méfie de toute forme d'organisation partisane ou syndicale.

Très faible consommation : pain et pâtes.

La carte de la pauvreté que le nouveau gouvernement a fait établir montre que de vastes secteurs de la périphérie de Buenos Aires sont parmi les zones les plus pauvres du pays. Un programme d'aide alimentaire, le PAN, a d'ailleurs été élaboré pour venir en aide à ces déshérités.

Pour conclure, je reprendrai les réflexions de Patricia Sendra qui est ethnologue et fait des études de marché pour l'une des plus grandes sociétés de vin du pays : « L'image du Buenos Aires ville européenne, dit-elle, est un peu révolue. Désormais Buenos Aires est « américaine » par son avidité et « latino-américaine » par son faible pouvoir d'achat ! Un manuel du style « comment se moderniser sans gagner beaucoup d'argent » aurait un succès fou ici ! »

propos recueillis par
GRACIELA SCHNEIER

ALICIA DUJOVNE ORTIZ ET GRACIELA SCHNEIER

LE TANGO DE LA DEMI-VACHE

« Bulletin du marché aux bestiaux de Liniers, annonce la radio. Le volume de transactions, à l'ouverture, pour un lundi, a été moins élevé que d'habitude. Dans la constitution des offres, ont prévalu les marchés d'une ligne bonne à régulière, incomplète en grandeur, compte tenu des conjonctures les plus satisfaisantes. »

Elle a écouté cette voix des ondes depuis l'enfance, de même que, tous les dimanches, celle du commentateur de football. Apparemment, sans les entendre ; sans s'avouer, en réalité, que les deux voix masculines — celle du match de foot et celle de la foire aux bestiaux de Liniers — retentissaient, dans son for intérieur, dans un coin d'elle-même, fait de peur et de sourde excitation. Mais aujourd'hui, allez savoir pourquoi, elle s'éveille brusquement à l'étrangeté de ce langage codifié, qui lui ressasse, depuis toujours, quelque chose de vivant et de terrible sur sa propre vie.

Car, honnêtement, combien de kilos d'entrecôte, de collier, de rumsteack, de flanchet, de chorizo, de boudin ou d'échine, consommés ou à consommer, échappent-ils à ce message quotidien, issu de la bourse des valeurs authentiques de ce pays dévoreur : la foire de Buenos Aires, où entrent, tous les matins, les 30 000 têtes de bétail qui alimentent la cité ?

Emplie d'émotion et de courage, subitement guérie de sa surdité, elle décide, à l'instant, de s'introduire, en chair et en os (puisqu'il s'agit, ici, précisément, de sa chair et de ses os) au cœur même de l'Argentine. Un cœur difficile d'accès, s'entend. Pour le voir et le toucher, il faut y être autorisé. L'entrée du marché n'est pas libre : trois cents acheteurs seulement, dûment inscrits, y sont admis à la fois. Les femmes ? Pas une seule. Mais en prétextant un article pour une revue étrangère, on déverrouille les portes.

Voilà comment, par un petit matin glacé de l'hiver portègne, notre valeureuse héroïne se trouve installée à bord de l'omnibus 86, seule, en direction du quartier ouest, là, précisément, où arrivent les vaches. Tout en luttant contre le sommeil, elle lit des statistiques qui, bien que bovines, lui donnent la chair de poule. Les habitants de Buenos Aires mangent 700 000 vaches par an. On avale, sans sourciller, deux taurillons par an, par famille. Par personne, une demi-vache. Elle ferme les yeux et, entre les rêves et les cahots, elle s'imagine, tout en dents, transformée en une mastication démentielle qui ronge le corps de la bête, de la coupe médiane au bout de la patte. Bien que monstrueuse — pense-t-elle en s'ébrouant —, sa vision n'est pas fausse : les bouchers argentins, en effet, découpent le bétail dans le sens de la fibre. Les « bifs », en sens inverse. Contrairement à l'Europe : ne sommes-nous pas dans l'hémisphère sud, où même l'eau du robinet s'écoule dans la direction contraire ?

CRIS GUTTURAUX ET CROUPES ANGULEUSES

« Liniers », crie le contrôleur, en lui faisant de l'œil. Dès la descente du bus, le vent met sous son nez l'odeur de la terreur. Identification immédiate. En bonne Argentine, elle réalise, dans son inconscient, l'adéquat mélange, sachant que la terreur pue le camion bourré de vaches, sur une route de la pampa, en direction de Buenos Aires. Des camions à barreaux, comme des cages, dégoulinants de chiasse verte, laissant derrière eux le sillage d'un mugissement, d'un regard fugitif et affolé, et d'une odeur chaude, inoubliable, celle, précisément, qui demeure, collée dans l'âme, semblable à l'effroi.

C'est un quartier modeste : pavillons à étage, avec cour et pots de fleurs. Soudain, entre les maisons, surgit l'enceinte de trente et un hectares, entourée d'un mur peint en blanc. La rumeur qui s'en dégage ne permet aucun doute. Au-delà du portail, elle croise, en plein labyrinthe, sa bouleversante humanité.

Sans doute a-t-elle déjà vu, en rêve, une de ces galeries suspendues sur un fossé gigantesque, couvert de boue et de mugissements. C'est étonnant de revenir sur un lieu de la mémoire ; car, s'il ne s'agissait d'un coin de la mémoire, comment justifier cet élan qui vous prend à l'estomac ? Cinq mille cinq cents enclos, remplis de taurillons, de veaux, vaches, génisses, de taureaux, d'étalons de toutes races, de moutons, de brebis, d'agneaux, de bétail mugissant et bêlant, suivant sa condition, s'étalent, là, sous le regard, dans un enfer de cris gutturaux et de sifflets stridents. Des gauchos à cheval, en bottes et en culottes de cheval, en chapeau à bord relevé et en féroces moustaches, font claquer leurs fouets et entravent les bêtes, enfonçant dans leur chair le harpon redoutable de leurs lances. Les Aberdeen Angus noires, les Heresford rouges, les Shorton touffues, le ventre presque à terre, sur leurs pattes courtes, les Charolais d'un beige élégant et, même, quelques zébus d'Asie argentés, dont les croupes anguleuses contrastent avec les rondeurs charnues des vaches « chrétiennes », défilent, sans protester, tête basse. Il existe un enclos, à part, pour les vieilles vaches qui, loin de finir sur un étal, même de deuxième choix, seront sérieusement réduites en boîtes de conserve.

Les quartiers de viande défilent sur ces larges croupes, d'innombrables sabots retentissent, sur un sol parsemé de flaques, où le bétail vient s'abreuver, rattrapant ainsi les kilos perdus pendant la soif du voyage.

« Montez », la somme le responsable. Elle obéit avec soulagement : a-t-elle craint de rester en bas parmi les condamnées ? En grimpant vers les passerelles qui, d'en haut, longent, sur dix kilomètres, l'énorme fossé de l'enclos, elle se demande pourquoi elle les a nommées « condamnées », au féminin. En un éclair, d'un coup, elle a compris la résonance sexuelle de son audace. Non sans provocation, elle a pénétré le huis-clos, quasi magique, où être homme est de rigueur. Un huis-clos de mâles.

LA BEDAINE ET LES JAMBES DU MATAMORE

L'antique clochette, étonnamment faible, de l'abattoir le plus ancien d'Argentine, vient de sonner, venant interrompre les conversations et, même, dirait-on, modérer les mugissements. Tous les regards convergent vers un homme. Quelqu'un susurre à l'oreille effarée de notre héroïne le nom de celui qui, à cet instant, apparaît, aux yeux de chacun, comme étant l'image même de l'essence masculine. Fallait-il le préciser ? Cet homme porte clairement son nom dans son allure, gravé dans un maintien bien précis : un homme aux pas pesants, sachant que les distances lui appartiennent et que la terre, sous ses pieds, lui donne sa vigueur, son élan, sa foi. Propriétaire terrien et apparenté, sans doute, à quelque ex-président militaire, le surhomme arbore un blouson de cuir marron, foulard noué autour du cou, bonne taille, bonne croupe, une légère bedaine virile et une paire de jambes qu'on imagine, sans encombre, adhérant à leur complémentaire cheval : fantaisie dont, loin de se priver, elle tire la vision d'une union compacte entre l'homme et la bête, chevauchée indivisible, équilibrant légèreté et robustesse. Des bottes, bien sûr, on n'y coupe pas, des bottes couleur café luisant, caramel, tout juste rythmées, du bout de la cravache, par un petit geste d'impatience contenue.

Intermédiaire privilégié entre propriétaires et abattoirs, le matamore commence son rituel. Il faut parcourir les passerelles, désigner, en bas, les troupeaux de bétail, en provenance des diverses fermes, et crier, d'une voix autoritaire, plus assourdissante que nasillarde, surgie des profondeurs : « 45, 45, 45, 50, 50, 55, à sept jours, vends ! »

Quelqu'un tend la main. Vendu. Qu'ont-ils vendu et combien, les initiés auront compris la langue secrète, hermétique, où des kilos de viande, des années d'existence dans les pâturages, et un montant de pesos ou d'australs font partie du code : « 4,70, 4,70, normal,

5 centavos le kilo, 5 centavos, à 5 centavos, messieurs, vends, dans l'état, 5 et demi, vends ! »

Les trois cents bouchers dûment inscrits se pressent derrière le dos puissant, le suivent dans d'interminables couloirs, au ras de l'air, pendant que les gauchos, en bas, folkloriques, assurément, mais modernes, vérifient, par talky walky, si le lot a été vendu. Vendu ? On le pousse alors, à grands coups de fouet et de bâton, vers l'enclos de la mort. Une vache lève la tête et semble la regarder. Son expression n'est pas douce, pense notre héroïne, afin de contenir ses larmes. Le coup de la vache paisible, avec ses grands yeux doux est un mensonge. Toute vache argentine a un air buté, un nœud entre les yeux, sorte de concentration d'idées noires, dans la largeur du front. Par contre, le pis tremble, tendre, et cette chose rose, en direction de l'abattoir, est la dernière que notre héroïne perçoit, ce matin, avant de décider que son immersion dans l'Argentine profonde se termine ici. Suffit pour aujourd'hui. Elle peut revenir désormais, des entrailles à l'épiderme du pays ; surface où elle patine, se croyant argentine, bien qu'alimentant un doute. Deux choses lui ont manqué pour l'être vraiment : de la terre et des vaches.

Le gaucho d'Atahualpa Yupanqui disait : « Les peines nous appartiennent / Les vachettes sont lointaines. » Et les peines des vachettes, à qui sont-elles ?

UNE PIEUSE FÉROCITÉ

Le soir, Jeanne sans terre retrouve son fiancé chez « Pipo » : « Pipo », le restaurant populaire aux biftecks monumentaux. Elle commande une grillade et on lui sert, dans l'assiette — lanterne japonaise mise à plat — une côtelette coupée dans la longueur. Son ami demande une côte. Elle scrute quelques minutes le triangle de viande, si semblable à la carte de l'Argentine, avec l'épine dorsale des Andes, sur l'os de gauche. Elle tarde à avaler, tout en salivant.

« *Questa*, ma belle ?, demande son fiancé. Mange, ça refroidit. »

Elle acquiesce alors du chef, et répare, à toute vitesse, la perte de temps. Nous approchons la fin de l'année. Sans hâte, comment pourra-t-elle venir à bout de la moitié de vache restante ?

La grillade est savoureuse, épaisse, à point ; rien à voir avec les viandes maigres, molles et bleues, faites pour de pervers Européens. Elle a un goût doré, au soleil, car la graisse crépite entre les dents. Au premier coup de crocs, monte une ébriété venue de loin, une pieuse férocité qui se mélange au goût. Elle mange d'un trait, arrachant les fibres et se remémorant de vieilles ritournelles, parfois décochées sur son passage — ou, peut-être, sont-ce des souvenirs maternels ? — « Salut, churrasco », « Savoureuse comme la chair sur l'os ». Ah ! aucun mets ne dégage l'odeur de la viande grillée, la viande nature, toute simple, sans un brin d'herbe, car seule, la viande a une odeur implacable, entière, un arôme violent qui vrille les narines. Elle est maintenant consciente de ses yeux qui brillent, de son rire devenu ample, et de son sang qui bat, tel un galop de sabots, dans les flaques du dedans.

(Traduit de l'espagnol par Tita Reut.)

ALICIA DUJOVNE ORTIZ
ET
GRACIELA SCHNEIER

JEAN-PIERRE GALLOIS

ARGENT... INE

D'abord, on n'y prend pas garde. Ce n'est qu'un nom de pays comme un autre : Argentine, pourquoi pas ? Ce n'est qu'un nom de fleuve comme un autre : río de la Plata (fleuve Argent), pourquoi pas ? On ne se demande pas pourquoi la France s'appelle la France et la Seine la Seine. C'est comme ça et n'a aucune importance. A Buenos Aires, si. Cela en a. Énormément. Vocation ou malédiction, le fait est là : c'est la ville de l'argent-roi.

Dès votre premier chauffeur de taxi, vous vous en convaincrez. Sur les quarante kilomètres séparant l'aéroport d'Ezeiza du centre ville, le mien m'a fait un véritable cours d'économie politique. Pour critiquer évidemment ces « incapables » du gouvernement et m'expliquer qu'il lui serait plus rentable de vendre sa voiture et de placer l'argent plutôt que travailler pour un salaire de misère...

A dix ans, les enfants d'ici savent tout de la parité du dollar, des cours des bons du trésor et des prévisions financières. Ne leur parlez surtout pas de tirelire, ils vous riraient au nez en vous expliquant qu'il vaut bien mieux « faire un dépôt à une semaine sur le marché inter-entreprises ». Quoi ? Vous ne savez pas ce que c'est ? Moi non plus. Mais vous pouvez leur faire confiance car l'argent et ses mystères, ils connaissent depuis leur tendre enfance. Ils baignent dedans. Et ça ne s'arrange pas en grandissant.

Sa vie durant, le Porteño n'aura qu'un rêve : gagner de l'argent vite sans peine. Il n'aura qu'une obsession : le faire fructifier vite et sans peine. Qu'une seule jouissance : réussir. Qu'un seul cauchemar : perdre. Élevés dans la tradition du négoce, bercés par le fantasme de la *plata dulce* (argent facile), les gens de la capitale ont tous le même but, devenir riches. C'est comme si, de génération en génération, ils se transmettaient encore le credo des émigrants, ceux qui avaient tout quitté pour se lancer à la « conquête des Amériques » et faire sur cette terre la fortune que celle de leurs ancêtres leur avait refusée. Tous étaient partis en se jurant bien de revenir « cousus d'or ».

A Buenos Aires, l'argent a une odeur. Celle de la réussite et de la revanche. Celle aussi du désespoir et de la honte lorsque l'échec est au bout du voyage. Ici, ne pas avoir d'argent, c'est renoncer à toute considération, c'est faire mourir une seconde fois ses ancêtres en leur prouvant qu'ils sont partis pour rien.

Mais cette hypertrophie de l'appât du gain n'a pas fait des Porteños des atrabilaires avaricieux. Car il n'est qu'une chose qui leur fasse autant plaisir que de gagner de l'argent, c'est le dépenser. Vite et sans souci. Contradiction ? Non, logique. L'argent étant le seul critère de réussite, il est normal qu'ils aient envie de le montrer, d'en faire étalage. Comme d'autres, sous d'autres latitudes, exhibent leurs diplômes, leurs titres ou leurs médailles.

IL EST TELLEMENT PLUS DRÔLE DE JOUER QUE DE TRANSPIRER

Méprisants de la sueur et du travail, de l'effort et de la pugnacité, les Porteños riches ont au contraire la folie des grandeurs, des splendeurs et de la facilité. Rien n'est trop cher, trop chic ou trop luxueux pour eux. Ici, les commerçants avisés n'hésitent jamais à mettre en vitrine au moins un article totalement hors de prix. Le contraire ne ferait pas sérieux. Et puis, il se trouvera toujours quelque passant en veine financière pour s'offrir un caprice qui lui sera comme un trophée : inutile et dérisoire mais tellement symbolique de « sa » victoire. Une marque allemande de téléviseurs fait même sa publicité sur le thème : « Nous sommes les plus chers »...

Partout où l'argent des Porteños plonge ses racines, c'est une orgie... Dans les banlieues résidentielles des bords du rio de la Plata, c'est une débauche de villas qui se donnent des airs de temples grecs par l'ampleur et les colonnades, d'empire des Indes par les couleurs vieux-rose et les essences rares qui poussent dans les parcs, de Banque de France aussi par l'épaisseur des murs, la solidité des grilles et la sophistication des moyens de sécurité mis en place pour que les pauvres — car il y en a — puissent voir mais surtout ne pas toucher.

Paradoxe souvent insupportable d'un pays autocolonisé où la richesse n'a pas honte de croître au nez des déshérités. Insupportable surtout pour l'étranger. Car les pauvres d'ici ne semblent pas choqués par le luxe qui s'affiche à quelques centaines de mètres parfois de leur bidonville. Au contraire. Ils ont là, sous le regard, la matérialisation de ce que, eux aussi, ils pourront avoir lorsqu'ils seront riches.

Au-delà des disparités sociales énormes, les Porteños, en chemise de soie ou *descamisados* (sans chemise), vivent tous dans le mythe que l'argent fait le bonheur. Ceux qui en ont sont heureux. Ceux qui n'en ont pas ont l'espoir d'en avoir bientôt. Dès demain peut-être si la chance leur sourit. Leur malheur n'est que la salle d'attente du bonheur. Il est plus facile de gagner le gros lot que de trouver une « grosse situation ». Et il est tellement plus drôle de jouer que de transpirer...

Jouer. Mot clé pour comprendre la psychologie du Porteño face à l'argent. Je ne m'essaierai pas à vous entraîner sur les sentiers tortueux de la recherche du pourquoi de cette fascination pour le ludique. Il vous suffira de voir pour me croire. Partout, dans les bistrots ou dans les bureaux, dans les écoles ou dans les ministères, vous aurez l'impression d'être au casino.

Mais Buenos Aires n'est pas Las Vegas. Ici, on ne joue pas seulement la nuit et dans les endroits faits pour ça. On joue partout et tout le temps. Pour reprendre l'expression d'un banquier établi depuis plus de quinze ans dans la ville, celle-ci est comme un gigantesque Monopoly. Et ses habitants sont autant de joueurs qui tirent leurs cartes aux guichets des centaines de maison de change, se donnent des airs clandestins pour mieux attirer le client. Il faut voir le ton de conspirateur employé par les « racoleurs » plantés sur le trottoir lorsqu'ils interpellent d'un « *Cambio, cambio* » (Change, change) qui sonne comme la promesse de l'Eden.

NI DÉVELOPPÉ, NI SOUS-DÉVELOPPÉ : ATYPIQUE

Dans un pays où la monnaie n'a longtemps été qu'un bout de papier dont l'inflation faisait une denrée éminemment périssable, le change était le B, A-BA de l'éducation financière. Changer son argent en dollars au meilleur moment et donc au meilleur prix était devenu un sport national. Échouer à ce premier examen de passage était plus qu'une erreur : une honte et une condamnation. Momentanément préservé de l'érosion monétaire, l'argent ne restait pourtant lui-même que si son détenteur savait rapidement faire le bon choix, le bon placement, celui qui, en quelques jours ou quelques mois, lui permettrait de faire fructifier sa mise.

Lorsqu'en juin 1985 le gouvernement a lancé une vaste réforme économique pour abattre l'inflation, beaucoup de Porteños ont poussé un « ouf » de soulagement. Le jeu était devenu trop risqué et trop épuisant. Les cartes ont donc été redistribuées mais la règle est restée la même : spéculer encore et toujours.

Les quotidiens de la capitale, même les plus populaires, ont tous une abondante rubrique économique et financière au vocabulaire impénétrable pour le non-initié. Les Porteños s'y meuvent avec les certitudes et les excitations d'un Parisien plongé dans les pages jaunes de son tiercé dominical. Chaque jour, la chronique boursière leur apporte comme en un feuilleton leur lot d'émotions et d'espoirs, de doutes et de revanches. C'est à cette source qu'ils puisent la sève de leurs défaites ou de leurs victoires. Toutes provisoires.

Parfois, des hommes d'affaires étrangers sont fascinés par les capacités économiques de cette terre et de ces gens. Ce ne sont, pensent-ils, ni les ressources ni les compétences qui manquent. Ici, le business devrait être florissant. Et pourtant !

Après avoir connu son âge d'or sur les décombres de l'Europe d'après la Seconde Guerre mondiale, l'Argentine en général et Buenos Aires en particulier sont progressivement retombées dans une sorte de marginalisation économique mondiale. Ni développé, ni sous-développé, ni même entre les deux, le pays évolue dans ce que les Porteños appellent eux-mêmes un « atypisme » qui n'est que la projection du particularisme de chacun de ses citoyens.

Citoyen. Un mot qui sonne faux à Buenos Aires. Car, si le Porteño sent couler en lui le sang chaud de son chauvinisme lors des traditionnels chocs entre les deux grands clubs de football de la capitale, River Plate et Boca Juniors, il aurait plutôt tendance à refuser toute assimilation dès qu'il s'agit d'argent. L'argent est « son » argent. A lui. Il se donne le privilège d'en faire ce qu'il veut et devient absolument féroce si un tiers, fût-ce l'État, veut s'aviser de décider à sa place.

Son épargne, il en fait ce que meilleur lui semble. A lui. Et qu'on ne vienne surtout pas lui parler d'intérêt national ou d'investissement « civique ». Ces concepts-là sont pour lui synonymes d'abus et d'affront. Abus, parce que, comme le dit Enrique — cinquante ans de spéculation à son actif — « on ne demande pas aux joueurs de repeindre les murs du casino ». Affront, parce que proposer une opération financière à la fois sans risque et sans espoir de miracle, c'est — toujours selon Enrique — « demander à un joueur de poker de faire une petite bataille ».

HARO SUR LE PERCEPTEUR

Mais tout cela n'est que broutille à côté de l'insulte suprême, du monstre hideux qui hante les pires cauchemars des Porteños, de la sorcière aux dents vertes, du père Fouettard dont on menacerait les enfants si l'on ne craignait pas d'attirer sur soi le mauvais œil, une horreur qui tient en un mot : IMPÔT. On peut rire et se moquer de tout — ou presque — à Buenos Aires. Du gouvernement bien sûr, de l'Église, de l'armée, du sélectionneur de l'équipe nationale de foot. Même du tango ou de Perón. Mais il y a un tabou, un sujet à n'aborder que pour le vilipender : l'impôt sur le revenu.

Il faut vraiment le voir pour croire au mélange de terreur et de haine qui s'empare d'un Porteño dès que l'ombre du fisc s'approche de son *bolsillo* (sa poche). Il crie au voleur avec tellement de conviction qu'il appellerait presque la police. « On m'assassine. » L'invective de l'avare caricaturé par Molière prend tout son sens.

Le Porteño se sent spolié, violé, nié dans son essence même et cela avec d'autant plus de force qu'il n'a que ses indignations pour se défendre.

Il faut reconnaître qu'on ne l'a pas habitué à faire ce sacrifice civique. Pays de producteurs terriens et de négociants, l'Argentine a de tout temps vécu du prélèvement fiscal sur les opérations commerciales. Un impôt réel mais relativement indolore dans la mesure où chacun avait au moins l'impression de faire payer par « l'autre » la dîme ponctionnée par l'État. Peu importe au Porteño de payer plus cher, à cause des taxes, un produit quelconque. Ce qu'il refuse, c'est, lorsqu'il fait une affaire ou perçoit un salaire, que le percepteur vienne lui réclamer sa part. Non. Le Porteño dit non à l'intrus. Il n'a qu'à se débrouiller l'État. Faire comme tout le monde. Gagner son argent sans piller les autres.

Et n'essayez surtout pas de vous lancer devant des Porteños dans une justification de l'impôt direct. Vous y perdriez plus que des amis. Vous y laisseriez jusqu'à la dernière parcelle de considération qu'ils pouvaient avoir à votre égard. Vivre à Buenos Aires, c'est, comme dans la chanson de Moustaki, descendre chaque jour un peu plus le fleuve Argent.

De la source à l'embouchure, son lit se creuse dans les méandres de ses habitants. Torrent de joie, cascade de luxe et rivières de diamants lorsque le flux est abondant et que le courant est propice. Lac de tristesse et d'amertume ou ruissellement de larmes lorsque son cours se heurte aux montagnes de la misère et de l'indifférence qui ne laissent filtrer que quelques gouttes d'espoir.

Espoir que, comme dans les légendes aux accents bibliques dont le Porteño aime à entretenir ses rêves, la corne d'abondance viendra, demain peut-être, faire sauter le barrage et libérer les eaux pour qu'elles roulent vers l'océan de la Félicité.

ARGENT...ine. Pas un hasard. Vraiment.

JEAN-PIERRE GALLOIS

HERIBERTO MURARO

KIOSQUES

L'imaginaire des habitants de la ville ne converge pas toujours avec les critères de la vie quotidienne. Quelques lieux visités généralement par une fraction relativement restreinte de la population comme ceux du jeu ou du vice — par exemple, l'hippodrome de Palerme ou les prétendues maisons de « massage » — ont atteint une position enviable dans la mythologie locale. En revanche, d'autres lieux fréquentés par tous, grands et petits, hommes et femmes, suscitent rarement notre intérêt et ne méritent presque jamais un paragraphe de reconnaissance.

Les kiosques, jusqu'à nouvel ordre, appartiennent à cette seconde catégorie. Précisons : les « kiosques à cigarettes » ou « kiosques » tout court que les habitants de Buenos Aires distinguent des « autres kiosques », sorte de grandes armoires métalliques situées dans quelques coins de rues pour la vente des journaux ou des revues. Ces kiosques à cigarettes sont le résultat d'un long processus d'évolution ; initialement ils consistaient en un local minuscule, un peu plus qu'une petite pièce avec une fenêtre donnant sur la rue, sur le rebord de laquelle était placé à la vue du public un plateau de sucreries, quelques étagères chargées de marchandise, une chaise et, peut-être, un équipement pour préparer des matés. Cependant, la pression de la demande et des conjonctures économiques successives traversées par le pays ont peu à peu altéré le schéma originel incitant les propriétaires à agrandir modérément le local, à élargir le plateau de friandises, à incorporer sous et à côté de la fenêtre quelques vitrines, à ajouter des étagères et même à joindre un réfrigérateur ou congélateur.

CITOYENS ET CONSOMMATEURS

Les kiosques sont aujourd'hui, avant tout, un dispositif très efficace destiné à satisfaire beaucoup des menus besoins ou caprices qui caractérisent l'*homo sapiens* de ces latitudes. Il est possible d'y trouver tout ce dont on peut avoir besoin à la seule condition que ce que l'on cherche ne soit ni trop grand ni trop cher : un jeton de téléphone, la carte de l'Argentine que l'écolier a oublié d'acheter à la papeterie, le jouet qu'on offrira à l'enfant qui attend à la maison, le shampooing ou la mousse à raser permettant d'atteindre le minimum de séduction nécessaire pour oser sortir dans la rue, le billet de loterie pour tenter la chance de la semaine. Et puis, bien entendu, des cigarettes, des bonbons, des petits gâteaux, des limonades, des glaces, des porte-clefs, des analgésiques et des digestifs, des stylos-plumes et du papier à écrire, des rubans adhésifs, des piles électriques, du savon de toilette, des capotes anglaises et, si nécessaire, des renseignements sur les lignes de transport qui parcourent la ville.

Le nombre d'objets qu'un kiosque peut arriver à vendre est pratiquement incalculable. Les grossistes les approvisionnant — qui, le plus souvent, leur rendent visite régulièrement deux à trois fois par semaine — estiment qu'ils dépassent les 2 000.

Deuxièmement, les kiosques sont le lieu même où les enfants de Buenos Aires amorcent leur carrière de citoyens et de consommateurs. La première portion de ville à laquelle ils ont accès, échappés des mains de leurs parents, avec quelques pièces de monnaie en poche, à la merci de leur propre curiosité et d'un inépuisable appétit pour toute chose se vendant enveloppée dans du papier transparent ou argenté. Pour eux, ce lieu sera, durant des années, le territoire du désir et la limite même entre la maison et le monde extérieur. Les mères : en paix. A Buenos Aires il y a davantage de kiosques que de pâtés de maisons ; l'enfant pourra arriver au kiosque le plus proche sans avoir à marcher plus d'une centaine de mètres, sans courir le risque de traverser des avenues ou des rues trop passantes. Les propriétaires de kiosques, parfaitement avertis de l'importance de leurs jeunes clients (les friandises permettent d'obtenir de plus grandes marges de bénéfice que les cigarettes), ont coutume de placer dans les vitrines inférieures, situées sous le plateau, tout un répertoire de tentations : des autos miniatures en métal, des figures en plastique représentant des animaux de ferme, des billes, des poupées articulées...

TRAVAILLER AU COMPTANT

Le kiosque est, en troisième lieu, l'idéal d'indépendance économique de nombreux habitants de cette ville : de l'ouvrier du bâtiment récemment arrivé de l'intérieur du pays qui gagne moins de 200 dollars par mois, et du maître de conférences de l'université de Buenos Aires, qui gagne également moins de 200 dollars par mois. Dans une société qui s'est vue obligée d'apprendre la dure leçon du fascisme commercial et dont les membres savent sur le bout du doigt que tout bien-être, aussi modeste soit-il, est précaire, parvenir à être propriétaire d'un commerce nécessitant un minimum d'investissements constitue un rêve possible. Sans restrictions d'horaires — les kiosques peuvent rester ouverts jusqu'à n'importe quelle heure et n'importe quel jour de l'année —, sans patron, sans subalterne, sans humiliations, travaillant comptant. Aussi le nombre de kiosques qui ouvrent, spécialement dans les faubourgs, augmente-t-il en permanence. A mesure que la crise creuse les estomacs, que les usines ferment, jetant à la rue des chômeurs avec un peu d'argent à la banque (leurs indemnités de licenciement), se multiplient aussi les personnes qui décident de dépenser leurs dernières ressources en s'aventurant à installer un kiosque. Naturellement, beaucoup d'entre elles ne tardent pas à découvrir que pour vendre il est nécessaire d'avoir un stock, que les loyers de leurs locaux augmentent au rythme d'une inflation constamment galopante, que les impôts à payer sont excessifs, et finissent par faire faillite.

Pourtant, ils sont de plus en plus nombreux les kiosques qui survivent et cela est dû au fait que, selon les dires des experts en la matière, ils représentent une des formes de commercialisation les plus « rationnelles » existant dans le pays. Leur plus grande rentabilité résulte, plus que d'un fort pourcentage de bénéfice par article vendu, d'une rotation importante du capital et, en particulier, de ce qu'ils fonctionnent sans avoir à recourir au crédit bancaire et sans offrir aucun financement à leurs clients. Ils peuvent ainsi aisément changer leurs prix (ce qui n'est pas un mince avantage quand le taux d'inflation arrive à dépasser les 20 % par mois). En outre, cette extraordinaire productivité découle d'une cause peu évidente mais fondamentale : les kiosques sont des centres d'exploitation de la main-d'œuvre familiale, une manière socialement permise d'extraire un peu d'argent supplémentaire de la main-d'œuvre soi-disant oisive des épouses et de leurs enfants adolescents.

(Traduit de l'espagnol par Claire Durovray.)

Quino, *Mafalda,* © Glénat

HERIBERTO MURARO
Consultant en marketing à Buenos Aires

JORGE SCHVARZER

SPÉCULATION S.A.

À LA FIN DU XIXe SIÈCLE, BUENOS AIRES ÉTAIT DÉJÀ UNE VILLE IMPORTANTE ET ORGUEILLEUSE DE SES ACTIVITÉS INDUSTRIELLES. ELLE A STIMULÉ L'IMPLANTATION DE GRANDES USINES POUR SATISFAIRE SA FORTE CAPACITÉ DE CONSOMMATION, DEVENANT AINSI LE PLUS GRAND CENTRE INDUSTRIEL DE L'AMÉRIQUE LATINE ET CELA JUSQU'AUX ANNÉES 40. CETTE BUENOS AIRES APPARTIENT MAINTENANT AU PASSÉ : AUJOURD'HUI LES USINES S'ÉTIOLENT OU EXHIBENT AU REGARD LEURS MURS NUS, ET LA CLASSE OUVRIÈRE ARGENTINE, AUTREFOIS LA MIEUX ORGANISÉE, LA PLUS QUALIFIÉE, EST NUMÉRIQUEMENT TRÈS AFFAIBLIE. POURQUOI UN TEL CHANGEMENT ? À CAUSE DE LA SPÉCULATION EFFRÉNÉE DES ANNÉES 70 QUI A MODIFIÉ LE COMPORTEMENT DES ARGENTINS, ACCÉLÉRÉ LES MOUVEMENTS FINANCIERS GÉNÉRATEURS DE BÉNÉFICES AU DÉTRIMENT DES ACTIVITÉS PRODUCTIVES.
C'EST AINSI QUE BUENOS AIRES EST TOUJOURS LA MÊME ET PROFONDÉMENT UNE AUTRE.

Janvier 1981. La chaleur humide de l'été stagnait sur la « City », ce petit espace au cœur de la ville où s'entassent les centres économiques vitaux du pays : les sociétés financières, les agents de change, les bureaux des grandes entreprises et les services de liaison avec l'extérieur. Mais ni la chaleur ni les préoccupations politiques provoquées par l'imminent remplacement d'un dictateur militaire par un autre — selon le curieux système institutionnel mis en place par les forces armées au pouvoir — ne ralentissaient le mouvement constant de la fourmilière humaine dans les rues de la City ; bien au contraire elles semblaient l'activer. Des files de milliers de gens s'entrecroisaient aux portes des organismes autorisés à vendre des devises étrangères. La majorité des clients entraient portant un attaché-case noir rempli de pesos pour ressortir, quelques minutes plus tard, avec le même attaché-case plein, cette fois, de dollars en espèces.

Un ami m'invite à m'arrêter à un coin de rue pour contempler le spectacle, et une image nous vient immédiatement à l'esprit : si chaque attaché-case contient quelques milliers de dollars, nous avons là, devant nous, le plus grand flux en espèces sonnantes et trébuchantes du monde. Dans n'importe quel pays occidental, les transactions de cette nature s'effectuent par l'intermédiaire de chèques, ou moyens similaires, pour de simples raisons de sécurité. Il n'y a qu'à Buenos Aires où l'on puisse imaginer des gens marchant dans les rues avec des attachés-cases regorgeant de dollars ; les trottoirs de la ville constituent le lit où coulent des flots de richesse sous sa forme la plus abstraite, semblables au cours éternel de l'eau des fleuves.

Il ne s'agissait pas d'une métaphore. Au cours des trois mois précédant le changement de gouvernement, la Banque centrale avait vendu 4 000 millions de dollars aux agents de change locaux pour répondre aux demandes du public ; une partie considérable sortait donc du pays sous forme de transferts vers les banques de Miami ou autres paradis fiscaux, tandis que le reste s'échangeait directement au guichet. Pendant toute cette période, sur l'aéroport de Buenos Aires, atterrissaient de gros avions de frêt transportant une étrange marchandise : des dollars en espèces que la Banque centrale achetait directement à la Réserve fédérale des États-Unis pour couvrir la demande locale.

En moins d'un an, Buenos Aires a englouti près de 12 000 millions de dollars. Les transferts bancaires en devises, qui n'exigeaient pas de mouvements physiques, s'ajoutant au fleuve de billets qui inondaient les trottoirs de la City, avaient réussi à épuiser les réserves de la Banque centrale et préparé le terrain d'où allait jaillir le problème de la dette extérieure. Comment en était-on arrivé là ? On peut aisément le comprendre si, sans tenir compte des détails, on réduit le processus à quelques traits essentiels.

D'UN PAYS PRODUCTEUR À UN PAYS DE SPÉCULATEURS

L'inflation n'est pas un phénomène nouveau en Argentine, elle est pratiquement une partie intégrante de son économie. Pendant les vingt ans qui recouvrent la période 1955-75, les prix ont augmenté en moyenne de 25 % par an et jamais de moins de 10 %. La population a fini par s'habituer à ce phénomène se traduisant par des variations mensuelles dans les prix, des ajustements salariaux périodiques.

Ce n'est qu'en 1975, à la suite d'un certain nombre de mesures ministérielles aberrantes qu'apparaît l'hyperinflation, c'est-à-dire des hausses de prix de 20 % à 30 % qui provoquent des réactions hystériques chez les Argentins voyant fondre, d'une minute à l'autre, le pouvoir d'achat de leur monnaie. Le coup d'État militaire de mars 1976 a été porté par cette puissante vague inflationniste, qui, de fait, coïncidait avec leurs objectifs d'une profonde modification dans le fonctionnement de l'économie argentine. Ce régime d'hyperinflation s'est maintenu pendant dix ans avec des taux annuels atteignant des valeurs à trois chiffres, jusqu'à 1 129 % au cours des douze mois précédant le Plan austral.

Ces dix années peuvent être divisées en trois étapes différentes et successives : en premier lieu, la *spéculation hystérique,* ou l'apprentissage de l'hyperinflation quand des fortunes pouvaient se gagner ou se perdre en pariant sur les différentes modalités d'opérations financières. Plus tard, en 1980/81, la *spéculation contre les devises* et surtout l'achat pervers par le gouvernement de dollars qui étaient offerts au prix le plus bas de leur histoire. Enfin, les années 80 sont le théâtre d'une *spéculation mûre*, forgée sur l'habitude de l'hyperinflation et de ses effets. C'est à cette spéculation que devra faire face le Plan austral du gouvernement démocratique.

Avec un taux d'inflation de 20 à 25 % par mois, il n'était plus possible de garder de l'argent en poche ou sur des comptes courants bancaires qui avaient survécu jusqu'alors ni, bien entendu, de procéder à de traditionnels dépôts sur des comptes-épargne qui n'offraient qu'un maigre intérêt nominal de 20 % par an.

A peine reçu, le salaire était dépensé et les Argentins vidaient les commerces et les supermarchés de toutes leurs marchandises, sachant que le jour suivant les prix seraient majorés en même temps qu'ils cherchaient désespérément où placer les fonds dont ils auraient besoin au cours du mois, ou, s'il s'agissait de privilégiés, ceux qui excédaient la consommation immédiate. Les devises étrangères, le dollar surtout, offrirent une première alternative provoquant l'expansion d'un marché noir actif. Les opérations clandestines se multiplièrent autour d'une valeur-refuge devenue indispensable.

L'ART DE LA BICYCLETTE

La quantité de formes de substitution du peso créées par l'économie argentine est telle qu'il est pratiquement impossible d'en établir un inventaire. La politique officielle qui cherchait à adapter le système financier à l'inflation au lieu de la combattre apprit aux Argentins à transformer leurs excédents monétaires en titres de papier qu'ils pouvaient transformer en pesos le moment venu. Le génie populaire a donné le nom de « bicyclette » et « bicycletter » à ce type d'opération (notamment à des placements à très court terme, d'une semaine par exemple) permettant de multiplier les bénéfices, à l'image de la pédale qui, par la transformation de l'effort musculaire, fait avancer la machine.

L'impact de telles pratiques ne pouvait pas passer inaperçu aux yeux d'un observateur flânant dans les rues : chaque pâté de maisons, chaque coin de rue voyait s'ouvrir une nouvelle agence bancaire. Plus semblables à des « boutiques » avec des vitrines alléchantes illuminant les différents taux d'intérêt offerts qu'aux classiques institutions financières du passé, les banques prenaient la place des cafés, des pizzerias, de tous les lieux caractéristiques de la gourmandise et de la convivialité portègnes. En peu de temps, toutes les activités non financières ayant pignon sur rue ont disparu de la City.

Le nombre d'agences ainsi installées dans le pays est passé de 3 100 à 4 300 de 1976 à 1982. Mais cette expansion n'a pas permis de répondre au nombre croissant d'opérations imposées par la nouvelle politique financière. Un simple calcul mathématique suffit : le remplacement de dépôts à un an par des opérations à échéance d'une semaine obligeait le même client à réaliser 52 démarches au lieu d'une pour une même période.

La queue devant les agences devint alors le lieu d'une nouvelle sociabilité basée sur la discussion autour des taux d'intérêt et des stratégies possibles pour gagner de l'argent. Elle était aussi un indice du succès de la banque et opérait comme un aimant puissant sur l'imaginaire populaire toujours prêt aux « coups de chance ». On y retrouvait les femmes au foyer, les retraités, les employés, à midi, les sous-occupés qui renonçaient à d'autres activités pour consacrer leur temps à comparer les taux offerts et à effectuer leurs opérations sur la base de l'offre la plus alléchante.

Les « bicyclettes » qui avaient le plus de succès étaient commentées par la presse, échauffant les esprits les plus pacifiques et poussant tout le monde à spéculer. Les gains possibles — de 50 % en une semaine — détournaient l'attention publique des jeux classiques tels que la loterie ou les courses de chevaux. Tout poussait les Argentins à se mettre en satellite d'un système financier qui, dans son expansion, occupait tous les espaces disponibles et absorbait tout le temps de ceux qui sacrifiaient au nouveau dieu. Tout y a été transformé en liquidités : de la grande usine aux petits ateliers familiaux, des appartements à la petite maison. L'inflation permanente provoquait et consolidait la spéculation hystérique.

DE LA « PLATA DULCE » À LA DOUBLE MONNAIE

A la fin de 1978, après trois ans de ces pratiques spéculatives, l'inflation maintenait sa courbe ascendante et des niveaux très élevés (160 % par an). Un nouveau programme a été mis en place, semblable à celui qu'appliquaient au Chili les « Chicago Boys », et qui consistait à fixer à l'avance pour une durée de 9 mois le taux de change peso/dollar et à ouvrir l'économie sur l'extérieur. Cela a eu pour résultat que ce taux a progressé plus lentement que l'inflation rendant le dollar de moins en moins cher, tandis que la suppression des barrières provoquait un afflux de marchandises importées.

Les Argentins, découvrant subitement que ces produits importés étaient tous meilleur marché que leur équivalent national, se mirent à les consommer avec une insatiable capacité d'absorption. Le pays non seulement s'est empli jusqu'à saturation des babioles industrielles de toutes sortes, mais il a aussi absorbé les fromages allemands, les jambons danois et même les pâtes italiennes fabriquées, sans aucun doute, avec de la farine de blé argentine ! Tout cela allait donner naissance à un nouveau type de commerce à Buenos Aires : le négoce de l'« import » qui s'étendait à n'importe quel objet à la seule condition qu'il eût une provenance étrangère. Les prix des locaux commerciaux atteignirent des hauteurs vertigineuses : dans la rue Florida, la voie piétonne du centre, on a enregistré des prix au mètre carré qui dépassaient en dollars leur équivalent dans la 5e avenue de New York.

Et grâce au rapport absurde établi entre le dollar et le peso, il était plus économique de fréquenter les plages de Miami que de passer l'été dans les habituelles stations balnéaires de la côte atlantique argentine. Un torrent de touristes s'est alors déversé sur les pays étrangers, profitant de la « subvention » accordée par la politique économique gouvernementale et déclenchant un véritable mouvement social de surenchère à qui introduirait dans le pays le plus de choses futiles. Au Brésil, ces touristes argentins qui proclamaient à voix haute leur bonheur devant les prix des biens offerts ont reçu un sobriquet bien significatif : les « donnez-m'en deux ». Vers la fin de l'année 80, seule la faiblesse numérique des moyens de transport pouvait limiter les sorties du pays, et il fallait des appuis pour trouver une place dans un de ces avions qui décollaient bondés de passagers et revenaient les soutes pleines de TV couleurs, mixers, montres rolex et robes françaises... Durant cette période de la *plata dulce*, de l'argent facilement gagné, la production locale ne pouvait que languir et s'étioler d'autant que, facilité et soutenu par la politique officielle, ce système fonctionnait à merveille.

Ainsi, aucune restriction ne venait limiter cette demande ; les normes officielles avaient établi que n'importe qui pouvait acheter jusqu'à 20 000 dollars « à la fois » sans justification. Une réglementation aussi peu précise pouvait se comprendre de différentes façons : il est possible d'acheter 20 000 dollars dans chaque agence de change le même jour ou 20 000 dollars par jour, si bien que ceux qui en avaient les moyens achetaient des centaines de milliers de dollars par tranche de 20 000 « à la fois ». Il est impossible d'évaluer la quantité de dollars que leurs propriétaires ont enfermés dans des coffres-forts ou cachés sous leur matelas — selon l'imagerie populaire — et combien ont passé les frontières pour les placer sur des comptes à l'étranger.

UN PAYS À DOUBLE MONNAIE

C'est ainsi que le pays a découvert, un jour, que les dollars achetés à la Banque centrale par les particuliers représentaient une part importante de la dette extérieure puisque ce comportement spéculatif a engendré la moitié de la dette accumulée, qui était de 25 000 millions de dollars en mars 81. Chaque habitant devait 1 000 dollars, un engagement financier pouvant mettre en péril le développement national futur. Une partie de la dette était antérieure au phénomène inflationniste. Une autre, décisive, a été contractée par le gouvernement pour satisfaire, par les fonds ainsi obtenus, la demande de ceux qui spéculaient sur les devises. Une dernière partie, enfin, relève de l'action du secteur privé en quête de gros bénéfices mais elle fut prise en charge par l'État, à l'instar d'autres pays, ce qui faisait de la dette de quelques-uns le problème de tous.

La spéculation sur les devises est la cause de la dette extérieure et d'une profonde modification de la société qui voit dans le dollar une monnaie habituelle, comme nous le montre cette anecdote. Au début des années 50, le gouvernement peroniste était critiqué parce que le prix du dollar montait sur le marché noir. Perón répondit à ses opposants par une phrase célèbre lancée au peuple, montrant ainsi qu'il sous-estimait l'importance du marché noir des devises : « Est-ce qu'il vous est arrivé de voir un dollar ? » Il avait raison : dans ces années-là, la valeur du dollar était appréciée d'un point de vue économique mais tout à fait inconnue socialement ; ils étaient peu nombreux à reconnaître un billet d'un dollar. Dans les années 80, la situation a bien changé et une partie relativement importante de la population connaît et utilise la monnaie américaine dans la vie quotidienne. Le pays dispose, implicitement, d'un système à double monnaie, le dollar et l'austral remplissant des fonctions parallèles. Certaines opérations, à Buenos Aires, ne s'effectuent qu'en dollars (comme l'achat-vente des propriétés) tandis que d'autres se réalisent exclusivement en australs (payer un café dans un bar par exemple) ; il en est qui utilisent indifféremment l'une ou l'autre monnaie (un chauffeur de taxi ne refuse pas que le prix de la course soit payé en dollars).

Cette économie perverse d'un nouveau type, le gouvernement démocratique en a hérité à sa prise de pouvoir en décembre 1983. Une économie qui, suivant des règles pratiquement inédites, excluait l'application de toute recette traditionnelle : l'existence d'une double monnaie empêchait le contrôle monétaire sur le peso ; l'ouverture du marché financier sur l'extérieur neutralisait toute tentative de contrôler les taux d'intérêt ; la prédominance du marché noir faisait obstacle au fonctionnement des marchés réels ainsi qu'à l'action régulatrice de l'État ; l'inflation élevée détruisait le rythme des prix relatifs ; la dette extérieure opérait comme un puissant catalyseur de l'influence du Fonds monétaire international sur l'économie nationale.

Ainsi est né le Plan austral, un projet audacieux visant à modifier les règles perverses de l'actuel jeu économique et à rétablir une croissance stable.

Les premiers mois du Plan austral eurent des résultats surprenants : l'indice des prix de gros passe d'une hausse annuelle de 800 % au premier semestre 1985 à 8 % au cours du second ; l'indicateur des prix de détail, s'il atteint des valeurs un peu plus élevées à cause des modifications de certains prix relatifs, reflète cependant une chute brutale de l'inflation. L'État arrive à équilibrer ses comptes pour la première fois depuis des décennies et cesse d'émettre des billets pour couvrir son déficit. La société dans son ensemble découvre une stabilité oubliée pendant plus de dix ans.

Mais la stabilité suppose, entre autres, le contrôle de la spéculation. Dans les conditions où se trouve l'économie argentine, freiner le mouvement de la spéculation, supprimer les possibilités de bénéfices, revenait à provoquer une formidable redistribution progressive du revenu au profit de ceux qui sont disposés à produire ou, en alternance, de ceux qui avaient été touchés par la politique antérieure. Mais la dynamique des activités menées par les spéculateurs qui cherchent, ne serait-ce que par réflexe, à préserver leurs privilèges, transforme le Plan austral en une arme de combat pour la prééminence des valeurs sociales.

Au moment où ces lignes sont écrites, son sort n'est pas encore joué mais il suffira au lecteur de connaître quelques données clefs pour en déduire le résultat du combat : ce qui est en jeu, c'est une perspective de croissance face au risque de l'inflation et au chaos provoqué par la politique d'une dictature militaire qui a gardé ainsi ses chances de revenir sur la scène du pouvoir.

(Traduit de l'espagnol par Hélène Le Doaré.)

JORGE SCHVARZER

Économiste, directeur du CISEA (Centro de Investigaciones Sociales sobre el Estado y la Administración).

PRUDENCIO EL REFLEXIVO

Ça y est, on a réalisé la première partie du Plan austral.

On a enlevé trois zéros à nos billets.

Maintenant on attaque la deuxième partie.

On va nous enlever directement les billets.

MARTA SALINAS

HIGH SOCIETY ET CAFÉ SOCIETY

Buenos Aires, si lointaine, si australe. Seul, celui qui entreprend la longue traversée vers un pays du nord acquiert la conscience de la fatalité qui nous a confinés dans un destin aussi problématique, par sa géographie. Mais cela ne suffit pas à décourager, un tant soit peu, l'esprit « agité » des Argentins. Fait, semble-t-il, de la même trempe aventureuse que ses ancêtres, venus s'échouer, un beau jour, sur ces côtes, à la recherche de la fortune, il plonge, constamment, dans son identité, cette « essence argentine » qu'il est toujours difficile de définir.

A force de vouloir ressembler aux différentes grandes capitales européennes, Buenos Aires a fini par ne ressembler à aucune, et, presque involontairement, à se constituer une physionomie propre, qui la distingue définitivement de toute autre capitale latino-américaine.

Avec son animation quotidienne, ses rues bondées, saturées de boutiques, de restaurants, de bars à la mode pleins à craquer, et sa « City » financière active, cette capitale est à l'origine d'une foule d'incitations, souvent contradictoires, qui font d'elle une ville très particulière. Une vie culturelle répartie en de nombreux cinémas, théâtres (parmi lesquels le théâtre Colón, l'un des Colisées de la musique les plus prestigieux du monde), pianos-bars, music-halls, galeries d'art et centres culturels, ainsi qu'en d'innombrables discothèques et night-clubs très sélectifs. Enfin, une ville taillée pour les noctambules, riches de préférence.

La zone nord est le parcours inévitable de l'argent. Une frange qui part du Retiro et de la place San Martin, bordée de luxueux immeubles, d'où se détache l'antique et seigneurial Kavanagh, abritant, entre autres propriétaires, l'ex-ministre des Finances Martinez de Hoz (responsable de la débâcle économique argentine). Elle longe ensuite l'avenue du Libertador, face au fleuve, traverse Belgrano, quartier favori des nouveaux riches, pour atteindre San Isidro, zone résidentielle où se nichent les plus belles et plus anciennes demeures de Buenos Aires. Des maisons perchées sur des falaises, avec leurs jardins magnifiques qui viennent pratiquement mourir sur le fleuve : San Isidro est un monde à part, avec ses codes immuables, et son mode de vie qui le différencie tout à fait du reste de la ville.

Berceau du catholicisme le plus intransigeant, ses familles y militent activement dans des groupes aussi réactionnaires qu'inexistants, comme Tradition, Famille et Propriété. Investies, malgré tout, d'un inexplicable pouvoir, elles vivent selon des schémas très rigides et impensables en 1986. On affirme même que garçons et filles ne nagent pas ensemble dans la piscine familiale.

Très complexe, malaisée à décrire, la *jet set* de Buenos Aires peut être classée, malgré tout, en deux grandes catégories.

D'une part la véritable *high society,* celle qu'on nomme oligarchie bovine, la gent BCBG[1], formée par les héritiers des fondateurs de « l'empire qui ne fut pas ». A cette classe on peut rattacher un groupe de très gros industriels et financiers qui, installés dans le pays depuis deux ou trois générations, descendent des immigrants des différentes collectivités majeures. Les principales, après la juive, sont, indubitablement, l'italienne et l'espagnole, suivies de près par l'allemande et l'anglaise. Elles ont beaucoup fait pour le pays et ne manquent pas d'un certain raffinement. Les nouvelles générations ont souvent de l'intérêt pour autre chose que l'argent et la parade : elles se soucient de culture. Dans les années 60, des représentants de ce groupe, tels les Di Tella, ont ainsi été portés à parrainer une fondation qui éleva la culture argentine au plus haut niveau, par la création d'un mouvement qui, de nos jours encore, reste la pierre angulaire de la culture nationale.

Et d'autre part, la seconde catégorie : la *café society,* les nouveaux riches, qui, ces quinze dernières années, profitant d'un système économique favorisant la spéculation, ont réalisé d'immenses fortunes.

LES MAÎTRES DE LA TERRE

La gent BCBG, la véritable première *high society* argentine, continue à exercer son rôle, en toute tranquillité. Il est vrai que la splendeur dont surent s'entourer ses ancêtres, au début du siècle, s'est diluée par l'effet d'une économie changeante qui ne leur a pas toujours été favorable. Mais peu importe : ils sont « quelqu'un ». Ils ont leur place préétablie, inamovible, et leurs codes indestructibles les protègent de l'anxiété de l'escalade sociale. De nombreux hectares, des propriétés rurales aux bâtiments seigneuriaux (dont certains furent intégralement importés, pierre à pierre, d'Angleterre ou de France), de magnifiques palais aristocratiques, transformés, depuis, en ministères (la Chancellerie, par exemple), ambassades (celle de France occupe le palais des Ortiz Basualdo) témoignent de l'ancien temps. De même, l'épais recueil d'anecdotes familiales qui, à travers ses récits incroyables et ses épisodes exotiques, conte les longues traversées annuelles vers l'Europe, où se rassemblaient les familles, avec moult enfants et « nounous » — françaises ou anglaises —, sans oublier la vache, indispensable au cortège, pourvoyeuse de lait frais et salubre pour les rejetons.

La génération BCBG d'aujourd'hui a dû s'adapter aux circonstances. Sa fortune s'est progressivement éparpillée. Réservée, quasi austère dans son mode de vie, cette caste tourne le dos à tout exhibitionnisme. La discrétion y sera toujours appréciée : on n'y pleure pas aux veillées funèbres ; le divertissement n'est pas de mise quand on s'y marie.

On verra rarement les BCBG apparaître dans les fêtes ou les lieux branchés. Ils se meuvent invariablement dans un milieu fermé, réunis entre eux, lors de repas intimes, dans leurs propriétés, territoire inexorablement prohibé à tout « parvenu ».

Vie paisible, en façade. Le tout réglé d'avance. Le BCBG est pris dès la naissance dans un moule éducatif qui se partage en cinq ou six collèges traditionnels (le New Man et le Champagnat pour les garçons, le St. Catherine's ou le Northlands pour les filles).

Un garçon argentin de la haute ignorera peut-être les délices d'une pérégrination à Disneyworld, où se rendent infailliblement les gosses nouveaux riches, mais il gagne au change, bénéficiant, à cent kilomètres de Buenos Aires, de mille hectares où on l'initiera sans aucun doute à monter à cheval. On lui ménage ainsi un parcours sans faute. Polo à Buenos Aires, saison à Deauville, tournoi de haut de handicap en Angleterre, il franchira tous les obstacles. Fréquenter la noblesse, jouer tous les ans du coude à coude avec le prince de Galles, et finir la journée par un thé en présence de la Reine elle-même, ne semble pas beaucoup plus émouvoir le BCBG qu'un barbecue partagé entre amis, chez lui, dans sa propriété.

Imprégné d'une forte morale catholique, le milieu BCBG vit ses contradictions les plus fortes avec les jeunes générations. Bien que, dans la société argentine, les jeunes habitent chez leurs parents jusqu'au mariage, quelques transgressions sont autorisées, à condition qu'elles se fassent *sotto voce* (expériences de bohème dans la peinture ou le théâtre, incursions dans la gastronomie, où se sont inscrits quelques noms illustres comme le Gato Dumas, Francis Mallman, Juanique Gorlero, qui règnent actuellement sur les restaurants les plus chics de Buenos Aires).

Mais l'image de base, c'est toujours « la famille ». Nombreuse, si possible, avec un paquet d'enfants blonds, chahutant tout autour de la mère qui est la grande protagoniste de cette histoire. Renonçant à un potentiel qu'elle ignore peut-être, elle ne paraît pas tentée, généralement, par la vie indépendante des universités. Elle optera plus aisément pour des cours dans des institutions dûment qualifiées : la décoration ou les langues sont bienvenues. Les plus audacieuses oseront travailler. Un nom illustre sera toujours favorablement accueilli dans les staffs des meilleures revues de Buenos Aires. La bonne éducation garantit un niveau esthétique qui, même s'il n'est pas toujours à la hauteur des circonstances, donne à la publication une touche de distinction venant compenser les carences. La vente des domaines, ouvrir un institut de beauté, être mannequin, voilà qui peut être également « très amusant » et en même temps lucratif, même si les grands-mères se crispent de temps à autre, résidu nostalgique d'une éducation très victorienne.

Pour les hommes, les options semblent plus stimulantes. Quand ils ne choisissent pas une carrière universitaire (le Saint-Cyr argentin est actuellement en perte de vitesse, après avoir été un objectif obligé, récemment encore, pour certains membres des familles), ils reprennent le domaine agricole, gardiens fidèles de l'héritage familial.

Être membre de la puissante Société rurale (l'association des éleveurs depuis 100 ans dans le pays), prendre un verre, tous les jours, au Jockey Club (un club pour hommes, de pur style anglais) avec les vieux copains du bar, en attendant son tour chez le coiffeur ou sa partie de squash, posséder un voilier royal, ancré au Yacht Club et une résidence secondaire à la campagne, pour passer le week-end ou les vacances, paraît être une formule de détente infaillible.

On les rencontrera également aux côtés de leurs toujours-distinguées-et-élégantes épouses, à l'occasion d'événements sociaux, tels que le Grand Prix Carlos Pellegrini (la course hippique la plus prestigieuse de la saison), la Coupe de la République de polo, l'Exposition rurale, ou quelque soirée de gala au théâtre Colón. En vacances, ils résistent aux attraits de la vie fastueuse de Punta del Este. Comme leurs aïeux, ils posent, le regard perdu sur les brisants de Playa Grande de Mar de Plata, relax, devant un verre de736 clericó[2], à la terrasse de l'Océan Club.

LES MAÎTRES DE L'ARGENT

Bien plus curieux, plus originaux, les nouveaux riches argentins posent leurs normes et leurs jalons. Ils savent *a priori* qu'ils ne seront jamais BCBG. L'argent n'achète pas tout, il est vrai, mais le gaspiller peut être un passe-temps très appréciable. Son principal intérêt : la concurrence. Le nouveau riche est un gagneur et il s'en vante. Le Jockey Club lui est interdit à vie, assurément, mais un appartement de 500 mètres carrés à Belgrano, ou une splendide demeure à Barrio Parque (ayant appartenu, à coup sûr, à un des grands du lieu) suffisent, pour le moment, à apaiser ses nerfs.

Ses enfants ne joueront pas au polo, mais grandiront, en bonne santé, épaulés par un bon compte en Suisse. Loin de développer leurs biceps et leurs deltoïdes, celui-ci dégagera largement leur espace mental, qu'ils utiliseront au profit d'autres objectifs. Adorateurs des grandes marques, suivant fidèlement les modes, voyageurs impénitents, ils vont courir après toute acquisition de terrain apte à leur faire gravir, à coup sûr, l'échelle sociale.

Ce qui ne doit pas manquer : une bonne maison, installée par un décorateur à la mode, de grandes étendues de tapis, dans des tons fondus d'un mur à l'autre, et de la laque, beaucoup de laque, en alternance avec des cloisons tendues de tissu et des meubles et objets de luxe : posséder une bonne cave et être expert en vin sont des atouts à conseiller, pour paraître devant les copains.

Deux garages dans le même immeuble, pour la voiture de Monsieur et celle de Madame, vont de pair avec un yacht ou un bateau offshore pour circuler sur le Tigre, pendant les week-ends. On le déplacera, avec la famille, à Punta del Este (Uruguay) où l'on possédera une splendide demeure pour s'abriter de la canicule portègne.

S'opposant à la discrétion BCBG, ce nouveau maître de l'argent se montre ostensiblement, et sa femme est l'instrument rêvé pour exhiber sa puissance. En échange des renseignements qu'elle rapportera des salons de coiffure à la mode, des instituts de beauté, des principaux défilés de mode, patronnés par des institutions de bienfaisance très puissantes, il la couvrira des plus belles fourrures et de magnifiques bijoux, qui auront la double fonction d'étaler son bien au grand jour et d'être un excellent investissement.

Les Country Clubs sont un vrai passeport pour le succès. Il en existe une longue liste (Tortugas Country Club, Olivos Golf, Argentino, Lagartos, Maylin, etc.). La nouvelle classe argentine y fait la queue, brandissant des laisser-passer, pas toujours acceptés. L'accès à l'un de ces clubs assure la rencontre, voire l'intimité de puissants industriels et financiers.

Les femmes de cette nouvelle classe ne travaillent généralement pas, mais leur rôle n'est nullement passif. Soucieuses de la mode, elles se tiennent au courant, en permanence, grâce aux dernières revues françaises et italiennes, pour ne pas être prises au dépourvu lors de périodiques voyages en Europe. Curieuses, à l'affût, elles trouveront toujours quelque antidote à la morosité de la vie quotidienne. Tout nouveau cours de culture générale les comptera parmi ses adeptes. Grandes organisatrices de la vie sociale de leur mari, elles seront les principales exécutantes de l'agenda mondain de la famille.

Voilà décidément ce qu'il faut avoir pour être, à Buenos Aires : de l'argent, beaucoup d'argent.

(Traduit de l'espagnol par Tita Reut.)

MARTA SALINAS
Journaliste

1. ***Paquete.***
2. **De l'anglais *claret cup*, sorte de sangria (NDLT).**

PHOTOS DE JULIE MENDEZ-EZCURRA

L'employé de banque fils d'immigré de l'intérieur, l'intellectuel d'origine autrichienne demeurant quartier de Flores, le maçon de Morón, l'ouvrier typographe du Parti intransigeant, la señora de Caballito, le petit-fils de Guarani au chômage

habitant la périphérie, le retraité de Quilmes, l'un des 35 000 chauffeurs de taxi portègnes, le jeune étudiant en philosophie... Tout Buenos Aires dans un ascenseur : celui du Centre culturel San Martin.

ANNE REMICHE-MARTYNOW

« NOUS DEVONS FAIRE UNE RELECTURE DE NOTRE PAYS »

entretien avec
ADOLFO PEREZ ESQUIVEL
Prix Nobel de la paix

C'EST EN 1980, À L'ÂGE DE QUARANTE-NEUF ANS, QUE L'ARCHITECTE ADOLFO PEREZ ESQUIVEL APPREND QU'IL EST PRIX NOBEL DE LA PAIX. ARRÊTÉ TROIS ANS PLUS TÔT PAR LA DICTATURE MILITAIRE, IL SERA LIBÉRÉ APRÈS QUATORZE MOIS, EN JUIN 1978, SANS JAMAIS ÊTRE PASSÉ EN JUGEMENT. C'EST LE DÉFENSEUR INLASSABLE DES DROITS DE L'HOMME QUE LES JURÉS D'OSLO ONT VOULU DISTINGUER AU MOMENT OÙ L'ARGENTINE VIVAIT DES ANNÉES SOMBRES.

C'est dans une antique maison de San Telmo, ce vieux quartier colonial de Buenos Aires où se presse, tous les dimanches matin, une foule nombreuse à la recherche d'une quelconque antiquité, que j'ai rencontré Adolfo Perez Esquivel. C'est d'abord de démocratie qu'il veut me parler.

« Je dis toujours que la démocratie ne se réalise pas seulement à travers un acte électoral. La démocratie, c'est quelque chose de très concret, c'est la participation du peuple aux décisions qui concernent sa propre vie. Le simple fait de déposer son vote dans une urne ne suffit pas pour dire que nous vivons dans une démocratie. Il y a beaucoup d'autres problèmes à résoudre. Le premier consiste en l'héritage que nous a légué la dictature. Il reste des blessures très graves qui ne se réduisent d'ailleurs pas à des faits extrêmement violents comme la séquestration et la disparition de personnes. Mais toutes les structures du pays, sociales, politiques, économiques et culturelles, ont été affectées. Les zones marginales, c'est-à-dire les *villas miserias*, sont de plus en plus nombreuses et la misère de ces *villas miserias* a aussi augmenté. Ainsi, nous voyons aujourd'hui dans la périphérie de Buenos Aires, l'accroissement des bidonvilles, le manque de travail — il y a un haut niveau de chômage dans le pays — l'augmentation des vols, des attaques à main armée, de la prostitution. De quelle manière va-t-on résoudre la marginalité ? »

Adepte de la non-violence évangélique comme forme de libération, Adolfo Perez Esquivel fonde, en 1973, « Justice et Paix » dont il est le secrétaire général. C'est du travail de son mouvement qu'il nous parlera longuement. Un travail qui l'a conduit dans la banlieue, à La Matanza[1], là où plus de 12 000 personnes occupent des terrains publics.

« Les gens se sont organisés, ils ont tracé des rues, ils ont rebâti les terrains, ils sont en train de construire leurs habitations. Mais il y a aussi tout un travail d'organisation populaire : il y a des cours d'alphabétisation, des programmes de santé, un système de coopératives pour financer la construction. Nous voyons là les signes d'espérance d'un peuple, de la capacité de réponse d'un peuple. »

« DES BIDONVILLES QU'ON RETROUVE PARTOUT EN AMÉRIQUE LATINE »

« La *villa miseria* — le bidonville — n'a aucun développement organique, urbanistique. On la retrouve à travers toute l'Amérique latine avec des noms différents : au Brésil ce sont les *favelas*, au Chili *los callampas*, en Amérique centrale *la casa de brujas*, au Pérou *los pueblos jóvenes*. La *villa miseria*, c'est la promiscuité, la situation de misère extrême, où l'on colle les cabanes les unes aux autres, où l'on jette les déchets dans la rue, il n'y a pas de W.C. Tout cela génère une situation difficile, notamment au niveau de la salubrité. Par contre, dans les *asentamientos*, il existe une capacité d'organisation. Là où les gens s'organisent, font un plan d'urbanisation, plantent des arbres, laissent un espace libre pour l'école et l'église, cela signifie qu'il y a d'autres critères mentaux, un autre développement de la personne.

« Mais je crois qu'aujourd'hui, il est important de découvrir pourquoi ces zones marginales ont surgi. Sinon, nous ne signalerions que les effets. Il y a d'abord le manque de travail à l'intérieur du pays qui augmente. La majorité des habitants de ces zones sont de l'intérieur du pays. Petits et moyens producteurs, ils travaillent à des tâches agricoles ou industrielles. A un moment déterminé, il ne leur a plus été possible de survivre avec ces moyens. Puis, il y en a d'autres qui viennent des zones industrialisées. Suite à la chute du pouvoir d'achat et vu les salaires très bas, ils se sont retrouvés dans ces zones de la périphérie. Ce ne sont pas uniquement les gens les plus pauvres. Il y a aussi les nouveaux pauvres comme les maîtres d'école, les techniciens qui sont au chômage. Certains ont un salaire mais leur traitement leur laisse à peine de quoi nourrir leur famille.

Il y a eu une très grande diminution du pouvoir d'achat de l'ouvrier. Celui qui gagne un salaire de base de 120 australs (120 US $ environ) — et cela c'est beaucoup — doit en payer 150 pour la location d'un appartement ! Qui peut payer cela ? Les gens ont donc recours aux moyens qu'on leur laisse : Il y a des terres non occupées, ils les prennent et construisent un *barrio* qu'ils améliorent le mieux qu'ils peuvent.

Malgré ce que l'on en dit souvent, ici, en Argentine les « occupations de terre » ne sont pas quelque chose de nouveau parce que tous les bidonvilles grandissent sur des terres illégalement occupées. Mais ces dernières années, on a vu apparaître un nouveau phénomène : des occupations de terres collectives avec une capacité d'organisation du peuple. Les gens ne désirent pas générer d'autres *villas miserias,* mais ils veulent construire des quartiers. Et ils demandent qu'on leur vende la terre non pas qu'on la leur donne. Ils ont arpenté les terrains, ils ont travaillé avec des techniciens, avec des avocats pour présenter des projets devant les pouvoirs légaux pour qu'on leur donne la propriété de la terre. Cela c'est une expérience nouvelle. »

« NOTRE PAYS A RECULÉ DE PLUS DE TRENTE ANS »

« Si nous regardons notre histoire, les travailleurs en Argentine, et fondamentalement surtout pendant la période de la dictature, ont perdu beaucoup de leurs conquêtes sociales, et si l'on compare avec la période du peronisme (1950) leur participation au PNB est diminué à la moitié. Nous devons faire aujourd'hui une relecture de notre pays. Quand on lit les informations publiées par l'UNESCO ou la FAO, l'Argentine n'apparaît pas comme un pays où existe la malnutrition, et les pourcentages les plus élevés sont à Buenos Aires. Cependant, il y en a. On considère l'Argentine comme un pays agro-exportateur, on l'appelait le grenier du monde. Aujourd'hui, ce n'est plus le cas.

« Nous sommes arrivés à 46 p. 100 d'absentéisme scolaire et à 6 millions d'analphabètes, alors que nous avions vaincu ce mal. Il y a eu une détérioration du salaire, un chômage important, la destruction de la capacité productive dans le domaine industriel ainsi qu'au niveau des petits et moyens producteurs ruraux. Les huit années de dictature nous ont fait reculer de plus de trente ans. Et tout cela a généré chaque fois plus de misère. C'est pour cela que nous devons faire une relecture de notre pays. Personne ne désire vivre dans une *villa miseria.* Si les gens y vivent, c'est parce qu'ils n'ont pas d'autres possibilités. Personne, à l'intérieur du pays, ne désire abandonner la terre de son village. Mais si la situation y est très difficile, alors ils essayent de se rapprocher des grands centres urbanisés, des grandes villes, et forment un cordon de misère. C'est un phénomène qui se produit dans beaucoup de pays du monde. Principalement dans le tiers monde.

« Aujourd'hui nous avons gagné le Mundial de football. Nous avons accompagné le triomphe argentin. Mais cela nous a aussi rappelé l'autre Mundial. Triste, sinistre, la mort, et le sang coulait. Je me souvient qu'à Rosario, dans la province de Santa Fe, la dictature a élevé des grands blocs de murs, des kilomètres de murs. Et dans ces murs on simulait des portes et des fenêtres pour tromper les délégations internationales, leur faire croire que l'on construisait des maisons pour le peuple. Mais derrière ces murs, la misère la plus effrayante, qui existe d'ailleurs toujours aujourd'hui. Cela m'est apparu comme le symbole le plus clair de ce qui se passait dans le pays. Mais il y a aussi d'autres signes. Les gens, petit à petit, vont ôter les blocs de ciment pour construire leur maison. Peu à peu, ils vont démolir ce mur. Cela signifie beaucoup de choses.

« Nous devons essayer de reconstruire tout ce pays qui a en lui un grand potentiel mais qui est resté latent. Le peuple possède une grande capacité d'organisation. A Rosario, par exemple, même les plus pauvres, les plus marginaux que sont les ferrailleurs, s'organisent en un syndicat de ferrailleurs. C'est un très grand signe d'espérance sur la capacité d'organisation des peuples. Que fait ce syndicat ? Il leur permet de vivre ensemble des déchets des autres. Rassembler les papiers, les bois, les plastiques, les métaux, les différentes choses qu'ils récoltent... et après les revendre... Un travail de récupération, de recyclage.

« Lorsque je demande, notamment à des économistes « officiels », de quoi vivent tous ces ouvriers licenciés, ils me répondent qu'ils sont chauffeurs de taxis ou qu'ils tiennent les kiosques de journaux !

« Ceux qui conduisent les taxis et tiennent les kiosques, appartiennent aux professions libérales : médecins, architectes, ingénieurs, avocats, sociologues, psychologues. Ceux que nous appelons ici *tacheros.* Ils ont réuni assez d'argent — qu'on leur a souvent prêté — pour avoir un taxi. Les autres n'ont pas ces possibilités. Les ouvriers qualifiés industriels sont ferrailleurs. »

« POURQUOI UN PAYS POTENTIELLEMENT SI RICHE EST-IL SI PAUVRE ? »

« Des choses intéressantes ont vu le jour comme, par exemple, les soupes populaires. Des personnes solidaires, aussi bien celles touchées par le chômage que d'autres, ont commencé à faire ensemble quelque chose pour qu'au moins les gens puissent avoir un repas par jour. Dans un pays d'abondance, dans un pays très vaste avec une petite population de 30 millions d'habitants. Cela, ce sont les effets vérités de la dictature.

« Je voudrais relier trois aspects fondamentaux : les droits de l'homme, la dette extérieure, et le processus de démocratisation. Quelle est l'interrelation entre ces trois phénomènes ? C'est la grande interrogation : que notre pays, potentiellement riche, soit si pauvre et misérable, que nous ayons une dette de 50 000 millions de dollars, comment cela est-il possible ? Est-ce que tout le monde dans ce pays a dépensé l'argent ? Non. Ici, il y a eu un projet très clair de domination. Et le cas de l'Argentine, nous devons le placer dans le contexte de l'Amérique latine. Plus de 300 000 millions de dollars de dette extérieure pour tout le continent latino-américain. Et nos peuples, chaque jour, deviennent de plus en plus misérables. Que s'est-il passé ? Le président Alfonsín lui-même vient de dire dans une conférence de presse que plus de 28 milliards de dollars de la dette extérieure est hors du pays [2]. Il ne faut pas penser que la dictature, ce fut simplement l'œuvre de quatre ou cinq généraux, ce fut un projet de domination. Sinon, on ne s'explique pas la situation de marginalité qui se vit aujourd'hui en Argentine.

« Il faut voyager à l'intérieur du pays, à la périphérie de Buenos Aires. Là, vous rencontrerez cette réalité. Par exemple, à San Isidro, au lieu-dit La Cava, là où se trouve un puits qui se remplit lorsqu'il pleut. Et là vivent plus de 6 000 familles entassées les unes contre les autres. Et ce n'est qu'à 20 minutes de la capitale fédérale, à côté d'une commune très riche de la périphérie.

« Un de nos autres graves problèmes est celui des moyens d'informations qui désinforment plus qu'ils n'informent. C'est ainsi que, pour beaucoup d'Argentins, il y a peu de temps qu'ils ont commencé à découvrir ce qui se passait en Argentine. Ce fut la même chose pour beaucoup d'Allemands : ce ne fut pratiquement qu'à la fin de la guerre qu'ils se sont rendu compte de ce qui était en train de se passer en Allemagne. Ils savaient qu'il y avait une guerre mais ils n'avaient pas une notion très claire de ce qui se passait.

« Comment allons-nous gagner la paix ici ? Comment allons-nous construire une démocratie entre les Argentins ? »

« UNE VILLE, C'EST D'ABORD SES HABITANTS »

Il y avait encore beaucoup de choses dont nous aurions voulu parler avec le prix Nobel de la Paix : de l'Église et de la famille, mais aussi des sectes qui s'implantent de plus en plus dans tout le continent latino-américain et qui sont un grand sujet de préoccupation. Mais le téléphone nous dérange sans cesse et il faut penser à conclure cet entretien. Il est 17 heures et la journée est loin d'être terminée.

A notre dernière question, son visage s'éclairera, et nous sentirons toute sa chaleur, pour nous parler de *son* Buenos Aires.

« Une ville tout en nuances, avec beaucoup de facettes. Elle monopolise le pays. C'est comme une grande tête qui dévore tout le reste du pays. Et pourtant elle m'enchante : non parce qu'elle dévore mais parce qu'elle vit. C'est une ville qui a des possibilités culturelles, une vie très intense, active. Je crois que les gens, ces dernières années, sont devenus très intolérants. Pourtant, ils peuvent toujours rencontrer des coins de rêve et de joie. Je crois que tout y est possible : le bien, le mal, le noir, le blanc. Il y a aussi de tout : il y a une grande prolifération de centres culturels, artistiques, de cénacles.

« Culturellement, elle fut toujours une ville active. Et moi, je crois que cela c'est le charme d'une ville. Buenos Aires avec ces zones marginales, toute cette misère dont nous avons parlé, a aussi ses problèmes, et il faut leur trouver une solution. Maintenant, on parle de transférer la capitale au sud, en Patagonie, cela fera du bien à Buenos Aires, parce que cela la rajeunira et nous amènera à la redécouvrir. Mais Buenos Aires ne vaut pas tellement en tant que ville, sa valeur, ce sont les gens qui l'habitent. Une ville, c'est plus que des bâtiments, ce sont d'abord ses habitants. »

propos recueillis par
ANNE REMICHE-MARTYNOW
Journaliste RTBF

1. A l'ouest de Buenos Aires, la plus grande commune de la périphérie, 1 million d'habitants.
2. La caractéristique de la dette argentine est d'être constituée par des placements spéculatifs à l'étranger. Voir plus haut l'article « Spéculation S.A. ».

JORGE ASIS

LE MARCHÉ DE SOLANO

JORGE ASIS, À QUARANTE ANS, EST L'UN DES ÉCRIVAINS ARGENTINS LES PLUS PROLIFIQUES DE LA NOUVELLE GÉNÉRATION. NÉ DANS LA GRANDE BANLIEUE, IL MONTRE UN AUTRE BUENOS AIRES ET S'EST FAIT LE CHANTRE DE LA VIE QUOTIDIENNE DU PETIT PEUPLE DE LA VILLE.
JAMAIS TRADUIT EN FRANÇAIS, IL EST L'AUTEUR NOTAMMENT D'UNE TRILOGIE, *CANGUROS*, QUI MET EN SCÈNE UN COUPLE D'AMIS, UN TURC ET UN POLONAIS, QUI VIVENT À LA PETITE SEMAINE DE LA VENTE DE PHOTOS ENCADRÉES (L'UN FAIT LES PHOTOS, L'AUTRE PROPOSE LES CADRES) ET QUI SE PRÉNOMMENT L'UN ET L'AUTRE RODOLPHE.
L'EXTRAIT QUI SUIT DÉCRIT L'EFFERVESCENCE DU MARCHÉ HEBDOMADAIRE DE SOLANO, GRAND MARCHÉ POPULAIRE DE LA PÉRIPHÉRIE, LE SECOND RACONTE LA NAISSANCE DES NOUVEAUX QUARTIERS, À L'ÉPOQUE OÙ DES PARCELLES — NON VIABILISÉES — ÉTAIENT MISES EN VENTE PAR DES SOCIÉTÉS DE PROMOTION FONCIÈRE ET ACHETÉES AUX ENCHÈRES PAR LES HABITANTS DONT LE RÊVE ÉTAIT DE DEVENIR PROPRIÉTAIRES.

Visitez San Francisco Solano, territoire désigné de la race inférieure : l'auteur, qui connaît tout par cœur, n'y retournera pas. Mille fois, ça suffit. Prenez votre appareil photo, monsieur, ou votre caméra. J'ignore pourquoi j'ai besoin de charger les autres de tous mes péchés. Immortalisez-vous aux côtés d'un négrillon morveux qui vous regardera même avec tendresse. Poursuivez, en faisant le joli cœur pour quelque serveuse café au lait, dardant ses seins. Faites-vous cirer les chaussures, après la photo, évidemment, par ce négrillon morveux qui est, après tout, un amour.

Si possible, visitez San Francisco Solano un samedi. Ce serait mieux encore, un samedi plein de fric, car les gens infiniment pauvres sont alors heureux. Dépenser est une célébration. Avec deux billets, ce têtu de bonheur est plus probable, encore. C'est pourquoi je suggère de choisir son samedi : plutôt le 6 ou le 7 puisque les kangourous[1] qui travaillent touchent leur quinzaine le 5. C'est alors qu'il faut s'y hasarder, surtout si c'est un samedi plein de soleil, de bruits et d'oiseaux. Vous contemplerez la couleur typiquement latino-américaine de sa foire : de nombreux et cordiaux Paraguayens, de rares Boliviens, des provinciaux de toutes les marques, des Argentins, mais pratiquement aucun de Buenos Aires. Vous constaterez les singularités de notre fédéralisme trompeur. A San Francisco Solano, Buenos Aires ressemble, bien malgré elle, à l'Amérique.

Des étalages de fruits et légumes, uniformément désordonnés, de transcendants étals de poissons — ne sentant pas tous le pourri —

résidents morts des rivières, couverts de mouches vertes de la taille d'une pièce de monnaie luisante. Des Galiciens gueulards, qui applaudissent et gueulent, tout à la fête, poussant à l'achat de leurs charcuteries rudimentaires ; des juifs exhibant des jupons très bon marché, aux couleurs néanmoins intenses ; des Syriens rusés, insistant avec leurs nappes et leurs chiffons ; de maigres étrangères — blondes de préférence —, de Quilmès, ou même, parfois, de Avellaneda, qui vendent leurs merveilleux 33-tours de Sandro, de Palito, idoles de nos domestiques. A côté, on peut repérer les fruitiers italiens, une pute, les crémiers ou les vendeurs de biscuits, un voleur à l'affût, les marchands de meubles et les tenanciers de bouis-bouis. Certaine sublime jeteuse de sort qui propose de liquider votre ennemi discrètement ; les gitanes louches qui affirment deviner la baraka et vous dépouillent les doigts de leurs brillants, ou le bataillon des mendiants infatigables, des bigots perclus et des enfants de race inférieure, le regard chargé de toute la misère. Les *Bouliviens* contestataires, avec leurs sacs de citrons et d'oranges, les *Paraguayeux,* avec leurs crêpes de chicharrones[2] et manioc, ou leurs soupes épaisses et fumantes ; les incrédules qui vendent à la criée d'étranges herbes médicinales miraculeuses, écartant des malheurs qui se sont déjà abattus ici en masse, impunément ; les bâtisseurs sur plans, pour ceux qui n'ont pas même de toit, les bouchers ensanglantés, invariablement gros, les camelots et les fanfarons, les dépossédés malheureux qui distribuent, au cri de « Voilà votre terre », des tracts de Kanmar, de Vergili, de Tulsa[3]. Et les promeneurs, avec leurs pieds ridiculement nus, qui jamais ne feront travailler les cireurs, les chamamès[4] bruyamment absurdes qui sèment la joie, ou, du moins, la confusion, du haut des haut-parleurs, les merceries de petits trucs, et les vendeurs furtifs de bondieuseries. Des pervers, maigres et bizarres, surveillent jalousement les statues, les tableaux de Vierges et de saints, les Christs massifs en technicolor, parfois ébréchés, pauvres Christs tombés sur l'asphalte qui longe les voies du chemin de fer départemental, des Christs qui ont oublié les pauvres habitants de la terre et qui gisent, impuissants, inefficaces, à quelques centimètres, à peine, du désagréable présentoir de poulets pas encore forcément morts mais qui seront décapités sur place, à votre demande. Qu'une goutte de sang mort tombe sur le Christ indifférent, sur le cristal très quelconque, cela ne surprendra personne. Il ne faut pas, mon pote, lésiner sur son attention aux camelots. Ils portent des stylobilles, des cahiers, des peignes... ; néanmoins, ce défilé interminable campe misérablement le décor. Car le véritable spectacle de San Francisco Solano, ce sont les visages qui l'offrent, les rides pathétiques qui sillonnent les pommettes burinées, les sourires inadmissibles de bouches édentées, les corps artistiquement déformés, les regards splendides d'amertume qui dénoncent des décennies de dilapidations, de terribles dépouillements, une injustice atroce, une extrême inégalité, stricte vigueur de la dictature de la misère. [...]

« Mettez-vous ça dans la caboche, Kangourous, je suis le plus grand des chasseurs de kangourous du sud » : Rodolphe prétendait devenir le promoteur le plus compétent et efficace d'un sud scandaleusement inégal, effervescent, couvert d'une pléthore de lotissements en fête, avec fanions[5] multicolores de Kanmar, de Luchetti ou de Filsa, de Tulsa, Vergili et Corti[3] et mille autres affiches généralement rouges, interpellant démunis et malheureux. C'étaient des dizaines de quartiers en formation qui s'étendaient au bord de sentiers improvisés, voués à devenir d'imposantes et toutes-puissantes avenues, comme les avenues Monteverde, San Martin, l'avenue Pasco elle-même ; des rues transcendantes, comme la quatorzième avenue de Berazategui, ou la vingt-quatrième avenue de San Francisco Solano — endroit où, jamais, je le répète, je ne remettrai les pieds —, l'avenue Donato Alvarez, ou l'avenue Amenedo, qui étaient, dans le temps, de tristes ruelles à peine aménagées, criblées d'ornières et de maladies proliférantes. Un autre Buenos Aires s'engendrait, et personne ne s'en rendait compte au coin des rues Florida et Paraguay[6]. Les paroliers de tango ne le comprenaient pas et le vieux Porteño se sentait envahi, mais restait indifférent. Au rythme de ces alléchants fanions — tout au long de longs samedis et dimanches décisifs —, ces répartitions historiques évoquaient l'image pittoresque de l'omnibus fumant et traditionnel, ou du microbus loué et enrubanné d'un rouge attractif, chargé de candidats exubérants ou timides. Ils incarnaient l'immigration intérieure, avec son désespoir, qui n'avait rien à voir avec le scepticisme ni avec le tango. C'étaient des noirauds tendres et violents qui avaient une énorme envie de posséder un bout de terre à eux, dans le pays où la terre surabondait, quelques mètres suffisant à installer un quadrilatère probablement chaud, impersonnel, à soi, comme on dit. Quelques mètres pour se sentir à l'aise, au large, pas vraiment exaucés, mais plus tranquilles. Peut-être, en descendant pour la première fois dans l'espace généreusement ouvert, exclusivement occupé par le vent, où s'organisaient les lotissements, et où l'avenir était en attente, avec ses patients fanions et ses tracts, les kangourous, issus, en général, des humiliants bidonvilles, ou des froides et macabres pensions de famille, bouche bée envisageaient déjà que cette transaction, cet accrochage, cette commission — qui les sauverait un jour, dans leur existence, des chasseurs de kangourous —, deviendrait la clé de voûte de leur vie. Ces arrhes étaient le relais du destin, et ces sommes minimes, risquées, anticipation presque atroce de leur sacrifice, pour l'acquisition de la petite parcelle, représentaient la possibilité d'abandonner pour toujours la promiscuité certaine des bidonvilles, ou le bain partagé avec tant d'étrangers, entre ces murs tragiques que l'on nomme encore « hôtels », à Buenos Aires, le couloir de carrelage où l'on interdit aux enfants de courir, de crier, de grandir. Fin de semaine rayonnante, inoubliable, pour tant de kangourous qui se livreraient désormais au dur sacrifice que représentait la construction, l'installation d'une bicoque, à la poursuite d'une aventure possible — du progrès, comme on dit —, d'un bénéfice diffus pour la famille, pénalisée, mais propriétaire, enfin, d'une maison, même loin, mais à soi, putain ! à soi ; bien qu'il fallût ajuster le rythme des quinzaines, pour payer les versements du terrain, ceux du préfabriqué, c'était le temps de l'innocence, après tout ! Et même si la mélancolie nous égare, putain de merde ! je parle d'une Argentine qui n'était pas encore tombée en enfer. On n'avait jamais entendu parler d'indexation, ni d'ajustement. L'espoir existait, et ça valait encore la peine, en ce temps-là, de lutter pour une conversion stable en petit propriétaire.

(Traduit de l'espagnol par Tita Reut.)

ALICIA D'AMICO

JORGE ASIS
Écrivain

1. Les kangourous, nom que dans leur jargon les deux Rodolphe donnent à leur « cible », les habitants pauvres de ces quartiers.
2. Petits morceaux de graisse poêlée.
3. Noms de sociétés de promotion foncière qui mettent en vente les parcelles des lotissements non équipés.
4. Danse populaire du folklore d'origine guaranie appartenant au Paraguay et à l'Argentine, au rythme syncopé, très animé.
5. Pour marquer les parcelles en vente, les lotisseurs plantent des petits drapeaux. Chaque lotisseur a sa couleur.
6. Centre commercial chic de Buenos Aires.

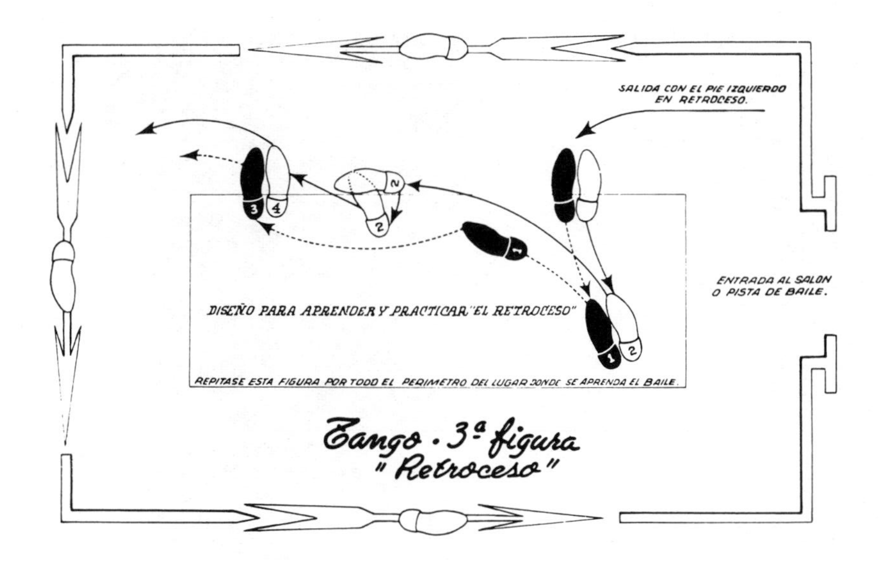
SALIDA CON EL PIE IZQUIERDO EN RETROCESO.
ENTRADA AL SALON O PISTA DE BAILE.
DISEÑO PARA APRENDER Y PRACTICAR "EL RETROCESO"
REPITASE ESTA FIGURA POR TODO EL PERIMETRO DEL LUGAR DONDE SE APRENDA EL BAILE.
Tango . 3ª figura
"Retroceso"

3

ENTRE IMMIGRATION ET EXIL, LA NOSTALGIE PORTÈGNE

« Tu regardes les yeux pleins de larmes ces pauvres émigrants
Ils croient en Dieu ils prient les femmes allaitent des enfants
Ils emplissent de leur odeur le hall de la gare Saint-Lazare
Ils ont foi dans leur étoile comme les rois-mages
Ils espèrent gagner de l'argent dans l'Argentine
Et revenir dans leur pays après avoir fait fortune
Une famille transporte un édredon rouge comme vous transportez votre cœur
Cet édredon et nos rêves sont aussi irréels. »
Guillaume Apollinaire, Zone *in* Alcools, *Gallimard.*

PHOTOS : ARCHIVES GÉNÉRALES DE LA NATION (AGN).

1

2

1. Entre 1870 et 1920, se sont établis près de 3 500 000 personnes. Entre 1900 et 1910 ont débarqué : 746 544 Italiens, 541 345 Espagnols, 74 016 Russes et Polonais juifs, 52 663 Turcs, 32 960 Français, 29 606 Autrichiens, 16 782 Allemands et 11 361 Anglais.
2. Photo de 1912. Au fond, la maison du gouvernement.

3

4

5

Hôtel des immigrants (1914).
3. Salon de repos. 4. Un des douze dortoirs dont la capacité totale était de 6 000 hommes. 5. Salle de cinéma.

1. La Russie à Buenos Aires (1905). 2. Les Tanos, *les Italiens (1910). 3. Juifs polonais et tchèques (1929). 4. Les* Russos *(1914). 5. Français autour d'un asado (1910). Photo de Spinetto.*
6. Les Gallegos. *Une kermesse espagnole vers 1926. 7. Les* Turcos *(1910). 8. Les quelques Sénégalais qui débarquèrent à Buenos Aires en 1899 partirent à l'intérieur des terres cultiver la canne à sucre.*

1930. Immigrants polonais sur le pont du bateau.

1. L'avenida de Mayo (1917). Construite entre 1894 et 1910, à la manière des grands boulevards parisiens, elle fut « colonisée » par les Espagnols. Rue du chocolate con churros, *du cidre pression, de la paëlla. Aujourd'hui ce sont les Paraguayens et les Boliviens qui l'occupent. 2. L'avenida Callao en 1933. Toujours le tracé à la Haussmann. Seuls changements aujourd'hui : la rue est à sens unique et les réverbères ont disparu.*

3

3. Bâtiment de style renaissance allemand construit en 1884. Il abrite aujourd'hui le ministère de l'Éducation et la Culture. La photo prise en 1933 nous montre le parc tel qu'il est aujourd'hui. 4. Le parc de Palermo (1933) construit au début du siècle selon le tracé du bois de Boulogne. Les Porteños en jogging ont remplacé les cavaliers.

4

1

1. La cour d'un conventillo. *Chaque pièce des maisons patriciennes à l'abandon ou des grands baraquements construits à cet effet était louée aux familles pauvres. Toilettes et buanderies étaient communes. Le* patio *était lieu de rencontre et de conflit des « laissés-pour-compte de 100 nations ». On y trouvait ouvriers,*

2

3

artisans, souteneurs, voleurs, prostituées et anarchistes... C'est là qu'est né le tango. 2. L'huissier gominé signifie son congé à une famille. 3. Jour d'expulsion. 4. Grève des loyers, menée par des femmes, le balai à la main, vers 1910.

(À PARTIR D'UN TEXTE DE MIGUEL PRAINO.)

HECTOR YANKELEVICH

VILLA FREUD

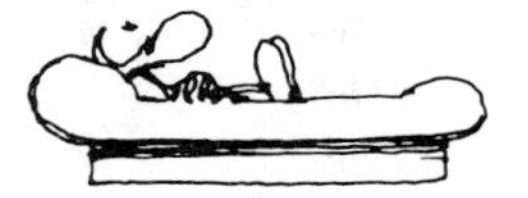

A Buenos Aires, la psychanalyse représente tant un phénomène de masse qu'une composante essentielle du panorama culturel, dépassant le simple cadre professionnel de ceux qui se consacrent à sa pratique.

Buenos Aires entretient une fascination inquiète avec toutes les formes de freudisme. A une préoccupation anxieuse concernant le destin de la théorie — en cela elle ressemble à Paris — se joint une pénétration lente — dans presque toutes les couches de la population — des idéaux d'une analyse qui devient thérapeutique générale, théorie générale de toutes les thérapies, horizon idéal du beau et du bien. Et en cela elle ressemble à New York, avec laquelle Buenos Aires partage, de manière plus modeste mais non moins hautaine, le destin de creuset des peuples.

Comment expliquer sans cela les rapports que les Porteños entretiennent avec la psychanalyse ? Que le nombre de gens qui s'allongent sur les divans atteigne des proportions si scandaleuses ? Cela frappe aussi bien les jeunes universitaires que les professions libérales, les employés de commerce ou de banque, ou les femmes au foyer appartenant à la petite ou grande bourgeoisie.

L'ÉCHARPE BLEUE ET BLANCHE DES CANTIQUES ET LOUANGES LAÏQUES

Aujourd'hui, tout Porteño âgé d'une quarantaine d'années a forcément été bercé durant son enfance par un castillan aux multiples accents et aux syntaxes incertaines.

Dans le quartier où l'auteur de ces lignes a passé une partie de son enfance, le boucher était anglais, le cordonnier grec, l'épicier asturien, le concierge de l'immeuble dans lequel il habitait calabrais, le teinturier — évidemment — japonais, et le propriétaire de la pâtisserie, du Piémont. Le préposé aux signaux du train qui passait à cent mètres de là, silicien, le boulanger galicien, le tailleur et le bijoutier juifs polonais. Le béret que portait le laitier trahissait ses origines basques, la mercerie était tenue par des Syro-Libanais maronites, et le directeur de l'école primaire, aux cheveux noir corbeau, et au visage raviné, au teint citrin, proclamait par ses traits qu'une moitié de son sang était indienne, l'autre andalouse. L'entreprise de robinetterie portait avec un certain orgueil le nom français de son propriétaire ; et un peu plus loin, en traversant l'avenue, la maison d'articles ménagers avait pour gérant quelqu'un qui affirmait être russe [1], mais de Russie... Tout cela dans un périmètre de trois ou quatre pâtés de maisons, dans un quartier dont les rues portaient des noms comme : Billinghurst, diplomate anglais ; Jean Jaurès ; Mansilla, commandant en chef de la campagne du désert.

Dans les écoles primaires, on prêtait serment au drapeau tous les ans, on chantait tous les matins des hymnes en son honneur et on portait la cocarde : cantiques et louanges laïques qui servaient de barrière sonore contre ce castillan écorché, « cocoliche » ou « lunfardo », qui pour chaque enfant véhiculait les signifiants paternels d'une langue maternelle, lui rappelant dans sa phonétique d'autres espaces, d'autres temps ; cantiques et louanges laïques qui servaient également d'écharpe : une écharpe bleue et blanche qui, les embrassant tous et chacun dans son aile douce, les réunirait dans la promesse jamais tenue — et d'autant plus férocement réclamée — que le rêve paternel d'une autre patrie plus juste et plus libre, se réaliserait.

Buenos Aires, reine du Plata, Paris d'Amérique, où, dans les années 60 chaque livre de Sartre était édité presque au moment même où il paraissait à Paris ; où l'École de Francfort fut connue et traduite quinze ans avant Paris ; où, dans les années 50, Ingmar Bergman était considéré comme un des plus grands metteurs en scène du siècle.

Buenos Aires où Freud se lit en castillan, mais où il existe trois éditions différentes de ses œuvres complètes [2].

Buenos Aires où un seul petit quartier, situé entre Norte et Palermo, abrite « Villa Freud », ainsi nommée parce que c'est là qu'habitent la plupart des analystes.

Buenos Aires dont l'université, comme toutes celles d'Argentine — excepté pendant les périodes de dictature militaire — est autonome et gouvernée par étudiants et professeurs. Au début des années 70, cette université comptait plus de dix mille étudiants en psychologie, décidés pour la plupart à s'orienter vers la psychanalyse. Et si les universités confessionnelles — celle de Salvador (appartenant à la compagnie de Jésus) et la catholique, pontificale (dépendant du Vatican) — enseignaient dans les années 60 la psychologie expérimentale de Gemelli [3], dans les années 70 par contre, la première dispensait un enseignement dénué de tout soupçon de la théorie freudienne [4].

QUELQUE 2 000 ANALYSTES

En débarquant sur le port de Buenos Aires, si on prend le Paseo Colón en direction du sud, on arrive devant le ministère de la Marine où, tous les 29 mai à cinq heures de l'après-midi, on hisse le drapeau national en berne, en signe de deuil. A cette heure précise, dans tous les bâtiments de guerre qui se trouvent en haute mer, on dispose des piquets d'honneur et on présente les armes. Anniversaire de Trafalgar, de la mort d'Horace, lord Nelson.

Si au contraire on se dirige vers le nord, on arrive devant la vieille faculté de philosophie et de lettres, flanquée de librairies françaises, à deux cents mètres à peine des marins et des putes. C'est là qu'à une époque se trouvait le Johann Sebastian Bar. Dans les années 50 et 60, entre deux genièvres, on y lisait Levi-Strauss et Saussure en écoutant les transcriptions du Kantor de Leipzig. Puis ce furent Barthes, Althusser, Foucault, Lacan...

A Buenos Aires, l'histoire de la psychanalyse est marquée par deux périodes bien déterminées. La première commence avec la fondation de l'Association psychanalytique argentine, créée à la fin de la guerre par des analystes étrangers et argentins ayant suivi une analyse en Europe.

Au cours du débat entre viennois et kleiniens [5], la société argentine prend position pour ces derniers. C'est ainsi que la formation théorique dominante à Buenos Aires, et par extension en Amérique latine, deviendra kleinienne. A cette époque, le gouvernement en place — péroniste — condamne la pratique de la psychanalyse. L'APA ferme alors ses portes aux non-médecins. Ceux qui appartenaient à l'APA doivent, soit s'inscrire en médecine, soit être radiés de la liste des titulaires, soit émigrer en Europe. Pendant vingt ans, cette politique permet à la direction de l'APA de contrôler de près l'accès à l'institut de formation « Heinrich Racker », asseyant ainsi le pouvoir de la médecine sur la psychanalyse.

En 1970 se produisent deux événements qui transformeront de manière profonde et durable ce panorama. Le premier est dû à une scission au sein de l'APA : deux courants internes présentent leur démission et créent un centre de recherche et d'enseignement dépendant de la Fédération argentine des Psychiatres, et de l'Association des Psychologues de Buenos Aires, au lieu de demander à être affiliés à l'IPA [6].

Une gauche freudienne naît alors à Buenos Aires. Elle réclame son appartenance à la psychanalyse dans le cadre de son travail professionnel, et ne craint pas de s'engager dans le militantisme politique. Quelques-uns de ces analystes périront dans des camps de concentration ; quelques autres passeront des années en prison, et l'immense majorité d'entre eux prendra les chemins de l'exil. Des années après cette scission, une autre séparation aura lieu entre freudiens et kleiniens. Dans l'association des premiers, l'excommunication de Lacan sera levée, bien que cette association appartienne à l'Internationale.

Le second événement sera l'apparition d'un courant lacanien créé par des « lecteurs » de Lacan — le premier d'entre eux : Oscar Masota —, en marge de la psychanalyse officielle. Ils enseignent son œuvre dans des groupes d'étude, d'abord constitués uniquement de psychologues, puis tout de suite après, de médecins et d'analystes de l'institution dans laquelle Lacan était frappé d'interdiction.

Douze ans après la formation de la première « école freudienne » de Buenos Aires, le mouvement lacanien vit de multiples scissions, mais représente la majorité de ceux qui pratiquent l'analyse. De source autorisée, on estime que, toutes obédiences confondues, il y a à Buenos Aires quelque deux mille analystes ; mais il faudrait en compter quelque cinq mille si l'on veut rendre par un chiffre tous ceux qui se réclament de l'analyse.

La psychanalyse est solidement implantée au ministère de la Santé : la coordination de la politique psychiatrique se trouve entre les mains d'un analyste ; le secrétaire à la Santé de la municipalité de Buenos Aires réunit régulièrement des représentants de toutes les écoles analytiques pour les informer et discuter avec eux de la politique de prévention sanitaire de la capitale.

L'AMANTE VERS QUI ON NE DOIT PAS REVENIR

Buenos Aires, capitale freudienne, ville psychanalytique, tourne le dos à la Pampa pour se mirer dans son fleuve qu'on dit couleur-de-lion pour oublier qu'il est boueux. Elle ne vit pas de la nostalgie des origines d'une Europe que l'on n'a pas et d'une Amérique que l'on n'est pas : elle s'aime elle-même dans son être nostalgique.

Buenos Aires, ville-puzzle : autant casse-tête — la réalité de chaque pièce ayant servi de modèle à ce corps morcelé se trouve en Europe — qu'énigme. Une énigme qui habite tout exilé ayant — de gré ou de force — abandonné son rivage, en quête du réel de la douleur qui l'habitait, et qui ne peut déambuler dans Chelsea sans penser à son quartier de Caballito ; qui fuit Boulogne et Neuilly pour ne pas rêver à Palermo, et qui sait aujourd'hui que, depuis toujours et à jamais, Buenos Aires ne le laissera pas en paix.

Qu'elle vivra dans son souvenir d'une vie propre. Nourri de la même façon que l'on maintient à distance pour la mieux chérir, l'image de l'amante bien aimée : celle vers qui on ne doit pas revenir.

Et s'il t'arrive un jour, à toi lecteur, de traverser la roseraie du Palermo chic pour t'acheminer vers les glycines et jasmins du vieux

Palermo — celui de Borges et de Carriego —, peut-être assoiffé t'arrêteras-tu dans un bar en face d'une petite place ronde bordée de platanes et de quelque peuplier élancé, au croisement des rues Salguero et Charcas. Un bar qui s'appelle « Villa Freud ». Et là-bas, qui sait — bien que quarante ans soient passés depuis que les derniers émigrants sont arrivés de l'Europe de la guerre — peut-être entendras-tu parler un castillan nuancé d'une pointe d'accent viennois, français, polonais, italien...

(Traduit de l'espagnol par Christine Dermanian.)

HECTOR YANKELEVICH

Psychanalyste, ancien professeur adjoint de l'université de Buenos Aires, membre de la rédaction de *Patio/Psychanalyse*, membre du Centre de Formation et de Recherches psychanalytiques.

1. Russo : juif, en argentin.
2. La première éditée du vivant de Freud ; la seconde, la meilleure, malheureusement incomplète, traduite par un styliste de la porcelaine : Ludovic Rosenthal.
3. Gemelli : doctrine officieuse (en psychologie) du Vatican.
4. Une chaire de psychanalyse avait été attribuée à un freudien.
5. Ce débat portait sur la sexualité féminine, l'analyse infantile et la technique de cure.
6. International Psychanalytical Association.

CLEMENTE DE CALOI

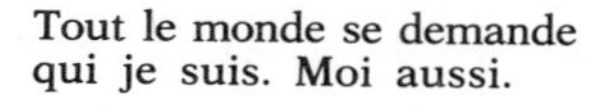

Tout le monde se demande qui je suis. Moi aussi.

Je n'ai plus qu'une solution : la société m'condamne à la pyschanalyse.

LES « THÉRAPEUTES AUX PIEDS NUS »

Situé dans une vieille maison de la calle Gascon, le Bancadero[1] — centre d'aide psychologique à but non lucratif — a été créé en 1982 par Alfredo Moffatt. Originairement architecte, Moffatt se consacre aujourd'hui à la « Psychothérapie des opprimés »[2], et incarne tout un courant de pensée en psychologie. Au départ, ce traitement des problèmes psychologiques par un groupe autogéré se déroulait dans l'enceinte de La Pena Carlos Gardel[3], dans le cadre d'expériences pionnières.

Aujourd'hui, le Bancadero, géré par Moffatt et ses enthousiastes collaborateurs — une quarantaine en tout entre psychiatres, psychologues et « thérapeutes aux pieds nus »[4] — accueille le week-end toute personne majeure en quête de réconfort moral. La finalité de cette communauté thérapeutique est de soutenir les défavorisés en leur apportant un peu de chaleur humaine, de les assister dans leur lutte contre la solitude, l'angoisse, la déprime — qui sont souvent le lot quotidien des « paumés ».

Basée sur la communication spontanée, cette thérapie se pratique en groupe. Le « patient » peut parler de ses problèmes en toute liberté, comme il le ferait dans un café avec ses amis. Ces conversations se déroulent parfois devant un feu de bois, et sont à l'occasion accompagnées de *guitarreadas* et de *rondas de maté* (traditions populaires et folkloriques argentines : au cours de ces réunions amicales, on se met en cercle pour jouer de la guitare et faire circuler le *maté*).

L'équipe du Bancadero prête une attention particulière aux cas plus compliqués, et guide les personnes atteintes de troubles graves vers des centres spécialisés.

Le but essentiel de cette entreprise est qu'ils sachent, tous ces défavorisés qui vivent souvent en marge de la société, qu'ils trouveront toujours calle Gascon quelqu'un prêt à les écouter, à les aider à « remonter la pente ».

1. *Bancadero* : endroit où l'on aide les gens à « tenir le coup ».
2. Titre de son ouvrage le plus important.
3. Dans l'hôpital psychiatrique de Buenos Aires.
4. Volontaires spécialement formés pour la circonstance.

LA PSYCHANALYSE DANS LA PRESSE

Nul ne s'étonnera certes de trouver dans un journal un encart publicitaire concernant des cours d'allemand. Le problème se corse lorsque l'on s'aperçoit que ledit encart est réservé à psychologues et psychanalystes, et que lesdits cours d'allemand sont censés leur permettre de lire Freud dans le texte...

A Buenos Aires, l'impact de la psychanalyse dans la vie quotidienne est tel que certaines pages de journaux sont truffées de publicité vantant les mérites de divers instituts de psychothérapie (qu'il s'agisse de pratique ou d'enseignement), que conférences et débats sur la santé mentale y sont annoncés régulièrement, et que *La Razón* du dimanche offre à ses lecteurs une rubrique intitulée « Psicologia » (tout comme *Le Monde* inclut dans sa parution du samedi un programme détaillé des différentes émissions télévisées de la semaine...).

CARLOS SAAB

LE CŒUR DES EXILÉS

ENTRETIEN POLYPHONIQUE AVEC DES ARGENTINS DE PARIS : ALFREDO ARIAS, HECTOR BIANCIOTTI, COPI, EDGARDO COZARINSKY, CARLOS D'ALESSIO, LEONOR FINI, NELLY KAPLAN, JORGE LAVELLI, GRACIELA MARTINEZ, JÉRÔME SAVARY, ANTONIO SEGUI, TILDA THAMAR, MARGARITA ZIMMERMANN.

Que dire de Buenos Aires quand on est à Paris ? Pouvoir réaliser un texte sur Buenos Aires grâce à des Argentins habitant Paris, m'a surpris. Les rencontrer, découvrir leurs différents environnements, les écouter, m'étonne, tant la cohérence entre leurs comportements et leurs discours, entre leurs gestes et leurs philosophies, entre leurs lieux et leurs pensées se ressent. Chacun d'entre eux a vécu à Buenos Aires la part de soi-même que l'on dit la plus importante : l'enfance. Et, sous la différence apparente de ces textes, émerge une image commune de Buenos Aires. La ville semble acquérir la force d'un mythe que les vécus individuels ne font qu'illustrer. Les créateurs choisissent ordinairement leurs modes d'action devant ce thème imposé : Buenos Aires. Leurs sensibilités différentes semblant fortifier cette création collective : le mythe jamais fini du Porteño. Maintenant Buenos Aires c'est un rêve au vécu un peu effacé.

Nelly Kaplan[1]. - ... Mon dernier souvenir, le port de Buenos Aires, à l'aube, avant d'embarquer, destination Le Havre. Ma mère vient me dire au revoir. Un ami se précipite, ému, et me tend un paquet de café en grains : « Il paraît qu'à Paris règne encore le rationnement ! » Il est tellement ému que le paquet lui tombe des mains et que les grains s'éparpillent sur le quai. « Tu vois me dit-il, c'est comme le Petit Poucet, afin que tu retrouves le chemin du retour. Sauf que là, les cailloux ne sont pas blancs, mais noirs... » Moi qui crois aux signes, j'aurais dû me douter que je quittais l'Argentine pour toujours, si ce mot à un sens...

BUENOS AIRES VILLE EUROPÉENNE ?

Certains des immigrants sont rentrés en Europe, d'autres sont restés en Argentine, c'est pour cela...

Jorge Lavelli[2]. - ... qu'il était très naturel de rencontrer des gens qui parlent avec un accent : italien, espagnol, français, anglais ou allemand. C'était les parents de mes amis. Je ne peux pas dire que

Buenos Aires soit une ville européenne ; ses habitants ont apporté beaucoup de l'Europe et se sont regroupés à travers des clubs, instituts, hôpitaux, banques, ou par le mariage. Vue de l'extérieur on peut dire que c'est une ville européenne, mais c'est plus le souvenir de l'Europe que l'Europe elle-même. C'est une ville faite de traits européens, parfois par des Européens qui ont rêvé de l'Europe ou qui ont perdu un peu la mémoire. C'est une Europe refaite dont les plans restent oubliés quelque part.

Edgardo Cozarinsky[3]. - Quand j'ai habité Buenos Aires j'ai regardé l'Europe comme un espace un peu fantastique où il y avait des trésors à portée de la main : des monuments, des musées, des palais, une vie quotidienne passionnante. On pouvait changer très rapidement de pays, de langue, de tradition, de cuisine. Beaucoup de choses, en peu d'espace.

Alfredo Arias[4]. - Je suis aussi étranger en Argentine qu'ici. Je n'ai fait que le retour du voyage de mes grands-parents. C'est un parcours culturel. Je ressens très fort l'héritage d'un petit village espagnol, très obscur, très Bunuelien, il est en moi, je lui fais prendre l'air de la pampa, je le ramène en Europe et je retrouve ma vraie personnalité.

Copi[5]. - Buenos Aires, contrairement à ce qu'on dit couramment, c'est une ville plus américaine qu'européenne. C'est une imitation de New York. Il y a là de l'Empire State au Rockefeller Center, des grands immeubles en verre, des tours en béton... mais les Américains copient aussi l'Europe. Les Argentins aiment voyager... Ils comprennent l'espagnol, l'italien, le français leur est très proche. Malgré tout les Argentins ne sont pas des Européens.

... OU ?...

Hector Bianciotti[6]. - Je suis né dans la plaine et, longtemps et en vain, j'ai essayé d'imaginer une ville ; comme la couleur des lettres, comme le dessin complexe et doublement imaginaire qui avec des sons déroule la musique, la vision que j'avais, que je m'inventais d'une ville, n'était qu'un pur objet mental sans rapport avec la réalité. Buenos Aires était deux coups de pinceau rose, à l'horizon. De l'aquarelle. Puis, progressivement — la plaine est lente — j'ai connu des villes de province, plus tard une capitale de province, Cordoba. Enfin, un jour, Buenos Aires. Rubén Dario l'avait définie dans la préface à ses *Proses profanes* : « Y mañana, Cosmopolis ! » Je pouvais déjà mettre en doute le catéchisme, mais jamais la prophétie de Dario. Hélas !, il y aurait eu Perón, Eva Duarte, la police, le reste. Aujourd'hui, Buenos Aires est redevenue en moi, quand je ne fais pas attention, deux traits de pinceau à l'horizon. Mais ils ne sont plus de couleur rose.

Pour moi Buenos Aires, c'est avant tout... la peur dans la rue... la peur de la police en civil... la peur de ne pas passer inaperçu à cause de la mèche de cheveux rebelle ou d'une cravate d'une couleur inhabituelle. Mais c'est aussi la littérature, les premiers textes publiés dans

La Nación, le théâtre, la musique, l'atroce dernier concert d'Alfred Cortot, les premiers — toujours à Buenos Aires — de Karajan, les derniers de Fürtwangler, la découverte de la Compagnie Renaud-Barrault — *Le Livre de Christophe Colomb* monté au Colón, reste l'un des moments les plus beaux de ma vie de spectateur —, et, ensuite, celle à couper le souffle, du Piccolo de Milan. C'était, après le roman et le cinéma néoréalistes qui avaient triomphé dans le pays, une sorte de revendication de l'Italie : l'Italie était un peu, dans l'imagerie nationale, la terre des immigrés, la culture était française, anglaise, mais pas italienne... L'un des traits qui nous caractérisent, c'est le snobisme. Pour un pays sans passé, le snobisme n'est pas qu'un défaut. C'est curieux de penser volontairement à Buenos Aires. Cette grande ville garde, je ne saurai jamais dans quelle maison, dans quelle rue, un secret, un secret qui m'appartient, elle m'a volé un souvenir : je sais que c'est à Buenos Aires que j'ai fait pour la première fois l'amour, mais il ne reste de ce moment ni le lieu ni le visage de l'autre, à peine une sensation aveugle d'étreinte qui se défait.

Jérôme Savary[7]. - La guerre d'Algérie battait son plein. Je suis parti en Argentine, mon pays de naissance, pour faire mon service militaire. Depuis que j'étais aux Beaux-Arts à Tucuman, je commençais à avoir des amis. Des Barbudos surtout, qui déjà, rêvaient de guérilla et s'organisaient. Il faut vous dire que je m'appelais Geronimo, comme le légendaire chef indien.

Mais je rêve d'autres engagements. Je veux être un artiste, je veux réussir. « Il faut que tu descendes à Buenos Aires, muchacho... », me dit mon prof, un vieux peintre romantique... Ça pourrait marcher pour toi. » *Tia Vicenta,* un hebdomadaire satirique, me propose une page par semaine. Pour la première fois de ma vie, je gagne de l'argent avec mon travail artistique. Le matin du jour de parution de ma première page, je suis à l'aube devant le kiosque de la gare. Les paquets de journaux arrivent et j'aide la vieille vendeuse à défaire les ficelles. Enfin, je tiens la revue dans ma main et je la feuillette fébrilement. Mes dessins sont bien là ! J'achète dix exemplaires de la revue, que je traîne encore aujourd'hui derrière moi, chaque fois que je change de domicile. Le papier a jauni et les dessins me semblent bien naïfs, mais ils me rappellent ce petit matin à Buenos Aires et mon premier chèque d'artiste.

DU PORTEÑO AU TANGO

Tilda Thamar[8]. - Les Argentins sont très élégants et ils s'adaptent très bien à la mode européenne. Comme ils sont très coquets, le spectacle de la rue est très agréable. Bien sûr les femmes ont plus de temps. Ce n'est pas comme à Paris où les femmes même d'un niveau social élevé travaillent — soit elles écrivent, soit elles collectionnent des objets, soit elles font des œuvres de charité. Par contre en Argentine elles s'occupent peu des affaires domestiques, elles jouent aux cartes, prennent le thé, elles ont plus de temps pour s'habiller. Elles reçoivent très bien, d'une façon très raffinée, le service, la table, c'est le grand style. Ils ont tout appris de la France, et l'admirent beaucoup.

Le Porteño physiquement est très beau, de toute la race masculine ce sont les plus beaux. Les femmes sont belles mais on dit toujours que les femmes les plus belles sont les Françaises, les Suédoises et les Italiennes. Au contraire les hommes argentins sont sans comparaison.

Les Porteños aiment bien baratiner, ils cherchent toujours une combinaison pour gagner le plus d'argent en travaillant le moins possible.

Carlos d'Alessio[9]. - Le Porteño est un insolent, il rêve : comme l'origine de sa famille est en Europe, il se croit en Europe, mais il ne se rend pas compte qu'il est en Amérique latine. En général, il méprise les autres Latino-Américains, mais par manque d'information et de connaissance. L'individualité en Argentine n'existe pas, ce qui les caractérise, c'est que tous sont Portègnes : « Si celui-ci peut, moi aussi, je peux. » Tout a tendance à se généraliser, comme la mode, tout le monde s'habille pareil, ils cherchent une identité.

Graciela Martinez[10]. - Je trouve les Porteños assez intellectuels, assez satisfaits d'eux-mêmes. Pour les rencontrer il faut faire des efforts, je ne crois pas que ce soit facile au départ ; et puis, ils pensent tout savoir. Mais, la connaissance, ça vient toujours de l'extérieur. Quand je visite une ville, bien sûr je suis sensible à l'architecture, mais ce qui m'intéresse surtout ce sont les habitants, je crois que la sagesse ça vient de l'intérieur. Alors, il faut réunir les deux choses. Cette différence entre les gens de Buenos Aires et les gens de l'intérieur du pays, c'est très bien, dans le fond. C'est comme le paysage ou le climat. C'est ça qui fait l'énergie d'un pays.

Jorge Lavelli. - Buenos Aires est une ville très étendue, comme Londres, et, bien que située en Amérique latine, elle a toujours regardé vers l'Europe. C'est de là que vient cette nostalgie. Le tango, né au río de la Plata, traduit totalement ce sentiment de perte de quelque chose, d'un certain paradis perdu. Cette musique, non seulement a traduit l'état d'âme particulier aux habitants de ce port, mais encore a créé un phrasé, une forme de locution qu'on utilise non seulement dans la vie quotidienne mais aussi dans la vie politique et culturelle. Le tango apparaît alors comme une manière de respirer la langue, qui donne aux habitants de cette ville une caractéristique particulière.

Copi. - Lors de mon dernier voyage à Buenos Aires, j'ai rencontré des gens avec une grande envie de vivre, qui, sauf en Espagne, en Italie et dans les pays arabes, ne se retrouve nulle part en Europe. Le côté triste et nostalgique des Argentins c'est une invention européenne. Le tango existe encore, car il est un produit d'importation qui marche, sinon il n'aurait pas eu l'importance qu'il a en ce moment en Europe ou aux États-Unis. La preuve c'est qu'il n'existe pas de nouveaux tangos comme dans les années 55. Le tango a survécu mieux que les autres danses grâce au rythme, sa musique est excellente et très dansante. On l'a toujours dansé à Paris rue de Lappe et aussi au sous-sol de la Coupole.

La ville et ses quartiers

Antonio Segui[11]. - En arrivant de l'étranger, le premier choc qu'une personne peut avoir, bien que l'Argentine soit constituée par des immigrants espagnols, italiens, français, anglais et d'autres pays, c'est qu'ils ont tous les tics des Italiens du Sud... la théâtralité du salut, la gestualité exagérée, tout ce dont on est témoin dans un marché à Naples.

On s'habitue rapidement, le temps de prendre un taxi et d'arriver à la ville. Dans ce trajet de l'aéroport à la ville, on peut observer les caractéristiques typiques d'un pays en voie de développement : les slogans politiques écrits sur les ponts, la « grandiloquence » de l'autoroute qui arrive jusqu'au centre ville, les toits des maisons, lesquels caractérisent les grandes villes sous-développées. Tout vu d'en bas est acceptable, mais à vol d'oiseau, on voit la misère urbaine, la saleté accumulée, les terrasses transformées.

Hector Bianciotti. - Buenos Aires est une ville très vaste. Quand j'y suis retourné en 70, j'ai vu des quartiers qui existaient déjà avant et que je n'avais pas connus. C'est assez normal, quand on habite une ville, on laisse toujours pour le lendemain le fait de la parcourir et de la connaître. Buenos Aires est une ville faite de plusieurs, qui sont devenues compactes ; comme des faubourgs qui se seraient jetés à l'assaut du port, qui seraient descendus vers le centre et puis se seraient immobilisés. Comme pour mettre de l'ordre, les avenues parallèles, l'avenue de Mayo, l'avenue Corrientes, Córdoba, Santa Fe, la rue Florida et là, à l'angle de la rue Florida et de la rue Viamonte le café, ou ce qu'on appelait la Confiteria Jockey Club. On y rencontrait des écrivains. Et aussi le Richmond. Et dans le Richmond ce couple extraordinaire, ce couple d'exilés qui donnait des récitals composites : Raoul et Herta de Lange. Lui, il récitait la Bible, c'était un ex-acteur de Max Reinhart, il avait une voix tonitruante, extraordinaire. Elle, elle jouait très, très mal du piano, elle jouait des œuvres très difficiles, elle donnait des récitals, ici et là. Ils vivaient dans la misère, mais comme des grands seigneurs. Je pense à Buenos Aires comme à une ville impitoyable.

Carlos d'Alessio. - Ce qui attire mon attention, c'est la végétation, les arbres, les jardins, l'amour que les gens ont pour les plantes, le climat qui permet l'utilisation du balcon. Parmi les images merveilleuses de Buenos Aires, je vois les rues très larges des quartiers de Belgrano et Martinez avec des grands arbres, platanes immenses en forme de tunnel. La lumière filtrée à travers leurs branches, les petits morceaux de ciel bleu que les mêmes branches laissent voir. Les magnolias de Barrancas de Belgrano, certaines rues avec des orangers en fleur font de cet endroit, et grâce à l'humidité de cette ville, une cité très parfumée.

Un autre souvenir, quand il fait très humide, les anciennes rues pavées brillent et donnent des reflets en créant une atmosphère très particulière.

Alfredo Arias. - J'ai passé mon enfance dans un quartier très pauvre, une banlieue populaire, près de ces terrains vagues qui m'ont toujours tant plu... C'était en quelque sorte une arrivée de la mort aux portes de la ville, en bordure d'une espèce de campagne, qui n'en est pas une. Je me souviens des hommes qui jouaient au football et aussi des gens qui sortaient en costume du dimanche, en marchant dans les cailloux, la boue et la poussière.

Jorge Lavelli. - Buenos Aires, c'est mon enfance, mon adolescence, ma ville. J'ai vécu dans un quartier du sud-ouest : Flores. C'est à cet endroit que sont liés mes souvenirs les plus précieux, ceux qui ont le plus de valeur à mes yeux. J'y avais des voisins dont je partageais la vie d'étudiant.

Ce quartier populaire rejoint le Barrio Norte (le centre de la ville) par des maisons très anciennes avec des jardins à l'anglaise, et des promenades : le parc Avellaneda et le parc Chababuco, tout particulièrement liés à ma vie sentimentale, amours ou amitiés.

Ces parcs, peuplés de grands magnolias et d'eucalyptus, m'envoûtaient par leurs odeurs capiteuses. J'aimais les retrouver. Pour moi, ils resteront liés à la découverte des livres et de la poésie.

COMMENT ILS VIVENT LEUR EXIL

Leonor Fini[12]. - Cette ville, j'y suis née et j'y ai vécu deux ans, je n'en ai aucun souvenir. La seule chose qui me reste de cette ville c'est le regret ressenti par ma mère. Elle y était venue de l'empire austro-hongrois, amenée par un bel Argentin d'origine italo-espagnole, rencontré à Trieste. Cet homme qui l'avait tant séduite et qui est mon père, elle n'a pas pu le supporter dans son milieu naturel — deux ans après ma naissance elle me ramenait à Trieste et depuis lors m'habillait en garçon chaque fois que mon père venait me chercher de façon qu'il ne me reconnaisse pas. Ma mère qui détestait ce pays ne m'a raconté sur mon enfance à Buenos Aires qu'une seule et horrible anecdote : j'aurais été agressée par un nuage de sauterelles. Depuis je déteste les insectes.

Hector Bianciotti. - Je suis fatalement Argentin — n'oublions pas qu'il y a, ou qu'il y avait, une façon d'être Argentin qui consistait à ne pas vouloir l'être.

Nelly Kaplan. - Je quitte l'Argentine très jeune, sans savoir ce que je veux mais sachant déjà ce que je ne veux point. Peu à peu ma vie, mon travail, mes amis, mes amours se tissent inextricablement à Paris où j'habite depuis trois décennies. Mon pays natal me manque-t-il ? Bonne question, mais j'ai du mal à y répondre. Peut-être quelque part je lui en veux, ô orgueil, de ce que pendant très longtemps je ne lui ai pas manqué.

Margarita Zimmermann[13]. - L'Europe m'a permis de trouver mon identité professionnelle. J'habite à Venise et tout à coup dans cette Europe où je vis passe à la télévision l'image de la ligne d'autobus de mon quartier à Buenos Aires et je suis à nouveau argentine.

On me le dit, on m'aime pour ça, un sens de l'humour, un comportement, l'envie d'aller au cinéma à minuit, de manger une viande dans une Parrilla, d'être comme j'étais là-bas, pouvoir retrouver très tard dans la foule animée de la nuit des amis.

La distance s'impose, pour retrouver Buenos Aires, je cherche dans la musique du tango un réconfort insoupçonné là-bas.

Alfredo Arias. - Le grand souvenir de Buenos Aires, c'est la folie des rapports décadents de l'Espagne et de l'Italie. Sentiments forts de culpabilité, d'enfermement, de grande passion, confrontés à la réalité torturée où l'homme ne peut se laisser aller. Ce qui définit le caractère argentin, je crois que c'est un caractère très vertigineux, ce sont des gens qui aiment jouer avec des choses très graves : la Mort et le Pouvoir.

propos recueillis par
CARLOS SAAB
Docteur en urbanisme à l'université de Paris.

1. Nelly Kaplan (cinéaste). Parmi ses réalisations : *Le Regard-Picasso* (Lion d'or au Festival de Venise), *La Fiancée du pirate*. Parmi ses derniers films : *Regarde dans le miroir* (Grand Prix de la Fondation de France) et *Pattes de velours*.

2. Jorge Lavelli (metteur en scène). Il s'est rendu célèbre dès sa première mise en scène *Idomeneo* de Mozart. Ses spectacles d'opéra et de théâtre sont présents dans tous les festivals européens.

3. Edgardo Cozarinsky (cinéaste-écrivain). Il a publié plusieurs essais (James, Borges, etc.). Ses films : *Les Apprentis sorciers, La Guerre d'un seul homme, Haute Mer*.

4. Alfredo Arias (metteur en scène). Créateur du groupe TSE et directeur du Théâtre de la commune d'Aubervilliers.

5. Copi (écrivain). Ses dernières pièces de théâtre : *Le Frigo, La Nuit de Madame Lucienne, Les Escaliers du Sacré-Cœur.*

6. Hector Bianciotti (écrivain). Parmi ses livres : *Le Traité des Saisons* (Prix Médicis étranger 1977), *L'Amour n'est pas aimé* (Prix du Meilleur Livre Étranger 1983), *Sans la miséricorde du Christ* (Prix Fémina 1985).

7. Jérôme Savary (metteur en scène). Fondateur du Magic Circus. Homme de théâtre qui passe du strip-tease à Molière et du rock'n roll à Mozart.

8. Tilda Thamar (actrice). Vedette de cinéma des années 40 à Buenos Aires.

9. Carlos d'Alessio (compositeur). Il a collaboré avec le groupe TSE et différents metteurs en scène de théâtre, notamment avec Marguerite Duras. Il a écrit la musique du film *India Song.*

10. Graciela Martinez (danseuse et chorégraphe).

11. Antonio Segui (peintre). Il expose en exclusivité à la galerie Claude Bernard. Il a participé à différentes manifestations internationales.

12. Leonor Fini (peintre). Mondialement connue. Sa dernière rétrospective a été réalisée au musée du Luxembourg.

13. Margarita Zimmermann (chanteuse lyrique). Elle est accueillie dans les grandes salles européennes et dirigée par les plus prestigieux chefs d'orchestre et metteurs en scène.

Je regrette vivement de n'avoir pas réussi à rencontrer Daniel Barenboïm, Bruno Gelber, Marta Argerich, Julio Le Parc, Oscar Arais, Atahualpa Yupanqui.

« Moi, cher ami, je suis un artiste qui fait fi de notre dépendance culturelle vis-à-vis de l'Europe. »
Il rentre ! Après son échec retentissant à Paris.

GRACIELA SCHNEIER

LES VOLUTES DU SOUVENIR

entretien avec
ZINO DAVIDOFF

« Je suis arrivé à Buenos Aires en 1926. C'était un pays formidable, à la fin d'une époque (1926-1930), l'époque de Oro, où le peso argentin — qui est aujourd'hui complètement dévalué — valait 2,50 francs suisses.

« J'ai vécu dans le centre, dans la Calle Corrientes, puis à Bartolomé Mitre et... à Defensa. Cinquante ans plus tard, je n'ai pas reconnu les vastes avenues qui reliaient ma pension Castro à l'Hôtel Plaza, où j'étais descendu. J'étais très pauvre, en ce temps-là, et j'étais venu "faire" l'Amérique. J'ai voyagé trente-deux jours sur *El Asturias*, d'une compagnie anglaise. J'ai appris l'espagnol avec un prêtre pédéraste. Moi, j'aimais les filles. Quand je suis arrivé, je n'avais pas d'argent, mais je savais l'espagnol. Un capital acquis...

« Trois jours après, je travaillais à la Maison Picardo, comme spécialiste des tabacs. C'était la plus grande fabrique de tabac de Buenos Aires. Ils faisaient *"el cigarrillo 43"*. Ils voulaient innover, car ils n'avaient que du tabac noir 43. J'étais connaisseur en tabacs d'Orient : turcs, grecs, bulgares. Onassis, c'était le tabac grec. Je suis resté six ans en Amérique du Sud : quelques années à Buenos Aires et après à Cuba.

« L'Argentine était alors plus ou moins sous l'emprise anglaise : les grandes compagnies, l'argent, la vie. Les Argentins riches vivaient sur le modèle anglais ; on recherchait la société anglaise pour sa fortune et ses introductions. Ils se distinguaient des Galiciens ou des Ritals. Les Galiciens formaient la petite bourgeoisie, avec ses petits commerces, ses pensions de famille. Ce sont eux qui ont légué leur morale à l'Argentine. Tous très travailleurs et très bigots. Comme les Ritals, avec le papa, la mamma, la nonna, le nonno... Il y avait aussi les Juifs. On les appelait les "Polonais". On disait : "Voilà un Galicien, voilà un Polonais, voilà un Porteño." Le Porteño, c'était le must *criollo*, le must de l'élégance. Ceux qui travaillaient dans les bureaux gagnaient 80 pesos. Mais ils portaient des chemises de soie et des chaussures vernies. C'était ça aussi, leur condition d'Argentins.

« C'était la grande époque de Carlitos Gardel, avec ses tangos et ses orchestres hors du commun. C'est là que j'ai entendu la *Cumparsita,* pour la première fois. Ce fut un succès extraordinaire.

« A cette époque-là, l'activité se concentrait beaucoup sur la Calle Corrientes, avec ses dancings et sa vie nocturne. Mais c'était à La Boca que l'on dansait le plus et où se produisaient les meilleurs orchestres. C'étaient des gars tout simples qui avaient le tango dans le sang. Ils savaient jouer du bandonéon, le faire pleurer...

« La prostitution était énorme. On trouvait un bordel par pâté de maisons ; quatre par pâté, dans le centre. Une lanterne dans la rue ; les gens faisaient la queue.

« Mais, dans l'ensemble, dans ce pays catholique et très sévère, tout était bien différent de la vie d'aujourd'hui. Le jour où j'ai voulu sortir avec une femme, son frère est venu et m'a dit : "Si tu sors encore avec elle, je te flanque un coup de couteau. Il faut que tu viennes à la maison te présenter, après, tu pourras sortir officiellement." C'était comme cela. Il fallait entrer dans la famille. Sinon rien à faire. Ils étaient très fiers, les Argentins. Et c'était une époque de grande sensibilité. »

Genève, 1986. Davidoff a quatre-vingts ans. Nous sortons du café, où, à la mode portègne, il m'a conté son Argentine, en passant de l'espagnol au français et du présent au passé. A quelques pas de là, sa splendide boutique de cigares nous attend...

R. LE DOLEDEL

propos recueillis par
GRACIELA SCHNEIER

FRANCIS PLANQUE

L'ENVOÛTEMENT PORTÈGNE

Buenos Aires, hiver 1962. Premier contact avec les beaux quartiers de la banlieue nord. Par endroits, on dirait les rues d'une villégiature hors saison : maisons à vendre, jardins délaissés, peu ou pas de boutiques, rares jeunes gens bien peignés. Ici et là, un homme de peine ramasse les feuilles mortes, tournant le dos à une piscine qui laisse voir son eau glauque.

Qui habite ces lieux défraîchis avant l'âge ? Des possédants sur le déclin ? D'aimables paresseux occupés à dilapider leur héritage ? De pseudo-nouveaux riches ? En tout cas, le quartier abonde en adresses flatteuses, donne une impression de confort, malgré certains signes extérieurs de décrépitude. La bonne vie sans ostentation, loin des gesticulations lucratives. Impossible de penser aux banlieues élégantes de Chicago ou de Boston, à cause du petit nombre de voitures et de leur âge moyen très élevé. A cause, aussi, d'un laisser-aller tout latin dans l'entretien des chaussées et des trottoirs, le ravalement des maisons, la taille des haies.

Ailleurs, dans les banlieues industrielles, dans l'ouest sans grâce, ce serait plutôt Aubervilliers 1930. Cheminées d'usine à fumées vertes, décharges publiques en combustion lente qui répandent une âcre odeur de mort.

Dans les grands bidonvilles, tout proches des quartiers chics, les immigrants illégaux paraguayens et boliviens contemplent leurs braseros en silence. Ils sont Indiens, eux, Guaranis, Quechuas, la peau cuivrée, les yeux bridés, complètement étrangers à la ville 100 p. 100 blanche (aucun Noir, aucun Jaune à Buenos Aires, sauf des touristes). Graine de voleurs, ces Indiens illégaux, graine de prostituées ? Ou graine de main-d'œuvre non déclarée, bonniches, hommes et femmes de peine, musclés, doués pour les travaux pénibles, soumis, tout bénéfice pour l'employeur ?

C'EST L'HIVER ET ÇA VA MAL

A Paris, l'hiver austral, on ne sait pas ce que c'est. Mais le mauvais temps est bel et bien arrivé. Avril très frais. Nuits de mai glaciales (on est à contre-saison, c'est notre mois de novembre). Surprise : il faut chauffer dès quatre heures du soir.

Heure par heure, la télé entretient la psychose hivernale : « *la temperatura...* », « *con une humedad...* ». Souvent, l'humidité monte à 99. Près du río de la Plata, les murs de certaines villas ruissellent toutes les nuits.

Vers midi, le soleil a tout remis d'aplomb. *El solcito*, le petit soleil d'hiver. Assez fort, tout de même, pour faire passer sur la ville un frisson de bien-être. Dans Florida, dans Lavalle — rues piétonnières du centre où l'on se bouscule sans méchanceté — les employés de banque et les vendeuses de magasin sentent monter en eux une bouffée de plaisir : Buenos Aires, c'est tout de même ce qu'il y a de mieux.

Le même petit soleil, au hasard des quartiers, fait soupirer d'aise les mères de famille en pantoufles qui balayent le trottoir devant chez elles. Pas d'homme dans les jambes. Le meilleur moment de la journée. Entre voisines, les bavardages s'éternisent sur le chemin de l'école. Les enfants ne vont en classe que la demi-journée, ou le matin ou l'après-midi. Il paraît qu'en Europe, aux États-Unis, ces pauvres petits font la journée de huit heures, éloignés de leur maman du matin au soir. Quelle cruauté !

Sur les chantiers, les maçons sifflotent en surveillant leurs chapelets de saucisses odorantes et leurs biftecks grands comme des assiettes, qui grillent en plein air.

C'est l'hiver et ça va mal. Baisse alarmante du peso, baisse des exportations, journaux très pessimistes. En mars, à la fin de l'été, un pronunciamiento militaire a chassé le président élu. Le nouveau ministre de l'Économie vient de mettre les Argentins en garde : « *Hay que pasar el invierno.* » C'est l'hiver, et il va falloir se serrer la ceinture. Où allons-nous, mon Dieu, où allons-nous, soupirent les ménagères en regardant la télé.

L'ANGLE DES MAISONS ADOUCI PAR ORDONNANCE

Que faire le samedi et le dimanche à Buenos Aires, avec femme et enfants, au début de l'hiver, quand on est un étranger mal chauffé, à peine débarqué, parlant un mauvais espagnol, ne connaissant personne, ne roulant pas sur l'or ?

Pour commencer, vous pouvez partir à la découverte du quartier où le hasard vous a fait échouer. Quartier de Belgrano R. C'est le nom d'une station de chemin de fer, pas trop loin du collège français. Larges rues vides qui seraient des avenues à Paris, bordées de très grands arbres. Circulation presque nulle en dehors des quelques grands axes. De petites places ombragées où tourne un manège. En général, peu de monde. Surtout des arbres, partout des arbres.

Uniformité affolante des croisements, tous pareils, tous à angle droit. Le coin des maisons d'angle est adouci en pan coupé depuis une ordonnance de 1825 : il s'agissait de décourager les trop nombreux malandrins qui attendaient le passant attardé, tapis aux coins des rues, matraque ou couteau au poing. Maisons grises à un seul étage, certaines seulement le rez-de-chaussée. Ce sont les habitations du petit peuple qui va à pied et en autobus. Deux rues plus loin, vous tombez sur d'orgueilleuses demeures qui vous ramènent au Neuilly ou au Saint-Mandé des années 20.

Samedis cafardeux, pluvieux, venteux comme la Toussaint. On se met courageusement en route, papa, maman, un enfant à chaque main. Peu ou pas de voitures stationnées. La très faible occupation du sol vous fait chavirer dans un dépaysement sans fond. Rue Pampa, rue Juramento, vers 11 heures du matin, on doit croiser quatre ou cinq passants au kilomètre. Et sur combien de kilomètres se prolongent ces rues, droites comme des crayons ? On vous nomme une avenue de quinze kilomètres.

Ces braves gens qui n'ont même pas de voiture disposent de beaucoup plus d'espace que les vrais riches en France. Impression, par moments, de marcher dans une autre époque. Julien Sorel ou Frédéric Moreau nous attendent peut-être au coin de la rue.

Sauf les arbres, rien à regarder. Très rares passants, rares épiceries, pharmacies endormies. Aucun bruit ne sort des petites maisons. Où diable les habitants passent-ils leur samedi ? Bricolage familial ? L'amour derrière les persiennes ? Ils ne dorment tout de même pas en plein jour ? Ils ne sont pas tous dans les cinés de la rue Lavalle ?

PITTORESQUE : ZÉRO

De temps à autre passe un *colectivo*, vieil autobus ressemblant à un autocar d'avant-guerre, brinquebalant, portes ouvertes par tous les temps, le devant de la carrosserie peint en couleurs vives. Vous montez dedans, toute la famille. Sans but, pour voir du pays. Le colectivo saute et tressaute à chaque tour de roue dans les innombrables trous de la voirie. Quelques passagers, murés dans leur solitude, regardent défiler les maisons, écœurantes à force de modestie. On franchit d'antiques passages à niveau cahotants. A la fin, tout de même, aux grands carrefours, quelques embouteillages.

Un autre but de promenade, et en même temps, un moyen de se réchauffer les samedis sans soleil, c'est d'aller traîner dans l'aéroport des lignes intérieures, en plein centre. Les avions de la compagnie « Austral » portent d'énormes pingouins blanc et noir peints sur la carlingue. Ils descendent au bout du monde, vers Bahia Blanca, la Patagonie, les contreforts des Andes, jusqu'au détroit de Magellan, jusqu'en Terre de Feu. Comment ne pas rêver devant les pingouins d'Austral, porteurs d'un exotisme ignoré des Parisiens ? Plus au sud, ce doit être les ours blancs, le pôle Sud.

Buenos Aires, elle-même, hélas, n'a rien pour faire rêver l'étranger de passage. Exotisme : zéro. Pittoresque : zéro.

Et l'étranger qui s'installe, muni d'un contrat de plusieurs années ? Il s'interroge. La ville lui paraît, à l'évidence, informe, sans passé, déjà flétrie en beaucoup de ses parties. Qu'est-ce que les Porteños peuvent donc lui trouver d'incomparable ? La rue des vingt-cinq cinémas ? La cohue dans les pizzerias du centre à 11 heures du soir ? Le champ de courses géant de Palermo où les courses ont lieu le dimanche, de 10 heures du matin à 6 heures du soir ? Le cimetière non moins géant de la Chacarita, avec ses tombes qui sont des niches dans de haut murs ? Les milliers d'hôtels de passe et leurs blanchisseries spécialisées ? Ou la plus large avenue du monde et l'obélisque de béton en son milieu ? Ou bien quoi d'autre, d'un peu plus substantiel, d'un peu plus attirant ?

L'immigrant de bonne volonté se refuse à croire que les Porteños, si cosmopolites, si sociables, n'ont rien de spécial à lui proposer, à part de se faire portègne ; rien à lui dire, à part « buenos dias ».

DES QUARTIERS COMME AUTANT DE PROVINCES

Le beau temps arrive, bien avant le 21 septembre, jour du printemps, où les Porteños descendent dans la rue pour célébrer le retour définitif de leur ciel bleu.

Les voisins d'en face vous invitent à leur club, juste après le coin de la rue. Les installations couvrent près d'un hectare en pleine ville. Tennis, volley, hockey sur gazon, salle de gymnastique, piscine, jardin d'enfants. Quelque chose de britannique se dénote dans l'arrangement du club-house, dans le maintien correct et réservé des membres. Dans la rue suivante, un autre club, beaucoup plus petit. On y joue aux boules. Les joueurs arrivent en chaussons, sans cravate, ils sont bruyants, ils mangent des saucisses qu'ils cuisent en plein air, à la bonne franquette.

La ville est si vaste, si étirée, sa croissance a été si brutale, son homogénéité reste si précaire... Au lieu de dire : « Je suis de Buenos Aires », beaucoup disent : « Je suis de Florès, ou de San Isidro, de Ramos Mejia, d'Avellaneda ou de Quilmès. Ou de Belgrano. » Tout en proclamant à tout bout de champ leur qualité de Porteños, cela va de soi.

En fait, Buenos Aires tient la place d'une patrie, à la fois exigeante et généreuse. Elle englobe tous ses citoyens, elle leur donne à tous des genres de vie semblables sinon identiques, les mêmes façons de se nourrir, de se distraire, le même argot et le même accent, le même « *ché !* » répété à chaque phrase sans aucune justification logique, les mêmes partis pris, la même sensibilité. Les quartiers jouent alors de leurs particularismes en défense de l'individu, comme autant de provinces vis-à-vis de la patrie portègne.

Ce qui prédomine, ce qui compte à Buenos Aires, ce n'est certes pas le passé, à peu près inexistant. Ce n'est pas le patrimoine. Monuments chargés d'histoire : quasi néant ; voies tracées au long des siècles : néant ; musées prestigieux, bibliothèques, expositions : quasinéant. (Le théâtre sauve la vie culturelle, grâce au Colón, merveilleux opéra traditionnel, et à une cinquantaine de salles qui jouaient tous les soirs en 1962.)

Non, ce qui compte, c'est le voisinage, la communauté des façons de voir et de réagir, vécue jour après jour, l'entraide en cas de maladie, les joies et les soucis partagés, la vie du village européen reconstituée au sein de l'immense métropole.

Réaction de défense spontanée du nouvel arrivant éperdu, désorienté, qui voit le soleil au nord et se demande où peut bien être la campagne : rester groupés, trouver à se regrouper, délimiter un horizon à l'échelle humaine, sans trop penser au quadrillage affolant des rues et des avenues à l'infini, sans trop tenir compte du centre, là-bas, sans en dépendre. Vivre sur la frange des contraintes urbaines, en marge si possible. Se soustraire à leur pesanteur tout en essayant d'en profiter à l'occasion. Tous les Porteños n'expriment pas si crûment leur idéal de vie, mais la plupart s'en inspirent.

LES CÉNACLES DE LA MUSIQUE « DE L'INTÉRIEUR »

Peu à peu l'étranger s'introduit dans le réseau des associations, des petits cercles, où les Porteños se regroupent par origines ou par affinités. La *Sociedad Tradicionalista*, qui se réunit le samedi soir, rue Cucha Cucha et n'admet pas les femmes en pantalon. On n'y danse jamais le tango, mais les danses du Nord-Ouest argentin, où les cavaliers ne se touchent que par la main ou par un mouchoir, en glissant l'un autour de l'autre. Des couples de tous âges, légers comme des plumes, heureux, tournent dans la nuit tiède au son des guitares.

La *peña* de Fanny est un autre cénacle de la musique « de l'intérieur ». Chez Fanny, ancienne actrice au visage facilement tragique, on va s'asseoir à 11 heures du soir devant un verre de vin rouge. Des ampoules nues pendent du plafond, chaises et tables de bois blanc. Il est de bon ton de parler à voix basse. On s'ennuie tous ensemble jusqu'au milieu de la nuit, une trentaine de personnes, en remuant le moins possible. Vers les 1 heure, 1 heure et demie, quelqu'un dit : « Tiens, passe-moi donc cette guitare que je l'accorde. » Et c'est parti.

Musique, chansons, danses, ça ne s'arrêtera plus avant l'aube. Dans la pénombre, entre les murs sales, couverts d'autographes des plus grands musiciens du folklore argentin, les convives se mettent à communier dans la nostalgie des petites villes rurales, dans l'amour des immenses déserts minéraux. Les assiettes se remplissent de biftecks, les heures passent sans effort.

On s'arrache difficilement à l'envoûtement des nuits de Fanny. Le samedi matin, parfois, la nuit dure jusqu'à midi.

Bien d'autres lieux magiques. Les petites boîtes de tango, où se produisent les grands chanteurs et les grands musiciens, où l'on s'assoit pour écouter. Les toutes petites boîtes, très difficiles à trouver, où le tango se danse. On n'y vient jamais avec sa femme, impensable. Tout Porteño sait où est né le tango : dans les bordels du port, il n'y a pas si longtemps. Cent ans peut-être.

Et encore, les *confiterias*, un peu salons de thé, un peu grands cafés traditionnels. Lieux de rendez-vous des dames et des demoiselles de la classe moyenne. Petits gâteaux, sucreries, fruits confits. Tout en causant entre femmes, on s'en met plein la lampe.

LE TEMPS, GOUTTE À GOUTTE

Une chanson des années 60 faisait dire à un jeune homme plein de sombres pensées, en vrai Porteño : « *La vida se nos va como la tarde* » (la vie nous file entre les doigts comme l'après-midi).

Force est de reconnaître qu'à Buenos Aires, le temps ne s'écoule pas tout à fait de la même façon qu'en Europe ou en Amérique du Nord. Le temps portègne, lui, s'écoule délicieusement, goutte à goutte. Il conserve sa saveur, il se laisse apprécier. Moins de bousculade ? Sans doute. Moins d'autos dans les rues, moins de bruit, beaucoup plus d'espace ? Sûrement. Mais l'explication par ces causes triviales ne satisfait pas, elle ne suffit pas.

Le trésor des Porteños est ailleurs, il est dans leur art de vivre. De génération en génération, ils ont su développer, préserver cet art de vivre, ils l'ont enrichi, au fil des années faciles et des années difficiles. Et jusqu'ici, ils ont su le perpétuer.

Comme tout art de vivre, celui-ci consiste à apprivoiser le temps qui passe. C'est pourquoi personne n'a peut-être mieux parlé de Buenos Aires que Robert Musil, le Viennois, qui n'y est jamais allé. A propos d'un frère et d'une sœur qui se sentent bien ensemble, qui partagent la même façon de voir la vie, Musil écrit qu'entre eux, le temps coulait : « davantage en largeur qu'en longueur ».

C'est tout l'envoûtement portègne.

FRANCIS PLANQUE

Industriel. Auteur de *Au cœur des affaires*, Autrement, 1987.

GUY SUARÈS

PARIS-BUENOS AIRES OU LE TEMPS IMMOBILE

Évoquer Buenos Aires revient pour moi à lancer un caillou plat sur les eaux apparemment dormantes de la mémoire. De ces eaux lourdes et opaques s'élève un chant par lequel le mystère et la reconnaissance conjuguent cette part secrète de nous-mêmes, qui soudain s'éveille plus vivante, plus fraîche que jamais. C'est à l'âge de huit ans qu'en découvrant les rives du río de la Plata je découvris d'un même mouvement le sentiment de mon premier exil auquel ne cessa de répondre le jaillissement d'une inépuisable et déchirante tendresse, dont Buenos Aires n'a cessé de m'abreuver. Les dix années passées dans la cité portègne s'inscrivent dans ce temps immobile entre l'enfance et l'adolescence, où l'on quitte l'ignorance de la mort et où l'on découvre en la perdant tout ce que la vie qui s'ouvre détient de possibles : l'étendue de ses désastres, la munificence de ses ivresses.

Si Buenos Aires m'a permis d'éprouver l'exil, sa mélancolie, ses déchirements, elle a été avant toute chose celle qui avec pudeur et une générosité sans bornes m'a révélé le sens et la portée du don. Elle demeure la cité qui a su, dans la perpétuelle éclosion de sa lumière et de ses ombrages, me révéler le sens secret et fécond qui est le propre d'une terre d'asile. Asile pleinement ouvert aux êtres dans leurs différences, carrefour des cultures, qui par-delà l'Espagne, la *madre patria* et « son sentiment tragique de la vie », a choisi de n'être qu'offrande qui ne revendique ni comptes, ni raisons. Buenos Aires est la seule ville que je connaisse où être étranger demeure un privilège. Son port en témoigne avec ce qu'il implique d'échanges, de traversées, parcouru par d'autres psychologies, d'autres peuples qui y déversent leur mémoire et auquel le « porteño » restitue « ce-je-ne-sais-quoi », « ce presque-rien » sur lesquels toute vie prend son élan.

UNE AMOUREUSE PASSION

Je revois soudain l'enfant de neuf ans assis sur les marches d'une pension de famille dans la rue José Hernandez — le chantre de Martin Fierro — rue mystérieuse dont les maisons regorgeaient de bougainvilliers. Barrio de Belgrano où le silence semblait toujours au travail, comme on le dit d'une femme qui s'apprête à enfanter. Loin, me semblait-il des fureurs et des spasmes de la grande ville. Jacarandà dont je suivais un mois durant les amours et dont les fleurs naissaient le matin et mouraient à la tombée de la nuit. C'est dans la calle José Hernandez que je gagnais mes premiers titres de voyou, ayant rejoint une bande, la *del « russo »* (le juif) qui affrontait dans des combats sans pitié la bande des « nazis ». Nous avions installé notre quartier général dans le petit jardin de cette mélancolique pension hébergeant toutes les solitudes exilées de la lointaine Europe.

Écolier, lycéen au collège français de Buenos Aires je dois aux femmes qui m'ont préparé au certificat d'étude argentin, mères mythiques de nourricière tendresse, de m'avoir révélé leur amoureuse passion de la France. Elles m'apprenaient Sarmiento, Bolivar, San Martin, Belgrano, Rosas, sans cesser d'évoquer l'apport de la France à travers la Déclaration des Droits de l'Homme, qui selon elles avait permis à l'Argentine de façonner son Indépendance. Je n'ai pas oublié cet après-midi d'hiver austral où le peuple de Buenos Aires d'un même mouvement et d'un seul cœur, convergea vers la Plaza Francia, chantant, pleurant, hurlant ce qu'il faut bien appeler son amour de la France, à l'heure de la libération de Paris.

J'évoque ici un temps écoulé à travers l'objectivité absolue d'une subjectivité radicale, seule à pouvoir restituer la réalité essentielle. Barrancas de Belgrano, bois de Palermo, Rosedal, lieux magiques où le désir naissant baptisait des noms : Chichita la brune aux yeux de braise, Nidia aux cheveux de Loreleï, Rita aux rendez-vous furtifs, Marcela à la démarche chaloupée, que pris d'ivresse je tentais vainement d'imiter. Coups de cœur, poussées de délicieuses fièvres qui donnaient lieu à de plats et longs poèmes par lesquels Ronsard, Hugo, Lamartine qui ne m'avaient rien demandé, se retrouvaient plagiés.

LES 18 ANS LES PLUS BEAUX

Je dois reconnaître qu'entre 1941 et 1951 le Collège Français fut le creuset de multiples talents. Goscinny, Raphael Pividal, Falconetti pour ce qui est de la France. Norberto Auger, Enrico Cohen pour ce qui est de l'Argentine. Entre autres. Pour ne parler que de ceux que ma mémoire chancelante retrouve et qui ont marqué de leurs talents une génération.

C'est Nizan qui dans *Aden Arabie* interdit à quiconque d'affirmer qu'avoir vingt ans est le plus bel âge de la vie. J'en avais à peine dix-huit et je reconnais que s'ils furent pour moi parmi les plus beaux, les plus chargés de sens, de promesses, d'espérances, je le dois à Buenos Aires.

J'entrai au théâtre universitaire franco-argentin que dirigeait Simone Garma et qui avait à son palmarès *La Folle de Chaillot*, *Électre* de Giraudoux, *Le Dialogue des Carmélites* de G. Bernanos. C'est chez elle que je fis mes premiers pas d'acteur dans *Une Saison en Enfer* de Rimbaud et *L'État de Siège* d'Albert Camus. C'est bien Buenos Aires qui me fixa mon premier rendez-vous d'amour avec le théâtre. L'Institut d'art moderne que dirigeait de Ridder me donna les moyens de monter mon premier spectacle. Il s'agissait de *Paroles* de Jacques Prévert. Adolfo Mitre que l'on appellait affectueusement *El Gordo* — descendant du général Bartolomé Mitre qui écrivit un des chapitres les plus exaltants de l'histoire argentine tout en se donnant les moyens de traduire *La Divine Comédie* — Adolfo Mitre, critique d'art et de théâtre au journal *La Nacion* rendit compte de ce coup d'essai. Il le fit avec sa passion et sa générosité qui étaient grandes. Son papier amena dans la merveilleuse petite salle de la Calle Florida des étudiants bien sûr, mais aussi cette société *bonaerense* que je ne connaissais pas et qui n'avait jamais cessé de porter la France au cœur.

Victoria Ocampo directrice de la revue *Sur*, l'amie de Malraux, le soutien de Valéry pendant la guerre ; Gloria Alcorta le poète qui avait fait parvenir à Léon

Paul Fargues dans l'obscure nuit de l'occupation le poncho qui avait appartenu à son grand oncle le général Mancilla, auteur de *Una excursion a los indios Ranqueles* ; Manuel Mujica Lainez, Eduardo Mallea, Rafael Alberti, Maria Teresa Léon, José Bergamin, Roger Caillois, Bénichou, Denis de Rougemont, Jane Bathori, René Maril Albéres. Alberti et sa femme Maria Teresa organisaient des *tertulias* dans leur maison de Las Heras. Nous nous y rendions la nuit à peine tombée et y demeurions jusqu'à l'aube à dire des poèmes, à inventer des histoires pour rire et pour pleurer. En fait à nous aimer.

Trois grandes revues virent le jour qui permirent à l'Argentine et à la France d'éclairer les noces mystérieuses de deux cultures qui n'ont jamais cessé de dialoguer entre elles. *Lyra* que dirigeait Francisco Negrini, *Paris en America* d'Elena Artayeta et *Affinités* la seule revue franco-argentine distribuée dans toute l'Amérique latine, que Régine R. Suarès fonda dans les années cinquante et qu'elle dirigea jusqu'en 1972. On y trouvait les signatures de Maurois, Cocteau, Mauriac, Camus, Henri Mondor pour la France. Celles de Gloria Alcorta, Manuel Mujica Lainez, Angel Batistesa (traducteur de Claudel), Jorge Luis Borges, Ernesto Sabato, Eduardo Mallea pour l'Argentine. Entre autres.

Depuis 1951, date de mon retour en France, je ne me suis rendu que quatre fois à Buenos Aires. Quinze jours en 1955. Une dizaine de jours en 1968 au cours d'une tournée qui, à la demande d'André Malraux, devait me conduire au Brésil, en Uruguay et au Chili. Une huitaine de jours en 1973 et quelques heures en 1974 deux ans avant qu'à la terreur des Montoneros ne réponde l'horreur sans nom d'un pouvoir militaire, qui revendiquait comme seule légitimité l'enlèvement, la torture et le meurtre. Ce fut pour Buenos Aires, la bien-aimée, le temps de la nuit. Elle façonne aujourd'hui une aube nouvelle à travers son peuple et l'homme d'exception qui l'incarne, Raul Alfonsín.

J'ai au cours de ces brefs séjours parcouru les lieux qui veillèrent jadis sur mes premiers élans, mes premières passions et mes folles espérances. Ne planent sur eux que des ombres. Et ces brèves incursions me sont apparues comme de vains retours à la maison des morts. Mais je sais quelque part qu'ils demeurent plus vivants que jamais dans la seule réalité qui les transcende et qui relève d'une vivante, intemporelle mémoire.

GUY SUARÈS

PHOTOS DE MARCOS LOPEZ

Extrait de l'album de la famille Garcia habitant au 43, rue Bacacay, BA 1169.

NOS PLUS VIFS REMERCIEMENTS À AGATHE GAILLARD

ALICIA DUJOVNE ORTIZ

LA SERVANTE PATROCINIO OU LA MILANAISE VERTE

De tout temps, elle avait eu une servante. De tout temps (tandis qu'elle vivait à Buenos Aires) elle avait eu une servante. C'était un temps si long qu'il lui semblait même se souvenir des servantes de sa mère, de sa grand-mère : un défilé de femmes dont les couleurs différentes traçaient l'histoire du pays. Son arrière-grand-mère avait, sans aucun doute, été la dernière à avoir un chaperon noir, pour l'accompagner à l'église et porter son coussin ; mise sur son trente et un, la négrillonne, apprêtée sous sa mantille blanche et son sourire plein de confiance, parce qu'on la traitait comme une fille de la maison (bien qu'elle fût boule de suif). Et quand cette arrière-grand-mère échappa, par miracle, à la peste jaune, la servante, c'est probable, a été engloutie dans le lazaret, avec les milliers de bronzés que la peste avait décimés.

HISTOIRES DE LA GALICIENNE ET DES « PETITES CHINOISES »

Au début du siècle, sa grand-mère avait déjà hérité d'une servante galicienne : Isidora. Isidora avait marqué l'enfance de sa mère. Elle était de Lugo, petite, blonde, courte sur pattes, portant le cul bas typique des Galiciens. Elle avait un beau visage, et, sous les bras, de grandes auréoles de sueur témoignaient de sa méfiance du bain — « c'est mauvais pour les femmes » — et de son dur labeur. Aux commentaires du genre : « Mais, Isidora, quel travail ! », elle répondait, d'une moue convaincue : « On est là pour cha. »

Elle n'était pourtant pas seulement venue pour ça, de ses plages lointaines. Mais aussi pour se marier. Par contre, son fiancé, grand, athlétique, linotypiste et anarchiste (un dur de dur) l'aimait pour de bon, mais ses idées l'empêchaient de passer devant Monsieur le Curé ou devant Monsieur le Maire. Isidora finit, avec un infini chagrin, par s'en aller avec un autre, qui la mena à l'autel.

« Un p'tit dégueulâche », disait-elle, mais qui ouvrit boutique et prospéra. En comptant ses sous dans la caisse, Isidora se souviendrait-elle de l'anarchiste, costaud et baraqué, mais tellement tête de mule, quant à l'idéologie.

Pour notre héroïne, les histoires de servantes furent tout autres. Car, alors, toutes les Galiciennes étaient passées par l'autel, avec leur Galicien, et avaient ouvert boutique. Il ne restait pas de servantes galiciennes (tout juste quelques vieilles filles, dans le giron d'une cousine : Teresa, reine et esclave de ce foyer étranger, où elle se rétrécit peu à peu, et où, les derniers temps, désormais impotente, elle esssayait de coudre, de laver une assiette, jetant sans cesse des regards qui signifiaient : « Et maintenant ? Qu'est-ce qu'on va faire ? Vous chargerez-vous de ma mort ? »

De sa prime enfance, elle avait le souvenir d'une nounou blanche, venue de Buenos Aires : cas exceptionnel. Ensuite arriva le péronisme et, avec le péronisme, arrivèrent les « petites Chinoises » de l'intérieur. Ce fut une procession de jeunes filles de type indien « malines », « faux jeton », disait-on dans les familles, pour évoquer un comportement provincial, méfiant et biaiseur : pas facile, pour les patronnes de Buenos Aires d'extorquer des confidences des « petites têtes noires » ; elles cachaient toujours des histoires compliquées, des avortements, des bagarres dans les bals louches, enfin, ce n'était pas le « gratin ». Mais, à elle — l'adolescente —, les petites Chinoises venaient se confier : monde mystérieux et interdit des ragots de cuisine, monde cru du sexe, qui se révélait dans toute sa splendeur et sa misère.

Une grosse fille du Chaco[1] édentée, une fille coquette de Santiago, qui gaspillait son salaire en talons aiguille et en bas nylon, pour cacher les traces de piqûres sur les jambes (trait commun à elles toutes : des marques violettes sur la peau cuivrée, cicatrices de morsures ineffaçables, qui évoquaient de sauvages pâturages, « on ne sait où »), une Paraguayenne racontant avec douceur des anecdotes hérissantes, forgèrent son éducation sexuelle. Ce que la mère, sibylline Porteña de classe moyenne, insinuait à peine, la servante l'éclairait dans le détail. Grâce aux cuisines, toute une génération de demoiselles de Buenos Aires commença par se « déniaiser » et finit par se libérer : effet secondaire du péronisme, auquel peu de sociologues se sont attachés et que j'ose proposer ici, de ces pages, comme sujet de thèse.

NOM DE SCÈNE OU DE GUERRE : PATA

Peut-être parce qu'elle avait été la dernière de la série — avant que notre héroïne quittât le pays —, sans doute à cause de sa conscience aiguë d'elle-même, Patrocinio resta clouée dans sa mémoire.

Elle était de Salta[2], trapue, le buste large et les jambes courtes, mais pas comme Isidora, je veux dire pas à cause de son gaélique cul bas, mais parce que l'Argentin du Nord est généralement très carré : aussi large que haut. Elle avait les pommettes saillantes, les yeux bridés, un visage au teint sombre, élargi sur les bords. Au Tibet, ils l'auraient saluée dans la langue du cru. Elle n'avait pas de cou. Elle n'avait pas coupé ses cheveux et n'avait pas acheté de lunettes de soleil, deux signes qui, dans la petite tête noire de l'intérieur des terres, marquaient l'intention de s'assimiler à la capitale. Avec deux enfants en bas âge, un mari alcoolique et une maison en boîtes de conserve et carton, au bidonville, elle n'avait pas de temps pour ça.

Quand elle arriva, elle dit qu'elle s'appelait « Pata ».

Elle mit plusieurs mois à confesser le honni « Patrocinio ». Mais comment la patronne aurait-elle été surprise ? Toutes ces filles qui avaient été à son service, à peine quittaient-elles la province, qu'elles s'empressaient d'imaginer de nouveaux noms de guerre ou de scène, pour se libérer de l'ancien (exactement comme les juifs qui, en Israël, quittent Rebecca pour Osnath, ou Grégoire pour Guiora). Presque toutes, la fantaisie leur tournait la tête pour devenir des « Betty », pour se jucher sur un « Vicky ». Mais « Pata » !

Elle prit sa franchise à deux mains : « Le remède est pire que le mal. Tant que vous y étiez, pourquoi n'avoir pas choisi Patry, par exemple ? Non, Patry, ça fait "patriotique", mais, disons, Pady ? »

En voyant l'éclat de jouissance qui traversa son regard, elle comprit : Patrocinio ne pouvait pas s'appeler Pady. « Vous m'avez bien regardée, Madame ? »

Non, elle ne pouvait pas porter Pady. Elle s'était affublée de Pata, sans plus, dédaignant le prestige d'un surnom raffiné, ne se prenant pas elle-même au sérieux. Woody Allen de Santiago, Pata se moquait de Pata : de son mètre cinquante, de sa crinière épaisse, de sa carrure d'Indienne, de son large visage plus éclaté encore, de toute éternité, par ce rire protecteur. Patrocinio, la femme la plus réaliste et la moins larmoyante qui se sera trouvée sur la route de l'héroïne de ce récit. A côté d'elle, n'importe qui semblait un lecteur de romans à l'eau de rose, gluant de sentimentalisme.

POUR TROIS DENTS, UN TROU

Le coup du mari, par exemple. Se fréquentant dès l'enfance, ils étaient venus ensemble à Buenos Aires et ne pensaient pas se séparer. On ne se sépare pas de son pied ou de son oreille, même si l'un fait mal ou si l'autre démange. Le mari était là-bas, donc, dans la baraque, inébranlable dans son lit de sangles, impassible, dans la brèche du sommeil, aspirant à une sieste à vie, tout juste interrompue par de sporadiques sauts à l'usine — d'où, Dieu sait pourquoi, on ne le chassait pas —, par des sauts plus fréquents à la pétanque, d'où il revenait presque à coup sûr avec une dent en moins.

« Et vous ne le chassez pas ? »

Elle haussa les épaules :

« Où c'est que vous voulez qu'il aille ?

— Mais, il y a des coups ? De sa part, j'entends.

— Y voudrait bien ! Vous voyez pas, Madame, que je dors avec un morceau de tuyau d'arrosage gros comme ça, sous l'oreiller ? Y sait bien que s'y m'touche, j'l'éclate d'un coup de plastoc. A part que quand il est soûl, dites-moi d'où qu'il sortirait la force de cogner ? »

C'est ainsi qu'ils vivaient tous sur son dos. Sophistiqués, les menus :

« Hier soir, nous avons mangé de la milanaise verte.

— Une milanaise de légumes, vous voulez dire, Patita », douta la patronne, sachant que le végétarien pauvre, en Argentine, mmmm... c'est dur, dur.

Mais la Pata s'empressa de préciser qu'il n'était pas question de légumes.

« Au bidon, révéla-t-elle, quand il n'y a pas de quoi manger, nous prenons du maté cuit et nous appelons ça milanaise verte, pour se faire illusion. »

Et rebelote avec le rire. Pour trois dents, un trou. Curieuse et drôle, avec cette étrange patronne qui la faisait asseoir à sa table, elle qui, la première fois, s'était installée dans la cuisine, seule, avec son « bif », « plus seule qu'une espadrille de cul-de-jatte », avait-elle commenté, quand, à son grand étonnement, cette étrange patronne l'avait invitée dans la salle à manger.

BADABOUM AU BIDON

Étrange patronne qui, lui soutirant, entre deux bouchées, une conversation sur l'armée (on était sous le gouvernement de Videla), réveilla, en Patrocinio, le désir d'un récit :

« Vous auriez vu le bordel, hier soir, au bidon ! »

Elle mâchait, prolongeait les pauses, le suspense, souriant sous cape, savourant des paroles qu'elle laissait venir, en les retardant à plaisir.

L'autre (portègne, anxieuse et sentimentale) :

« Et alors ?

— Pas grand-chose. On roupillait, peinards, et tout à coup, toutes les gamelles s'entrechoquent comme si elles avaient la danse de Saint-Guy, vu ? Mon crétin de mari, ficelle, comme d'habitude, avait laissé la bouilloire sur le feu, badaboum, par terre. D'abord, j'ai pensé : un tremblement de terre.

— Ne soyez pas bête, Pata, à Buenos Aires, il n'y a pas de volcans.

— Justement. Du coup, j'attrape le tuyau, je cogne le mari un bon coup pour l'réveiller et l'autre, il ouvre un œil tout rouge et s'tourne cont'le mur. Comme toujours : lui faut une bonne pou' lui remettre son pantalon.

— Bon, abrégez, Pata. Qu'est-ce que vous avez fait ?

— Je m'suis foutu la couvrante su'l'dos et j'suis sortie, pour voir, qu'est-ce que vous voulez que je fasse ? Et quand j'ai eu vu, je m'en suis retournée, tambour battant. La peur vous donne des ailes, vu ?

— Mais, Pata, bon sang, qu'avez-vous vu ?

— Ben, des tanks.

— L'armée a envahi le bidon ?

— Envahir, tout juste ce qu'on appelle envahir, non, madame. Les trouffions tournaient et retournaient autour des maisons, pour nous faire peur, que je dis. On sait ce qu'on sait. Y s'agissait pas d'aller leur demander ce qu'ils voulaient, ou leur offrir un petit coup de maté, non ? Je suis rentrée me coucher, le plumard faisait prrr prrr. Moi, je priais qu'un soleil de minuit, tout allumé, ne nous tombe pas sur la tête, parce qu'avec les bouteilles de gaz qu'on a et les bicoques dernier modèle de Villa Tachito, on serait allés s'écraser à Calingasta. Vous imaginez, madame, vous qui êtes journaliste, les canards, effrayants comme i'sont (sauf vot'respect) : "Accident : le bidonville explose, plus de nouvelles." »

L'idée de s'évaporer en fumée avec sa Villa Tachito, son crétin, son soleil de minuit, sa matraque antimaris-bourrés, lui fit passer le churrasco[3] de travers. Elle pleura de rire, dut sécher son regard oblique, d'un coin de nappe.

COMMENT S'EN TIRER, SANS RÊVER DE GARDEL ?

Un jour, elle se présenta avec les mômes, en visite. La fillette devait avoir neuf ans, le gamin, sept. Ils étaient nippés pour la pause : vêtement rose pour l'une, azur, pour l'autre, la frange coupée au ciseau, d'un noir bleuté, chaussures neuves. Le petit commença à parler en minaudant. Il était mignon et extraordinairement efféminé. La sœur lui murmura quelque chose à l'oreille et Patrocinio me traduisit :

« Qu'il ne fasse pas le pédé, qu'elle lui a dit. La sœur a peur qu'y soye pédé ; parce que moi, je ne suis pas contre, je voudrais pas qu'il devienne brutal comme le père, vu ? »

Le gamin baissa les yeux, découvrant ses cils. La fillette lança un regard à la patronne, tout comme celui de sa mère, éclatant d'intelligence, féroce, entendu. Tous deux étaient de bons élèves, mais Pata payait des cours de guitare au gamin, « pour qu'y s'en sorte dans la vie ».

« Comme il ressemble à Palito Ortega... », s'expliqua-t-elle avec orgueil.

Notre héroïne la scruta, mais non : l'Indienne était sérieuse. « Sérieuse comme un chien dans une barque », aurait-elle dit elle-même, avec sa bonne contenance. Impossible : face au fruit de ses entrailles, Patrocinio perdait son sel et sa verve. Elle pouvait bien s'appeler Pata ; lui, par contre, pouvait aspirer aux cimes célestes d'un tel nom. Entre les dents de son sommeil, la milanaise verte devenait dorée. Comment pourrait-on se tirer du bidon, sans rêver de Gardel ?

(Traduit de l'espagnol par Tita Reut.)

ALICIA D'AMICO

ALICIA DUJOVNE ORTIZ
Écrivain

1. Département argentin.
2. Province d'Argentine.
3. Rôti de bœuf.

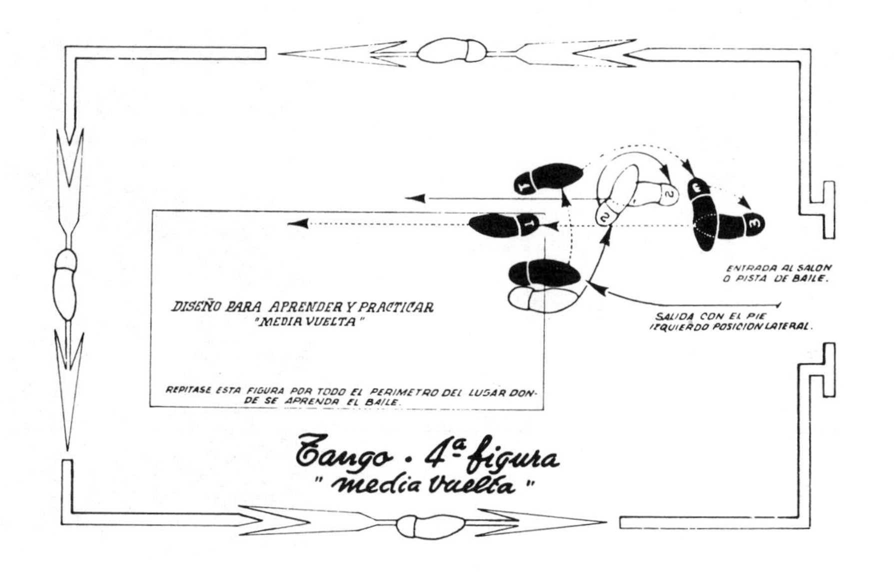
ENTRADA AL SALON
O PISTA DE BAILE.
SALIDA CON EL PIE
IZQUIERDO POSICION LATERAL.
DISEÑO PARA APRENDER Y PRACTICAR
"MEDIA VUELTA"
REPITASE ESTA FIGURA POR TODO EL PERIMETRO DEL LUGAR DON-
DE SE APRENDA EL BAILE.
Tango . 4ª figura
"media vuelta"

4

LES TROTTOIRS DU RÊVE

« Buenos Aires, fondée par Juan de Garay le 11 juin 1580, est astrologiquement placée sous le signe des Gémeaux et son double signe dans la faune zodiacale lui a donné le caractère « phénicien » qu'elle a le jour et le profil « grec » qu'elle a la nuit, climat de l'âme qui s'harmonise d'autant mieux avec le cœur des artistes et des fous que nous croyons à la nécessité d'avoir un grand laps de temps devant soi pour bénéficier de la grâce de penser et de l'art d'écouter. En dépit des principes moraux des gens de bonne foi mais peu informés de ce qui se passe dans la vie, il est certain qu'on a toujours trouvé et qu'on continue encore selon moi à trouver le plus sain de l'existence portègne dans la belle atmosphère de la nuit. » Horacio Ferrer. (Traduction de Françoise Rosset).

UNE MODERNE BABYLONE

entretien avec

ERNESTO SABATO

Écrivain, auteur de *Alejandra, L'Ange des ténèbres, Le Tunnel* (Éd. du Seuil)

Avec sa gare, son église, son club sportif et social, ses pâtés de maisons au cordeau, Santo Lugares ressemble à n'importe quel autre quartier de la périphérie de Buenos Aires. Mais, parmi cette multitude de maisons basses, aux toits plats, s'élève un cyprès majestueux, et derrière ce cyprès la maison d'Ernesto Sabato. J'étais venue pour l'interviewer. Mais celui-ci, de retour d'un long séjour en Europe, fatigué et débordé, a préféré prendre son temps et a répondu par écrit à mes questions, quelques semaines plus tard. A. R.-M.

Anne Rémiche-Martynow. - Quel est le Buenos Aires d'Ernesto Sabato ?
Ernesto Sabato. - Même quand il s'agit d'une petite ville, je crois que chacun de ses habitants a « sa » ville. Dans le cas d'une mégapole comme Buenos Aires, cette vision personnelle est accentuée. Et elle est encore plus accentuée quand la personne concernée est un écrivain. La vision de la réalité extérieure qu'offre un écrivain, un artiste, est essentiellement subjective, car l'art est l'expression d'un moi.

Et alors quel serait « votre » Buenos Aires ?
Pour le meilleur et pour le pire, l'Argentine contemporaine est un pays d'immigrants. Vers la fin du siècle dernier les intellectuels partisans du progrès qui nous gouvernaient jugèrent que ce pays alors désert devait être peuplé d'immigrants européens. Ils ont donc ouvert les portes du pays et encouragé l'immigration, ce qui a donné comme résultat l'Argentine actuelle et le Buenos Aires d'aujourd'hui, qui n'a pratiquement rien à voir avec les villes latino-américaines où cette immigration n'a pas eu lieu.

Pourquoi avez-vous dit : « pour le meilleur et pour le pire » ?
Parce que d'un côté cela a entraîné la modernisation du pays et l'a transformé en quelques décennies en l'un des pays les plus avancés du monde. Pour cela ces progressistes avaient raison. Mais d'un autre côté notre pays est devenu ainsi une zone de « fracture » : nous ne sommes ni l'Amérique latine à proprement parler, ni à proprement parler l'Europe. Nous sommes un pays angoissé et triste. Les Noirs ont apporté au Brésil la vitalité et la gaieté de leur race. Comparez un tango avec une samba brésilienne : le tango est dramatique, il parle de solitude et de mort, la samba est pleine d'euphorie. Par ailleurs, l'Argentine primitive n'a connu aucune grande civilisation indigène comme ce fut le cas pour le Mexique ou le Pérou. Ici, c'était un désert de plaines immenses et de hautes montagnes parcourues par des tribus nomades, comme le territoire des États-Unis. Donc il nous a manqué, à nous aussi, cet ingrédient d'une culture importante antérieure à la conquête. Évidemment la gigantesque opération de

l'immigration européenne en a été facilitée, mais cela nous a privés de certains attributs qui auraient pu être positifs.

Cela expliquerait la différence notable qui existe entre la littérature argentine et les autres littératures du continent.
Oui, bien sûr. On pense généralement, par exemple, que Borges est un écrivain européen. Ce qui n'est pas vrai non plus : c'est un écrivain argentin typique, avec tout le poids de la culture européenne mais aussi avec nos propres attributs ; car si l'immigration a été une vague irrésistible, tous les immigrants se sont retrouvés sur une terre nouvelle, absolument inconnue et loin de leur patrie, de leur sol natal. C'est pour cela que s'est développée ici cette tristesse qu'ont observée plusieurs penseurs, comme Ortega y Gasset ou le comte de Keyserling. Tristesse et nostalgie sont des attributs du nouvel Argentin. Et cette propension à la métaphysique qui naît de la solitude et du labyrinthe. La meilleure littérature argentine possède ces attributs, cette dimension métaphysique.

Tout ne fut donc pas mauvais dans ce processus.
Bien sûr que non, je n'ai jamais dit cela. Il a eu des conséquences importantes. Comme je l'ai déjà dit, vers les années 20 l'Argentine était le sixième pays du monde, non seulement pour l'alimentation et la santé mais aussi pour l'alphabétisation, quasi totale, pour son pourcentage d'étudiants universitaires, pour son taux de lecteurs. Mais je n'appartiens pas à cette catégorie d'Argentins qui oublient les facteurs négatifs. Encore une fois, combien aurais-je aimé que nous ayons la vitalité qui a fait de la musique nègre le phénomène le plus remarquable de la musique contemporaine !

Vous parlez de la musique. Trouvez-vous que le tango soit représentatif de Buenos Aires ?
Sans le moindre doute. Les paroles des plus grands tangos sont une espèce de faubourg de la littérature argentine et l'on y retrouve les mêmes thèmes métaphysiques : sentiment de solitude et d'incommunicabilité, obsession de la mort, sens dramatique de l'existence. Remarquez ceci : toutes les danses du monde sont extraverties, joyeuses. Le tango, lui, est au contraire triste ou mélancolique, introverti.

Comment s'explique l'énorme diffusion du tango dans le monde entier ?
Parce que dans le monde entier la condition humaine présente des attributs liés à la solitude et à la mort.

Vous aimez le tango ?
Bien sûr. Et comme tout écrivain argentin qui se respecte j'ai écrit deux ou trois tangos.

On sait que Borges lui aussi a écrit des tangos.
Oui, plusieurs.

Et ils sont bons ?
Très bons.

Dans un de vos romans vous parlez de Buenos Aires comme d'une moderne Babylone.
Oui, c'en est une. C'est une ville monstrueuse et labyrinthique. C'est pour cela qu'il est difficile de l'expliquer ou de la décrire autrement qu'au long de nombreux romans. L'« âme » de Buenos Aires est extrêmement compliquée.

Quels sont les endroits que vous préférez ?
Les quartiers les plus anciens. Les quartiers modernes ont tous les défauts de toutes les villes modernes du monde. Aliénés, déshumanisés, indifférenciés. Moi je défends l'homme de chair et d'os. Toute la civilisation actuelle est

l'ultime conséquence des fameux Temps Modernes, qui ont été inaugurés avec le règne idolâtre de la technique et de la science positive. Cette technolâtrie a entraîné la déshumanisation de l'homme, sa robotisation. C'est pour cela que je défends l'art contre la science : la science, avec son culte de l'objet, a fini par transformer l'homme lui-même en objet, en chose. L'art, en revanche, a toujours été anthropocentrique, il n'a jamais oublié l'homme de chair et d'os. Il n'y a pas de romans de tables, d'encriers ou de pianos : les romans sont toujours, par essence, des romans d'hommes. C'est pourquoi je pense aussi que la grande littérature actuelle est à la fois une expression de la crise totale de l'homme et une tentative de rédemption, de salut.

(Traduit de l'espagnol par Michel Bibard.)

propos recueillis par
ANNE RÉMICHE-MARTYNOW
Journaliste à RTBF

ERNESTO SCHOO

OÙ EST PASSÉ LE THÉÂTRE D'ANTAN ?

IL EXISTE À BUENOS AIRES UN VÉRITABLE POLYGONE CULTUREL QUI RELIE LES CINQ CENTRES ARTISTIQUES LES PLUS IMPORTANTS FINANCÉS PAR L'ÉTAT (LE THÉÂTRE COLÓN, LE CENTRE CULTUREL SAN MARTIN, LE THÉÂTRE CERVANTES, LE THÉÂTRE ALVEAR ET LE CENTRE CULTUREL DE BUENOS AIRES) ET DONT LE TERRITOIRE EST SPORADIQUEMENT ENVAHI PAR DES SPECTACLES D'AVANT-GARDE, DES EXPÉRIENCES NOUVELLES SE DÉROULANT EN PLEIN AIR. LE THÉÂTRE CAMINITO DE CECILIO MADANES, ENRACINÉ DANS LA TRADITION DU « CIRQUE *CRIOLLO* », EN ÉTAIT L'EXPRESSION LA PLUS CÉLÈBRE. LES PORTEÑOS, D'AILLEURS, ONT TOUJOURS BIEN ACCUEILLI LES INNOVATIONS CULTURELLES, COMME LE MONTRE LE SUCCÈS DES PROGRAMMES DE QUARTIER LANCÉS PAR LA MUNICIPALITÉ.

Avenue Corrientes, la rue insomniaque, et le bar Ondine, un lieu que le néon semble assombrir au lieu d'éclairer... Là est le « caravansérail » du milieu théâtral, du moins d'une de ses composantes, celle qui vit d'espoir, celle du plus grand nombre... Corrientes, pour les habitués de l'Ondine, est en quelque sorte le « boulevard de la désillusion ». Dans ce bar et dans les cafés voisins, comme le La Paz, se rassemblent les jeunes intellectuels non conformistes (que l'improbable appel d'un éditeur suffirait à rendre conformistes) ; acteurs, metteurs en scène, souffleurs (et aussi auteurs parfois) attendent l'opportunité, guettent le contrat, échangent informations et ragots, ou fabulent interminablement autour de situations passées et futures dont ils furent ou seront d'illustres protagonistes.

Buenos Aires, en effet, a été un lieu où prospérait le théâtre, un lieu riche en opportunités jusqu'à ce que sa dégradation progressive, surtout avec la crise économique, donne à la réalité une saveur amère. Sur les 5 000 membres que compte l'Association argentine des acteurs — un groupement actif et modérément de gauche — à peine si 5 p. 100 ont un travail stable, que ce soit au théâtre, à la télévision ou même dans la publicité commerciale. Les autres, ou ont d'autres activités, ou se résignent à errer en quête d'une scène où ils pourront exprimer des talents, multiples certes, mais qui trouvent difficilement une voie et les moyens d'être reconnus.

Pourtant l'affiche est imposante, pleine de titres qui par leur nombre peuvent rivaliser avec Paris et New York ; mais c'est un trompe-l'œil car chaque spectacle ne concerne que 2 acteurs tout au plus (plus de 3 et c'est l'infarctus pour l'impresario ou le producteur inexpérimenté) souvent un seul d'ailleurs car partout fleurissent les *one man shows* dans des monologues souvent astucieux sur l'actualité, entrecoupés de poèmes et de chansons. Sur la cinquantaine de salles annoncées dans les journaux, plus de la moitié sont des centres minuscules, des lieux improvisés, comme des caves de vieilles maisons, le siège d'associations de quartiers ou d'un syndicat, l'auditorium de l'université. Ils sont souvent bien peu confortables.

LA GRANDE ÉPOQUE DES INDÉPENDANTS

Il ne faut pas confondre pourtant la situation actuelle avec la fameuse époque du Théâtre Indépendant, entre les années 30 et 60, une époque où ce théâtre a produit des spectacles qui en nombre et en qualité surpassaient largement le théâtre commercial — le mal nommé — qui se pratiquait surtout dans l'avenue Corrientes, une sorte de théâtre de boulevard à la française.

Les Indépendants ont pu prospérer parce que la situation économique de l'Argentine le permettait. Ils étaient différents les uns des autres par l'âge ou la situation professionnelle, mais l'amour du bon théâtre les unissait, les rendait capables de travailler, de jour, dans un bureau ou un atelier, — de faire le courtier comme Hector Alterio[1] aujourd'hui connu internationalement, — et le soir de relever les manches pour transformer une cave en salle de théâtre, peindre des décors, vendre les billets, faire la publicité, tout en menant à bien répétitions, mise en scène, représentations d'œuvres d'auteurs aussi variés que Sophocle et Anouilh, Calderón et Tennessee Williams.

Louer une cave était alors relativement bon marché pour un collectif à moins que n'apparût un mécène capable de financer, ne serait-ce qu'en partie, la production, ou de prêter ses salons. La critique leur était favorable et le public présent, sachant que dans ces réduits « off Corrientes » il entendrait les meilleurs textes, les œuvres de l'avant-garde internationale, comme *En attendant Godot* que Buenos Aires a accueilli dès 1956... tout en payant moins cher les entrées.

Le Théâtre du Peuple (créé par le socialiste Leonidas Barletta qui, en dépit de ses opinions, disposait d'une salle et d'une subvention de la municipalité), La Máscara, La Cortina, le Nouveau Théâtre, Fray Mocho, l'Institut d'Art Moderne, Siembra, le Théâtre d'Architecture, ce sont ces groupes « indépendants » qui, presque tous disparus aujourd'hui, ont renouvelé indéniablement le produit commercial de l'avenue Corrientes.

Corrientes continue à être la caisse de résonance de la vie théâtrale à Buenos Aires et, par extension, étant donné le centralisme absorbant de la capitale, de toute l'Argentine. Tout un chacun — acteurs, metteurs en scène, auteurs — aspire à figurer sur les enseignes des marquises pleines de lumières et de couleurs de ses théâtres. L'avenue même et les rues voisines fourmillent de gens du spectacle, ceux qui sont arrivés, ceux qui espèrent arriver et ceux qui n'arriveront jamais. C'est ainsi que si le bar Ondine abrite les espoirs, le restaurant Zum Edelweiss de la rue Libertad, à 100 mètres de Corrientes, s'enorgueillit d'être le sanctuaire des vedettes consacrées. A chaque première d'une œuvre importante, les comédiens, les amis et ceux qui disent l'être prolongent leur soirée à l'Edelweiss.

Cette espèce de Sardi's new-yorkais était autrefois une brasserie classique, un typique restaurant allemand, avec aux murs d'abominables têtes de cerf empaillées, de petits espaces délimités par des panneaux de verre coloré, des tableaux de genre représentant de fringants buveurs de bière, une carte offrant essentiellement choucroutes et salades de pomme de terre. Aujourd'hui le décor survit mais les propriétaires sont espagnols et la carte est devenue internationale.

Une entrée triomphale à l'Edelweiss revient à affirmer un statut définitif, une petite gloire liée à de fréquentes mentions dans la chronique des journaux ou à l'insistance des chasseurs d'images qui, pour le compte de revues, poursuivent les célébrités la nuit. Que le patron tende la main à l'arrivant et le voilà marqué d'une distinction rare entraînant l'octroi immédiat d'une table. Si le garçon montre qu'il se souvient du client et le salue avec effusion, c'est une marque d'honneur encore plus rare pouvant susciter l'envie des curieux qui, toutes les nuits, remplissent ce lieu, non pour manger mais pour voir de près les vedettes en chair et en os.

L'Edelweiss n'accueille pas seulement le monde du théâtre, du cinéma ou de la télévision : les hommes politiques, les écrivains, les journalistes, les mannequins, les sportifs, passent aussi, ne seraitce qu'un moment, pour se faire voir. Les soirs de gala au théâtre Colón, qui est tout proche, des tensions se manifestent entre les habitués de l'Edelweiss et les élégants abonnés de l'opéra ou du ballet qui arrivent en bande, les smokings, les tenues Givenchy ou Saint-Laurent se mêlant aux blue jeans et pull-overs, lorsque les grandes divas (du temps où le Colón pouvait leur signer des contrats) comme Joan Sutherland, Teresa Berganza ou Beverly Sills, font leur entrée au milieu de leurs fans, disparaissant sous les fleurs et sous les applaudissements des clients et du personnel du restaurant.

L'INFLUENCE DE MADELEINE RENAUD ET JEAN-LOUIS BARRAULT

De telles magnificences — légèrement teintées de provincialisme, convenons-en — contrastent avec la saleté bien connue de nombreux restaurants de l'avenue Corrientes qui assouvissent d'un plat de nouilles servi sur une nappe en papier blanc et accompagné d'un vin abominable la faim de ceux qui aspirent à la gloire et qui, malgré la pénurie, continueront heureusement à le faire.

La précarité des conditions actuelles s'explique en partie par la recherche du succès avec un minimum de risque (comportement typique de tout entrepreneur en Argentine : ne parier que si l'on est sûr de gagner) et par la progressive disparition des anciennes salles de théâtre à cause de l'horreur de la ville pour son passé. Peuple sans histoire, l'Argentin a perdu le sens de la continuité historique, support indispensable d'une identité communautaire. Le théâtre de l'Odéon, semblable à celui de Paris, en est une illustration pathétique : construit à la fin du siècle dernier dans une variété de styles à la française et situé dans un endroit pittoresque et recherché, à l'angle de Corrientes et Esmeralda, son histoire coïncide pratiquement avec celle du spectacle à travers le monde au cours des 90 dernières années : il a vu Eleonora Duse, Anna Pavlova et sa troupe de ballet, le Piccolo Teatro de Milan, la Compagnie dei Giovani, Maria Guerrero et Fernando Diaz de Mendoza, Vera Vergain, Elvire Popesco, le cabaret de la Rose Rouge, la Compagnie Madeleine Renaud/Jean-Louis Barrault[2].

Il faut préciser que Madeleine Renaud et Jean-Louis Barrault, lors de leur première visite à Buenos Aires en 1950, ont fondamentalement rénové les techniques d'interprétation pratiquées en Argentine selon une tradition inspirée de l'Espagne et de l'école classique française (Marguerite Moreno, au début du siècle, dirigeait un cours d'art dramatique à Buenos Aires) et basée sur le dire, le bien dire : le timbre de la voix, les inflexions, l'expression orale des sentiments constituaient les seuls instruments significatifs ; acceptée pour les comiques et pour certains rôles, l'expression corporelle était dédaignée à cause de son manque d'élégance. Or Barrault avec sa technique particulière dérivée de la pantomime a soulevé l'enthousiasme des maîtres et des élèves argentins désireux de maîtriser cet instrument inconnu qu'était le corps. Toutefois, il serait injuste de passer sous silence les expériences pionnières dans ce domaine du théâtre indépendant et d'Antonio Cunill Cabañellas, un précurseur catalan de grand talent installé à Buenos Aires depuis la fin des années 20.

À LA RECHERCHE D'UN SECOND SOUFFLE

En 1936, sur le modèle de la Comédie-Française, se fonde la Comédie nationale argentine domiciliée dans le splendide théâtre Cervantes, un présent à la ville de Buenos Aires de deux excellents acteurs espagnols, Maria Guerrero et Fernando Diaz de Mendoza. (Le Cervantes offre une salle traditionnelle rouge et or qui, après une incendie lors du passage de la compagnie Renaud-Barrault, a été fidèlement reconstruite.)

Buenos Aires, en dehors du Colón, consacré à l'opéra et au ballet, possède un autre théâtre officiel relevant de la municipalité, le San Martin, inauguré il y a plus de vingt ans. C'est un immense complexe situé en plein milieu de l'avenue Corrientes et comprenant le théâtre proprement dit et de nombreuses salles. Aux environs de 19 heures, lorsque son grand hall central devient la scène de spectacles gratuits, de danse, marionnettes, musique classique, folklore, chansons populaires, 2 à 3 000 personnes se massent dans le théâtre, débordent sur l'avenue Corrientes, bloquant parfois la circulation. Alors, malgré les différences d'âge, de profession, de catégorie sociale, le public fusionne dans la jouissance, la joie de partager un espace et un temps qui lui appartiennent non pas comme une gracieuseté du pouvoir mais en tant qu'appropriation réaffirmée de la ville. Sans doute le San Martin est-il la seule institution officielle où le peuple argentin se sente chez lui. Un cas exceptionnel.

Au cours de ces cinquante dernières années, c'est-à-dire après la période dorée de 1890-1930, le théâtre en Argentine a vu diminuer son public, comme tous les autres grandes villes du monde d'ailleurs. Les Porteños aiment le théâtre sans aucun doute mais sans être prêts, pour lui, à faire de gros sacrifices et à y investir plus d'une ou deux entrées par mois. Pourtant le prix des billets n'est pas excessif — entre 5 et 10 dollars environ (une place de cinéma vaut à peu près 3 dollars) — ; il est encore plus bas dans les théâtres officiels qui ne peuvent autofinancer leurs spectacles ; en effet, après reversement des recettes, comme le veut la loi, dans un pot commun alimenté par diverses sources, chaque théâtre se voit attribuer un maigre budget, et seules les compagnies officielles reçoivent des subventions de l'État.

Malgré cette situation de pénurie, des pages entières de journaux sont consacrées à la publicité pour des cours d'art dramatique, et nombreux sont les jeunes qui s'en déclarent fièrement les élèves, et cela en dépit de l'inaptitude de la majorité des professeurs. Ce qui les pousse ? L'espoir improbable de devenir célèbres à la télévision ou au cinéma, si inexistant soit-il.

Pendant la période sombre du dernier gouvernement militaire (1976-1983), le théâtre a fait preuve d'une vitalité plus grande que les autres branches artistiques, sans doute grâce à une moindre virulence de la censure qui a surtout frappé le cinéma et la littérature. C'est ainsi qu'en 1981 a pu se créer le Théâtre Ouvert, une manifestation franchement contestataire de la tyrannie militaire qui y a répondu par le mystérieux incendie du théâtre du Picadero, le lieu où étaient représentées les pièces courtes qui composaient le répertoire du Théâtre Ouvert. C'était la seule force expressive s'opposant à la force répressive ; malgré l'incendie, les séances n'ont pas été suspendues. A partir de la lamentable guerre des Malouines qui annonçait le repli des militaires dans leurs casernes, la seconde édition du *Teatro Abierto* en 1982 a montré les premiers symptômes de décadence.

Aujourd'hui, le théâtre de Buenos Aires, donc de l'Argentine, n'a pas encore trouvé son nouveau souffle : il oscille entre la trivialité du théâtre de boulevard et l'ennuyeuse répétition des tragédies passées — dont personne, bien entendu, ne veut se souvenir...

(Traduit de l'espagnol par Hélène Le Doaré.)

ERNESTO SCHOO
Journaliste, critique d'art.

1. L'acteur de *L'Histoire officielle* de Luis Puenzo, 1985.
2. Une loi édictée en 1958 sous la présidence d'Arturo Frondisi imposait que tout théâtre en disparaissant devait être remplacé par un autre ayant les mêmes caractéristiques. Mais cette loi, comme il arrive fréquemment, n'a pas été appliquée, et des salles de cinéma, plus rentables, ont remplacé les théâtres.

BÉATRICE MUTEREL-ECHO

AL COLÓN !

Reflet d'une société de luxe entièrement influencée par l'Europe, le Teatro Colón est inauguré le 25 mai 1908 avec Aïda lors d'une soirée inoubliable. La bonne société avait besoin d'un lieu pour se retrouver, se montrer et se reconnaître. Ce lieu fut et demeure le Colón malgré les impacts de la modernisation et les crises économiques. Une soirée de gala au Colón permet de retrouver les visages d'une Argentine invisible et pourtant très puissante.

C'est seulement à partir de 1931, quand la direction du théâtre devient municipale et avec l'apport de nombreux artistes étrangers que le Colón connaît un essor exceptionnel et consolide ses troupes permanentes : orchestre, chœur et corps de ballet national avec Erich Kleiber de Berlin (contestant le régime d'Hitler), Fritz Busch de Dresde, et Albert Wolff de l'Opéra Comique de Paris qui introduit le répertoire français. Par la suite, et malgré des hauts et des bas, il a réussi à maintenir un niveau international qui le situe parmi les premiers opéras. Le Colón a formé des générations de chanteurs, danseurs, scénographes, musiciens très solides et le public suit et applaudit ou condamne avec exigence et passion.

Avec recueillement, on aborde le Colón par une entrée principale (rue Libertad) qui nous conduit au grand hall en marbre rouge de Vérone. Au premier étage, l'escalier d'honneur en marbre blanc de Carrare nous amène au merveilleux « Salon doré ».

LES ENTRAILLES DU NAVIRE

Avant d'entrer dans le salon blanc et dans les loges officielles, on salue avec respect les bustes de Verdi, Wagner, Beethoven, Mozart et Bizet. On évite la loge présidentielle, où ne peuvent entrer que 20 personnes qui, en cas d'alerte peuvent s'échapper par une sortie secrète, dissimulée dans les tentures de soie naturelle ; grâce à ce détail, on accède directement aux voies de sortie insoupçonnables.

La salle du théâtre Colón est de style français et italien, éblouissante par ses tons de velours rouges et mordorés. Une voûte la surplombe à 28 mètres de hauteur ; elle est sobrement décorée d'élégantes peintures d'un artiste argentin — Raul Soldi. Comme une toile d'araignée, un lustre de sept mètres de haut, avec ses 700 ampoules, monte et descend selon l'ambiance désirée. 3 500 spectateurs peuvent prendre place, s'ils se répartissent dans les loges et les fauteuils des six étages du théâtre. Le paradis, 7e étage, est tout aussi féerique. Le public est baigné de tons roses, rouges et dorés.

L'acoustique est considérée comme l'une des plus parfaites au monde.

« L'éléphant blanc », « l'île flottante », « le vaisseau fantôme »,

« l'usine mystérieuse », présente à peu près 200 spectacles par an.

Au début du siècle, tout l'équipement provenait de l'étranger. C'était un véritable luxe. En 1928, les ateliers de confection ont gagné le terrain des dépendances, et depuis, dans les profondeurs du théâtre, c'est une véritable usine où tout est fabriqué, monté, sculpté et brodé pour chaque spectacle. Au total 1 500 personnes.

Malgré son prestige, et bien que la salle soit comble à chaque représentation, ce n'est pas un théâtre dit « populaire ». C'est seulement à partir de 1984, grâce aux directeurs C. Madanes et A. Pini qu'on a essayé d'ouvrir le Colón au grand public : on a autorisé l'entrée sans cravate, on a organisé des matinées d'opéra le dimanche pour les enfants tout seuls (il fallait voir rentrer 3 000 écoliers comme en messe dans ce mythe) et on a organisé des saisons en plein air de concert avec l'orchestre permanent.

A l'heure actuelle cet objet de luxe coûte à l'Argentine l'équivalent du budget d'une province comme celle de Cataman. Le débat pour ou contre est ouvert... Mais... pourquoi ne pas payer pour un mythe ?

J. MENDEZ-EZCURRA

BÉATRICE MUTEREL-ECHO

HELMUT MERCIER

TV : ON FAIT LA « NEUF » AVEC DU VIEUX

Dix-neuf heures : comme la plupart des Argentins, allumez votre poste, à la recherche du journal télévisé, sur la 9e chaîne (canal 9), Nueve Diario, « Les deux visages de la vérité ». Ce savant cocktail vous permettra de vivre une approche différente de l'information et, peut-être, vous en dira long sur les particularités de la télévision argentine.

La neuvième chaîne étant la seule chaîne privée, elle jouit d'une liberté d'expression supérieure à celle des autres chaînes. Ajoutez-y une bonne dose d'opposition systématique, tendance droitière populiste. Mélangez avec une bonne dose de « chiens écrasés » et de presse à sensation, type : journaux spécialisés. Avant de secouer, éludez l'image du journaliste objectif : faites-le jouer, taper sur la table, distribuer des bons points (rarement) et surtout critiquer tout ce qui bouge. Vous aurez ainsi « Les deux visages de la vérité », une des émissions les plus populaires de la télévision argentine.

Mais avant cela encore, asseyez-vous devant le téléviseur, à 13 heures un samedi, sachant que vous allez affronter sept heures de programme sur cette même chaîne.

Après l'habituelle publicité, vous assisterez à « Musica Libertad » (Musique Liberté) : radio crochet réalisé par des 15-16 ans, chantant sur un play-back de leur choix. /PUB/ On enchaîne par un débat sur la crotoxine, drogue présumée guérir le cancer. Une femme de trente ans, le visage rongé par le cancer, témoigne. /PUB/ Jeu des 27 000 australs sur l'opéra italien, avec, à la clé, répartition humanitaire d'une partie des gains, pour un hôpital en quête de matériel. /PUB/ « Happy Birthday » prend la relève, mettant en scène les 103 ans, le gâteau, les bougies et la fête, en toute intimité. /PUB/ Autre concours : Evita Perón. Pour répondre aux questions, une des candidates a appris 400 discours d'Evita en 20 jours. /PUB/ En direct de l'aéroport d'Ezeiza. On assiste à l'arrivée de Mercedes Sosa qui accorde une interview exceptionnelle pendant son escale à Buenos Aires. /PUB/ 11 375 : numéro gagnant ! Un prix de 53 000 australs consacre les lauréats. /PUB/ Un « Mi Buenos Aires Querido » annonce que le tango va reprendre ses droits. Quelques danses folkloriques nous rappellent nos origines. /Inévitable PUB/ Le groupe Delirio fait son entrée. Il est formé de cinq super beaux garçons qui chantent très mal mais qui ont un grand succès à Buenos Aires. Pendant que je les observe, les filles aux permanentes hirsutes applaudissent, crient encore plus fort et s'arrachent les cheveux. Les pauvres garçons portègnes sont laissés de côté pendant que les jeunes Portoricains entrent en action. Leurs costumes brillants scintillent, et c'est parti pour douze minutes de délire. /PUB/ Tout à coup le costume et la cravate d'un chanteur espagnol de charme prend la place des cinq garçons « sexy ». Jorge Luis Perales se propose de gagner le cœur des femmes qui ont pris la place des jeunes filles aux maquillages excentriques. /PUB/ Maintenant parlons de choses sérieuses, débat sur le divorce. Six représentants de partis politiques différents sont assis sur le plateau. Cinq hommes et une femme, ils décident tous qu'ils sont en faveur du divorce. /PUB/ Arrive Luis Miguel — idole mexicaine —. Il accorde une interview. Enfin les caméras de Canal 9 ont l'autorisation de voir l'idole ! Sur le plateau toutes les filles respirent profondément pour ne pas s'évanouir et le beau Luis Miguel fait son entrée, sublime, élancé, bronzé, blond. Il vient d'avoir seize ans et il est beau comme au premier jour. Tout le monde se réunit sur le plateau et on assiste à un salut façon Michel Drucker.

Bonsoir la pub !

Seule source de financement de la télévision, mis à part les fonds que l'État verse de manière inégale, toutes les chaînes publiques (7, 11, 13) ou privée (9) sont donc inévitablement amenées à entrelarder leurs émissions de « pauses » publicitaires, d'une durée plus ou moins longue.

Les Argentins sont passés maîtres dans cet art. Au point même que, la plupart du temps, les émissions de la télé argentine présentent une tartine de publicité légèrement beurrée par le contenu de l'émission. L'information est également soumise à ce rythme : après une heure de journal télévisé, vous aurez moins d'informations que dans un journal français, la pub faisant le reste. C'est, comme l'affirme un patron de la télévision, « le miracle quotidien de la multiplication des pains », ou comment remplir un grand nombre d'émissions avec très peu de substance. Les patrons des différentes chaînes ont ainsi réussi le tour de force de créer une télévision à entractes : les séquences de publicité qui permettent la déambulation domestique. Dès que le son du poste baisse — la pub est toujours tonitruante —, on est averti de la reprise des programmes. Ainsi, par exemple, lors d'un récital donné au Colón (l'opéra de Buenos Aires), en hommage au maître du tango, Osvaldo Pugliese, 7 tangos sur les 17 joués sont passés à la râpe de la pub. C'est en suivant le concert à la radio que les téléspectateurs ont pu s'apercevoir de ce tour de prestidigitation.

La télévision argentine est aujourd'hui un miroir légèrement déformant des ambiguïtés propres à une démocratie en train de se faire. Il est ainsi remarquable de constater qu'il n'existe pratiquement aucun foyer dépourvu de récepteur. Avec 98 % de foyers équipés, le parc des téléviseurs est tellement important que le marché est saturé. « Ils n'ont pas de place pour mourir, mais leurs toits sont couverts d'antennes », voilà un commentaire typique de la classe moyenne à l'égard des habitants des bidonvilles. Une statistique récente a de quoi surprendre ce pays appauvri : l'Argentine est le pays qui a été le plus rapidement équipé de récepteurs couleur. En cinq ans (1980 à 1985), nous sommes passés de 200 000 appareils à 1,8 million ! Ce qui avait pris cinq ans au Japon, neuf en Allemagne, et dix en Espagne.

UN MODÈLE TÉLÉVISÉ CENTRALISATEUR ET COSMOPOLITE

À quelques exceptions près, le modèle télévisé se trouve à Buenos Aires : il est centralisateur et cosmopolite. A ce titre, il inonde le pays de sa mosaïque particulière où les pièces de théâtre, les journaux télévisés et les sketches dessinent un profil national minimal. 96 p. 100 des émissions de la télévision argentine sont produites et sélectionnées par la capitale portuaire. Ce qui entraîne une première distorsion : 60 p. 100 des Argentins — plus, en réalité, si nous tenons compte de la grande banlieue de Buenos Aires, où est massée, pour la plus grande partie, l'immigration intérieure, arrivée à différentes époques — avec leur problématique spécifique, leurs cultures, leurs régions, leurs projets, leurs aspirations, ne sont pas représentés à la télévision.

Actuellement, sur l'aire de Buenos Aires, cinq chaînes présentent, dans l'ensemble, plus de 410 heures de production par semaine, environ 500 programmes variés par mois, dont une dizaine seulement sont dignes d'intérêt. Pour l'instant, le pourcentage des productions nationales est assez réduit, au profit d'une augmentation de séries nord-américaines et de longs métrages nationaux et étrangers. Une vieille structure horaire de base, toujours en vigueur, propose : des émissions pour la femme et des dessins animés, le matin ; des informations, à midi ; l'après-midi, de très, très nombreuses pièces télévisées, quelques interviews et des banalités pour les gosses. Avec les journaux télévisés, on entame la programmation de nuit. Entre 21 heures et 23 heures, passent les programmes de grande écoute : divertissements, séries, variétés bas de gamme, reportages...

L'étatisation, d'abord, l'avènement des militaires ensuite, le partage, enfin, des chaînes, entre les forces armées, ont coupé l'élan d'une télévision argentine pleine de promesses à ses débuts, dans les années 50/60. Aujourd'hui, elle observe avec amertume sa sœur cadette brésilienne qui ose s'implanter en Europe, ou la télévision mexicaine, propriétaire d'un satellite — projet dont les Argentins ne formulent pas même l'hypothèse — ou, mieux encore, la télévision vénézuelienne qui a si bien su s'insérer dans le réseau hispanophone de l'Amérique du Nord.

Avec un cinéma renaissant et mondialement primé, avec une tradition littéraire enracinée et de qualité, on peut se demander pourquoi Buenos Aires n'a pas une télévision à la hauteur de ses traditions ou même de la modernité qui caractérise une partie de ses élites. Ou, peut-être, la télé argentine est-elle une synthèse des inconvénients de tous les systèmes : commerciale, sans être privée, publique, sans toutefois répondre à un projet national. Pourtant au moment même où la télévision s'empêtrait dans une contradiction opposant banalité commerciale et culture guindée, la radio, par contre, sut garder sa fraîcheur, sa qualité novatrice et technique, son courage, même.

HELMUT MERCIER

Avec la collaboration de Nora Mazziotti et Marie Zerda.

QUINO, *MAFALDA*

C'est fini les vacances.

Regarder par la fenêtre, c'est voir le pays à la télé.

Dommage que la télé ait de meilleurs programmes que le pays.

MICHEL GAFFRÉ

LA GUERRE DES PETITS PAPIERS

entretien avec
CALOI
Dessinateur, créateur de « Clemente ».

Buenos Aires, mai 1978. Le mundial bat son plein. Pour la junte militaire au pouvoir depuis deux ans, la grande fête populaire du sport est une miraculeuse opération politique. Une campagne est orchestrée, à travers la presse, la radio et la télévision, qui incite la population à être aimable avec les étrangers, à les traiter correctement, à ne pas abuser de leur confiance. Les taxis sont invités à éviter d'infliger de trop longues « balades » à leurs précieux clients. La télévision diffuse d'amusantes petites scénettes — des spots d'éducation civique — à ce jardin d'enfants de vingt-sept millions d'habitants qu'est l'Argentine.

On cherche également à limiter les manifestations d'euphorie dans les stades. Le Porteño est expansif surtout lorsqu'il s'agit de football, qui plus qu'un sport est une passion nationale. Le plaisir qu'il éprouve il l'exprime haut et fort, les stades sont donc des lieux de fête où l'on crie, on chante, on agite des banderoles, des rubans de toutes les couleurs, et où on jette au vent des milliers de petits papiers.

Mais les petits papiers, ça ne fait pas très propre. A la radio un célèbre commentateur sportif, José Maria Muñoz, fait la morale à ses concitoyens. Ne jetons pas de petits papiers, montrons que nous sommes disciplinés. Il ne faut pas gêner les joueurs étrangers qui ne sont pas habitués à évoluer dans de telles conditions, ou les spectateurs que cela pourrait indisposer...

Du haut de la dernière page du quotidien populaire à plus grand tirage d'Amérique latine, Clarin (Le Clairon), *un petit oiseau sans ailes piaille en contradiction avec toute cette propagande. Il sévit dans une bande dessinée de quatre cases entouré d'autres héros de papier qui satyrisent subtilement l'actualité du jour. Clemente*[1] *c'est le nom de notre personnage — coiffé d'un écouteur, polémique avec le « radioteur » appelé familièrement « Murioz » (selon la prononciation « gardelienne »), ou bien, un mouchoir noué aux quatre coins sur la tête, il se transforme en supporter type et dit : « Allez-y les gars, jetez des petits papiers ! »*

Ainsi, lors des matches contre la sélection argentine, on verra le public local brandir l'effigie de Clemente en inondant le stade de petits papiers.

Mais qui est donc cet animal bizarre ? Pour le savoir nous avons demandé à Carlos Loiseau (Tiens, vous avez dit « oiseau » ?), dit Caloi, de nous donner quelques précisions sur sa progéniture.

« Clemente est une bestiole indéfinissable. J'ai cherché avec ce personnage à utiliser l'absurde, afin de lui permettre d'entrer et de sortir de la réalité sans demander la permission à personne. Au début les lecteurs ne comprenaient pas ce que c'était, et puis, au fur et à mesure, ils l'ont accepté sans plus se poser de questions. Nous étions arrivés à une compréhension implicite. L'absurde s'était intégré au développement dramatique du personnage et en était devenu un élément naturel. A partir de ce moment-là tout était possible. Je pouvais suggérer des choses qu'autrement je n'aurais jamais pu exprimer compte tenu du climat de censure qui régnait à l'époque. Et puis c'est surtout ce que j'appellerais un humour ouvert dans la mesure où le lecteur y met le contenu qu'il désire.

« Avec Clemente, au cours de cette période de grande répression, j'ai essayé de révéler cette chaleur humaine qui habite notre peuple ; par exemple avec le langage. Clemente utilise la langue de la rue dans sa façon de prononcer certains mots. Je remplace, par exemple, le "LL" par un "Y", ce qui donne une prononciation typiquement populaire de Buenos Aires. J'utilise des valeurs qui distinguent notre mode de penser, de réagir, comme par exemple le football (prononcez "fulbo"). Clemente brandit la bannière des petits papiers, parce que c'est une manifestation distinctive des Argentins, leur manière à eux de participer au spectacle.

« Un espèce de code, une complicité s'est donc établie avec le public. Les supporters commencèrent à dessiner Clemente sur leurs drapeaux, à le citer dans leurs chansons.

« Les régisseurs du tableau électronique ont voulu, à leur tour, participer à cet enthousiasme collectif. Leur rôle était d'afficher les points et de diffuser la publicité des marques officielles qui étaient Café do Brazil et Coca-Cola. Mais, ils en avaient tellement marre de la pub pour le Café do Brazil que lorsque l'équipe du Brésil fut éliminée du championnat, Clemente est apparu en disant *"Calentito el café !"* (chaud, chaud le café !).

MALEVO, GALLEGO ET MULATONA

« Clemente est un module qui peut se transformer en n'importe quel personnage de la vie de Buenos Aires : s'il porte un chapeau, un foulard autour du cou et est adossé à un réverbère, c'est un *malevo,* c'est-à-dire un personnage de tango.

« Si je lui grossis les sourcils, lui ajoute une barbe, j'en fais un *gallego* (ancien habitant de Galicie, qui, en Argentine, joue un peu le rôle du Belge pour les Français). Parfois je le vieillis, avec une canne et des lunettes, ou au contraire l'affuble d'une tétine comme un bébé.

« Et puis il y a les personnages secondaires ou même "tertiaires" qui apparaissent puis disparaissent. Comme l'analyste ou bien *"l'interventor"*. A cette époque, les syndicats étaient "intervenus" par des fonctionnaires à la solde du pouvoir. J'ai donc créé ce personnage très rigide, très sévère, qui venait me contrôler les textes. Quand j'y repense, c'était plutôt audacieux, car il symbolisait un peu le régime.

« Il y a ensuite les sociétaires. Deux fiancées, oui, oui ! L'une s'appelle Mimi, c'est un canari qui représente la petite Française qui est un autre personnage de la mythologie de Buenos Aires. Elle évoque ces premières prostituées qui sont venues ici dans les années 30 et auxquelles ont été consacrés de nombreux tangos. Paradoxalement la relation de Clemente avec Mimi est assez platonique. L'autre fiancée, mais qui cette fois serait plutôt une maîtresse, c'est *la mulatona,* qui est une mulâtre typiquement latino-américaine. Très sexy, bien pourvue devant et derrière ! Ensuite, le fils de Clemente, ainsi que sa fille qui, bien que conçue avec Mimi qui est blonde, est née mulâtre, on se demande pourquoi.

« Je ne savais pas comment l'appeler, alors il m'est venu une idée qui était plutôt symbolique ; j'ai organisé des élections ! Il fallait découper un coupon qui disait "Je vote pour...", et le renvoyer avec le nom choisi.

« Lorsqu'on évoque ces petites audaces qui n'ont pas l'air bien méchantes, il faut se replonger dans le contexte. Juste après le *golpe* (coup d'État), la censure était draconienne. Tout le matériel était présenté au ministère de l'Information avec trois jours d'anticipation. Petit à petit, tout ça s'est flexibilisé, et si le responsable du journal avait des doutes, il téléphonait. Ensuite, à mesure que le régime perdait du terrain, tout le monde s'enhardissait, surtout les humoristes.

« Je pense que les gens se sont identifiés à mes personnages parce qu'ils disaient, de façon elliptique, ce que personne ne pouvait dire publiquement et que beaucoup pensaient tout bas. Dans des circonstances aussi tragiques, ne serait-ce pas, après tout, la fonction de l'humour ? »

propos introduits et recueillis par
MICHEL GAFFRÉ
Graphiste

---

1. Voir Clemente p. 132.

PHOTOS FACUNDO DE ZUVIRIA

NOS PLUS VIFS REMERCIEMENTS À AGATHE GAILLARD

Evita Perón « éternelle dans l'âme de son peuple ».

Le chapeau est fait pour la femme, comme la radio a été créée pour la voix de Gardel.

Dieu sauve la vache...

... et protège la vitrine d'Henri.

Les façades à la 8,66 (mesure-étalon) : un catalogue de géométrie, symétries, calligraphies variables.

Les chemins de la réussite : l'uniforme blanc de la maîtresse d'école et l'académie Pitman, le temple des cours du soir.

NICOLAS CASULLO

BARRAS BRAVAS

La scène se passe une nuit de novembre de l'année dernière dans le quartier de La Boca situé au sud de Buenos Aires. C'est une des zones les plus traditionnelles de la ville et peuplée depuis le XIXe siècle par des migrants venus de Gênes et de nombreux anarchistes étrangers. Cette nuit-là, où la chaleur annonçait l'été humide de la ville, des supporters de l'équipe de football de Boca, une cinquantaine de jeunes, cachés dans les parties sombres d'une place, attendaient le passage de la bande des fans du Racing, une autre vieille équipe de football fondée en 1903.

Il était onze heures et demie du soir ; le quartier s'étendait endormi près de son vieux port et des eaux de Riachuelo qui ont permis l'entrée des bateaux espagnols aux XVIe et XVIIe siècles. L'embuscade se passa comme prévu et l'affrontement des deux bandes eut lieu dans un coin de rue : coups de feu, éclairs de lames de couteaux ou de rasoirs, de chaînes zébrant l'obscurité entre les deux bandes aux couleurs de leurs équipes, des gens qui courent, des corps qui tombent et un garçon, au milieu de la rue, perdant son sang jusqu'à en mourir.

Ce jeune, comme tous ceux qui se sont donné rendez-vous dans ce lieu de violence nocturne, pourrait être le petit-fils de ces anciens émigrés de l'Europe ou le fils d'un de ces ouvriers criollos arrivés à Buenos Aires dans les années 40 à 60. Tous ont reçu en héritage la misère économique et la marginalité sociale. Une jeunesse en état de manque, sans travail, sans possibilité de faire des études, et convaincue du non-sens de la vie.

Ce sont ces jeunes qui forment les *barras bravas* de Buenos Aires et ses banlieues, une ville qui abrite, depuis plus de cinquante ans, six stades pouvant contenir chacun près de 75 000 personnes (Boca, River, Racing, Independiente, Huracán, Vélez) et six stades de moindre importance capables d'accueillir le samedi ou le dimanche 25 000 fanatiques. Autrement dit, une infrastructure à la mesure des 600 000 adeptes de ce sport qui fait partie de l'« âme nationale » ; il serait même difficile de comprendre l'histoire culturelle de l'Argentine moderne sans ces vingt-deux hommes en culottes courtes qui, depuis le début du XXe siècle, reproduisent tous les week-ends la scène mythique de la passion.

FOOTBALL, POLITIQUE ET TERREUR

Ces *barras bravas* commencent à apparaître dans les années 60, à une époque où la réunion spontanée des fans du football ordinaire qui peuplaient les tribunes est supplantée par la formation de groupes de 500 jeunes environ qui cherchent à se doter d'une identité les démarquant du reste du public des stades par des drapeaux, des chants inventés pour l'occasion et une forte agressivité envers la bande adverse.

Vers le milieu des années 70, ces groupes délaissent l'amateurisme et adoptent les caractéristiques d'une confrérie, d'une unité de choc et avec présence fixe. C'est alors que commencent les rixes, fondamentalement à cause d'une forte répression policière qui, très souvent d'ailleurs, retombe sur eux. Avec l'arrivée de la dictature militaire en 1976, les tribunes se politisent.

Cette dernière caractéristique relève d'un phénomène socio-culturel complexe. Sous l'anonymat de la foule des stades, les bandes, suivies en général par le public, improvisent des chants et des slogans hostiles au gouvernement militaire, donnant voix en quelque sorte aux secteurs les plus défavorisés ; une jeunesse qui s'identifie à travers cette manifestation « footballistique » au péronisme. De son côté, le gouvernement militaire hyperpolitise le football en cherchant à consolider sa stratégie idéologique de *fiesta y triunfo* grâce au championnat du monde de 1978 et à un appui sans équivoque aux clubs les plus importants.

Le gouvernement d'Alfonsín a réagi bien différemment lors de la victoire de l'équipe argentine au Mondial de Mexico, se gardant, même dans les nombreuses festivités de rues, de toute manifestation politique pouvant le lier à ce « triomphe sportif ».

Il s'est passé, au contraire, une chose tout à fait inhabituelle : près de cent cinquante supporters des équipes de Boca et Chacarita sont allés au Mexique soutenir les joueurs qui avaient été sélectionnés, et nul ne sait qui a financé ces ambassadeurs des stades. Pendant tout un mois, ils ont exporté au Mexique leur attirail, déguisements, rites, chansons, folklore et façons de vivre. Ils ont même provoqué parfois les hooligans dans des affrontements de rue qui se terminaient « entre gentlemen » par l'échange de leurs emblèmes ou de leurs trophées.

Dans ce contexte où s'opposent politique de contestation et politique de « cirque », les stades de football devinrent le seul espace possible de rassemblement massif autour du plaisir à voir marquer des buts. Il faut mentionner, en outre, deux autres données importantes. En premier lieu, la rapide aggravation de la crise socio-économique qui, frappant les couches les plus nombreuses du bas de l'échelle sociale, suscite de nouvelles formes de violence, des agressions quotidiennes, sournoises et hors du champ politique. En second lieu, la propagation d'une *culture de la mort* qui se généralise à partir du terrorisme de l'État militaire et qui a donné un autre visage à la société argentine : celui des idéologies de la peur, de l'insignifiance de la vie humaine, de l'impunité de l'agresseur, des procédés illégaux pour atteindre les « objectifs » fixés, du pays comme « territoire de guerre », du modèle des groupes paramilitaires terrorisant les habitants et disposant de leur vie ; toutes ces formes idéologiques ont profondément infiltré les relations sociales, un palliatif du vide politique. A l'intérieur de cette structure aux multiples facettes s'est peu à peu élaboré un épais bouillon de culture favorable à l'émergence des actuelles barras bravas.

Aujourd'hui, ces bandes sont assimilées à des *patotas*, dangereuses organisations de voyous. Ce sont des groupes structurés avec leur hiérarchie propre, des dirigeants, des leaders, un code, un langage et des valeurs particulières. Des noyaux de jeunes paraissant assumer définitivement le lieu qu'une société, une histoire récente, un pouvoir et les « gens de bien » leur ont assigné : le délit.

Un délit qui se confond avec le désordre, la révolte spontanée, une attitude de contestation sauvage, avec la criminalité, l'inadaptation sociale, le banditisme, un délit qui provoque une peur fantasmatique dans la bonne société bourgeoise, une peur sans nul doute légitime.

Les bandes de supporters sont l'expression, à Buenos Aires de la crise de la société urbaine, d'une époque au-delà de l'illusion, de la massification destructrice des solidarités sociales, de la nouvelle barbarie idéologique.

L'« AUTRE » VILLE

« Aucun d'entre nous qui participons à ces bandes n'oserait faire le moindre geste sans avoir pris de la drogue ou fumé de l'herbe. Par contre, après une bonne séance, on se sent tout-puissant. Comment alors hésiter à sauter quatre gradins d'une tribune, à provoquer la police, à lancer des pierres ou encore à faire un strip-tease en plein milieu du terrain de foot. La drogue vous met en mouvement, elle fait rêver et on ne se réveille pas. Dommage qu'il soit si difficile de s'en procurer. »

Ce sont là les mots d'un *patotero*, un voyou de quinze ans enfermé dans une prison pour mineurs et qui porte sur son bras trois lettres tatouées S D R, sexe, drogue et rock-and-roll.

Dans une partie découverte de Avellaneda, une zone située au sud de Buenos Aires, où se concentrent des usines, des cheminées, des entrepôts frigorifiques et des ateliers de métallurgie, deux bandes de supporters se donnent rendez-vous un après-midi d'hiver pour régler leurs comptes ; chacune composée de 300 garçons environ armés de chaînes, de bâtons, de couteaux et de quelques revolvers. La bataille dont le champ s'étend jusqu'à une station de chemin de fer voisine se termine par l'incendie de plusieurs wagons.

Dans le quartier populaire de Mataderos, au sud-est de la ville, à la fin du match, les supporters des deux équipes de seconde division, Chicago et Morón, se livrent un combat qui, malgré l'intervention de la police, dure plusieurs heures sur un périmètre recouvrant plusieurs rues. Bilan selon les journaux : un mort, 40 blessés, 160 arrestations. La plupart sont des mineurs.

« Nous les supporters, on n'a pas l'intention de blesser qui que ce soit ; les choses, on les fait après avoir fumé. Parfois, on prend un train pour voler des montres et si le propriétaire nous cherche noise et résiste, alors, pas d'autre solution que de le pousser et le jeter sur la voie. Je sais que c'est mal mais avec la bande, je me sens bien. Tu as besoin d'argent ? alors tu voles ; tu veux de la drogue ? tu la trouves. Ce sont des femmes que tu cherches ? tu les violes. »

La majeure partie des membres des bandes de supporters ou *patoteros* ont entre treize et vingt ans. Des adolescents, des jeunes venant des bas quartiers. Une vie quotidienne faite d'un travail épisodique mal payé, une vie de chômeur, sans école, sans études. Les bandes se rassemblent dans les coins de rue, sur les terrains vagues, dans les salles de billard des cafés. Ce qui les rassemble ? le manque d'argent, l'âge, le partage d'un paquet de cigarettes, la possibilité de se procurer de l'herbe, la bière.

Vers le nord, l'ouest et le sud, Buenos Aires intègre des zones suburbaines qui la transforment en un ensemble urbain de 13 millions d'habitants. Des zones avec leurs quartiers résidentiels, leurs belles demeures style californien avec jardin et piscine, des maisons de campagne ; avec leurs bidonvilles aussi, faits de logements en tôle sans eau et sans électricité. Là habitent les familles nombreuses, là sont implantées les cantines populaires, les paroisses chrétiennes de gauche ; c'est le ferment de nouvelles religions fondamentalistes, de ces sectes en nombre croissant et du culte Umbanda, d'origine afro-brésilienne, qui pratique la magie noire (ce culte a ouvert 200 nouveaux temples au cours de ces dix dernières années).

Vu de là, le centre de la ville paraît très loin avec ses petits palais style dix-neuvième français, ses gratte-ciel aux quarante étages recouverts de tapis ; cette Buenos Aires européanisée, début de siècle, avec ses quartiers aux belles allées d'arbres, ses places, restaurants, boutiques, avenues illuminées ; ses cafés aux élégantes chaises débordant sur le trottoir dans le style du Quartier Latin.

« Ce que je pense faire de ma vie ? Je n'en sais rien. Ce sont des choses auxquelles on ne pense plus. Vivre aujourd'hui, ne plus exister demain... Parfois, je pense que j'aimerais avoir beaucoup d'argent pour acheter tout ce que je veux. Ou m'en aller avec la bande, loin très loin. Mais lorsque je sors de mon rêve, je vois qu'il n'y a rien à attendre, que travailler ne sert à rien. On en a fini depuis longtemps avec l'histoire de l'homme honnête et travailleur et l'unique révolution possible c'est l'herbe qui la donne. J'ai alors envie de me tirer une balle ici, entre les deux yeux. »

LA VOIX DES SUPPORTERS

Le football, ce rite des samedi et dimanche, rassemble les bandes de supporters. Ils arrivent tous ensemble, en bruyante procession, quelques minutes avant le début du match principal et lorsque les quatre tribunes sont déjà combles. Ils ont un endroit réservé sur les gradins, qui se détache vide et blanc jusqu'à ce qu'ils arrivent sous les applaudissements des autres fans de chaque équipe.

Les grandes équipes de football ont des bandes de supporters qui peuvent dépasser les deux mille membres tandis que les équipes plus petites s'appuient sur des groupes de quatre cents jeunes environ. Beaucoup entrent dans le stade déguisés, portant tuniques, capes ou chapeaux gigantesques aux couleurs du club de leurs amours : bleu et jaune pour les sympathisants de Boca, bleu ciel et blanc pour ceux de River, rouge pour ceux de Independiente, etc. D'autres arrivent le torse nu, si la température le permet, foulards sur la tête, avec serpentins, mégaphones, et ces fameux sacs emplis de petits papiers qui seront jetés en l'air lors de l'apparition de l'équipe sur le terrain, prête à disputer le match : c'est la cérémonie pour les accueillir, pour les encourager.

Les *barras bravas* chantent pendant toute la durée du match : quatre-vingt-dix minutes sans interruption. C'est la loi. C'est le défi. Encourager les joueurs, les enflammer s'ils jouent bien, les menacer s'ils jouent mal ou s'ils risquent de perdre. La seconde mission est d'attaquer la bande de l'équipe adverse avec des chants et des poèmes.

Le répertoire des chansons des *barras bravas* est vaste, car chacune d'elle a son style poétique qu'elle coule dans les airs à la mode. Quant aux paroles, ce ne sont que pures agressions sexuelles : quand leur équipe marque un but ou gagne la partie, ils provoquent la bande adverse en chantant : « Oh la la, Oh la la / on te l'a bien mis là. » Si le match les oppose à une équipe de la province de Cordoba, leur chant d'entrée est du style : « Cordobes, Cordobes / Torchez-vous le cul / on va vous enculer. » L'adversaire est le Brésil ? « Le Brésil est en deuil, on le sait / tous noirs et tous pédés. » A tout moment, ils peuvent prendre comme refrain : « Une enculade, un pompier, choisissez, choisissez. »

A la fin du match, les bandes sortent du stade comme elles étaient entrées : ensemble et formant masse sous la sévère vigilance des policiers qui cherchent à éviter l'affrontement. Très souvent d'ailleurs, c'est entre la bande des supporters et la police que le choc a lieu. Parfois, et malgré les efforts des forces de l'ordre, les bandes arrivent à se rencontrer dans un coin de rue et luttent pour s'emparer des trophées, des drapeaux et des étendards de la bande ennemie (le courage des bandes se mesure au nombre de drapeaux conquis qu'elles peuvent brandir dans les tribunes, des symboles de victoire).

Les *barras bravas* en tant que problème et du football et de la société occupent depuis longtemps les colonnes des journaux. On y multiplie les commentaires, les analyses ; on nomme des commissions gouvernementales pour essayer de comprendre le phénomène ; on organise des tables rondes à la télévision, des réunions de dirigeants sportifs, des entrevues avec des joueurs qui, interrogés sur le sujet, cherchent à ménager la chèvre et le chou sans jamais condamner définitivement « les gars de la tribune ».

L'existence de ces bandes a acquis une telle force dans la vie des clubs que leurs chefs, leurs représentants, leurs porte-parole vont parlementer avec les joueurs et discuter sur les causes d'une mauvaise saison ; ils dialoguent avec les directeurs techniques exigeant des changements ou mieux une démission immédiate, aussi pour obtenir formellement que les commissions responsables des équipes les laissent entrer dans les stades sans payer et voyager à crédit pour assister aux matches se déroulant dans d'autres régions.

Tous accusent, personne n'apporte de solution. La ligne de partage entre les eaux de la légalité et de l'illégalité reste floue car si les bandes de supporters représentent un danger, elles sont aussi une affaire : main-d'œuvre bon marché, clientèle politique lors de l'élection annuelle des responsables de chaque club, présence stimulante dans les tribunes si l'équipe joue mal, s'il pleut ou si le match a lieu à des milliers de kilomètres de Buenos Aires, groupe de choc au besoin, hommes de confiance et gardes du corps des dirigeants.

Dans un entretien accordé à un journal de Buenos Aires, voici ce que disait le chef d'une de ces bandes : « Nous, on aime le foot, on aime les punks, on aime le rock, on aime parfois la violence, on aime que la passion nous submerge quelles qu'en soient les conséquences : la vie est si absurde qu'il faut bien s'inventer des voyages. Tout cela est une sorte de prostitution où on veut nous vendre Maradona pour nous faire oublier que ceux qui ont gagné ont déjà gagné et que nous, qui avons perdu, avons perdu pour toujours. »

(Traduit de l'espagnol par Hélène Le Doaré.)

NICOLAS CASULLO

Chercheur et écrivain.

NICOLAS CASULLO

LES NOUVELLES ÉGLISES

Liliana Gonzalez a dix-neuf ans et est employée dans une banque commerciale. En outre, elle est paroissienne du culte de Umbanda : elle pratique dans l'un des cent quatre-vingts temples umbandistes disséminés dans Buenos Aires et dans le reste du pays. « J'ai été baptisée, raconte-t-elle, en tant que pratiquante ; j'ai dû rester huit jours enfermée dans une chambre, mangeant et dormant sous l'invocation de Jansà (sainte Barbara), un de nos guides spirituels. Mon fiancé s'est inscrit à la paroisse et a été enfermé vingt-quatre heures seulement. »

L'umbandisme est une des multiples manifestations des nouvelles superstitions qui, depuis huit ou neuf ans, connaissent un essor incomparable à Buenos Aires. Culte importé de Porto Alegre, au Brésil, ses prêtres (Pai) et prêtresses (Mae) doivent attendre seize ans, pour être couronnés en tant que tels. *Ogum* (saint Georges), *Oxum* (Notre-Dame-de-la-Conception) évoquent le syncrétisme de ce culte, entre le christianisme et les tendances afro-brésiliennes.

On estime à 1 000 p. 100 la croissance des nouvelles sectes en Argentine, cette dernière décennie. Tous les deux ou trois mois, les dénommés Témoins de Jéhovah organisent leurs rituels de week-end (vendredi, samedi et dimanche) dans le plus grand stade de football de Buenos Aires : le stade de River, remplissant chaque jour les 75 000 places.

Pendant la cérémonie, une foule d'adeptes écoute les orateurs, en prenant des notes sur des carnets et des cahiers. Les disciples assistent ensuite au baptême de mille nouveaux adeptes par jour, immergés simultanément dans les vingt-huit piscines de toile installées au centre du terrain. Secte évangélique ayant son centre éditorial à New York, les Témoins annoncent que seul un petit troupeau (144 000 personnes) gagnera le ciel, quand le Christ redescendra sur terre.

De nombreuses sectes fondamentalistes se sont développées, ces dernières années, remplissant leurs temples de familles issues des couches moyennes et populaires. On évalue aujourd'hui à 600 ou 700 000 le nombre des personnes adhérents, directs ou indirects, aux différents cultes, tels que les Hare Krishna qui chantent 1 728 fois par jour le *mantra* de seize mots, la Mission de la Lumière divine avec ses centres appelés *ashrams*, l'Église Unificatrice (ou secte

Moon), émanant du multimillionnaire coréen Sun Muyun Moon, la Maison de la Plénitude, d'origine brésilienne, avec plus de 800 000 fidèles de ce pays, et la plus restreinte et la plus prohibée : les Enfants de Dieu, apocalyptique et anticommuniste, comme toutes les variantes fondamentalistes, dirigée par Moises Berg (appelé Mo), relié à ses disciples par courrier et par bulletins : culte où les jeunes filles sont convaincues de se transformer en « chair de Dieu » (prostitution contre argent, afin d'entretenir économiquement les groupes) et où les enfants nés de père inconnu sont adoptés et élevés au sein de la communauté, sous la dénomination de « bébés de Jésus ».

BOUGIES DE COULEUR ET BOUDDHAS EN ACRYLIQUE

Mais l'euphorie des nouvelles religions ne se limite pas aux temples et aux cultes ; elles sont désormais énergiquement commercialisées à Buenos Aires. Au terminus des chemins de fer et des métros, sur les places publiques et dans les zones populaires ont surgi sanctuaires et foires aux fétiches industrialisés. Des rosaires, des crucifix, des Bouddhas en acrylique, des pyramides égyptiennes en plastique, des vases aux fluides magiques, des encensoirs, des livres ésotériques, des talismans, des images incas, une littérature occultiste et astrologique, constituent un marché toujours plus vaste et dont les principaux consommateurs sont les jeunes de quinze à vingt-cinq ans.

Trois entreprises, situées en plein centre de Buenos Aires, produisent, avec un rendement toujours croissant la « lampe d'Aladin » et des « médailles » contre le mauvais œil, produits lancés toutes les semaines, dans les cinq principales revues populaires à grand tirage. Dans chacune de ces publications, 70 p. 100 de l'espace publicitaire annonce des gourous, des voyants, des tireurs de tarots, et des extra-lucides promettant une heureuse issue pour les problèmes amoureux, la guérison des maux, et du travail pour les chômeurs.

Dans les quatre principaux quotidiens de Buenos Aires, tous les jours, plus de cent sorciers et voyants offrent leurs services et incitent les affligés et les timides à changer leur destin. Les cabinets de consultation, temples où ces mystiques et parapsychologues accomplissent ce qu'ils nomment leur « travail spirituel », sont de petits sanctuaires généralement illuminés par des bougies de couleur et dominés par la statuette de quelque saint ou guide. La consultation peut varier de dix à quinze dollars, suivant la qualité et la renommée du gourou, maître ou Pai umbanda. On anticipe le futur, on déniche des hommes à aimer, on capte les harmonies, afin de récupérer les « énergies positives » et de contrecarrer les influx négatifs. La consultation sert aussi à se protéger contre la jalousie et contre les « ondes négatives » que nous transmettent nos ennemis.

Des sociologues et anthropologues des centres de recherche sociale commencent à se pencher sur ce phénomène nouveau. La presse sérieuse en est venue à rendre compte de ses succès et de son expansion progressive. Il alarme l'Église catholique argentine qui met en garde, officiellement, depuis quelques années, contre les dangers de tout ce « commerce mystique et occultiste ». Cependant, les sectes continuent leur croissance, dans le conglomérat urbain de Buenos Aires, et sur fond de crise sociale, économique, politique et idéologique. Juan Martinez, jeune militant politique du péronisme, explique : « Dans les grandes zones populaires et ouvrières, les activistes politiques ou les assistants sociaux de l'État sont progressivement remplacés par les envoûteurs, les gourous et les maîtres à penser, qui élargissent de jour en jour le consensus. »

Officiellement reconnues par le ministère des Relations extérieures et des Cultes, en Argentine, 1 950 organisations religieuses sont enregistrées appartenant à 35 cultes différents. Jusqu'en 1980, les organisations inscrites atteignaient à peine les 700. L'arrivée de « pères » ou de « guides spirituels » est toujours en progression. Ils viennent des États-Unis, font des tournées accélérées dans divers stades de foot de Buenos Aires et à l'intérieur du pays, brassant les foules. Leurs sermons se font en anglais, avec l'assistance de traducteurs. Deux programmes de télévision, tous les matins, projettent des émissions enregistrées à New York même, ou en Californie, familiarisant ainsi un public qui, par la suite, ira les écouter en personne, fraîchement arrivés du nord...

La nouvelle colonisation de l'Argentine se ferait-elle à présent, en anglais ?...

(Traduit de l'espagnol par Tita Reut.)

SALOMON RESNIK

LABYRINTHES

De passage à Buenos Aires, je me promenais dernièrement avec un ami et collègue dans la rue Corrientes qui était le centre de la vie de cet adolescent inquiet et curieux qui m'habite encore.

Je savais déjà pendant cette promenade, que je devrais écrire un article sur Freud à Buenos Aires.

Je marchais donc dans le temps de ma propre histoire, dans cette dimension-mémoire où un souvenir, un déjà-vu, apparaît personnifié en présence concrète ; j'étais pris ainsi par des images « réelles » qui se déroulaient comme un film elliptique et accéléré dans un moment crucial : ma rencontre avec Freud.

Freud aurait eu deux fois au cours de son existence l'occasion d'aller à Buenos Aires. La première se produisit avant 1890, pendant sa jeunesse ; à cette époque-là, Nothnagel, qui avec Meynert était l'un de ses premiers maîtres, lui avait vivement conseillé de se marier et de s'installer ailleurs, dans une ville comme Madrid ou Buenos Aires. La seconde eut lieu bien plus tard, lorsque la persécution antisémite commença à sévir à Vienne. Un groupe d'écrivains argentins lui proposa alors de se rendre en Argentine. Freud répondit en allemand à cette invitation par une lettre datée du 6 décembre 1933. En ce temps-là, Freud — comme bon nombre d'intellectuels juifs — affichait une certaine naïveté vis-à-vis de l'hitlérisme. Plus tard, ce sera grâce à la princesse Bonaparte qu'il pourra se réfugier à Londres, ville qu'il avait toujours admirée.

Si Buenos Aires n'a pas bénéficié de sa présence physique, elle n'en a pas moins subi son influence. La première fois que le nom de Freud m'est apparu c'est sur la couverture d'un livre intitulé *Freud et la vie sexuelle*. J'étais encore adolescent ; à côté de ce titre figurait le nom de l'auteur, celui qui me fit découvrir Freud, le Dr J. Gomez Nerea[1]. Je garde le souvenir vivace d'un dessin érotique représentant une femme nue, aux formes voluptueuses. Cette vision, vraie ou fausse, m'est restée : représentation ou souvenir-écran qui a éveillé mes instincts sexuels et « épistémophiliques » de l'époque.

C'est en faisant de la recherche archéologique dans une librairie de la rue Corrientes que l'un de mes amis trouva un livre de l'auteur précité. Ce livre — douzième tome d'une longue collection destinée à faire connaître Freud au grand public — s'appelait *Freud et l'hygiène sexuelle*. En ce temps-là, cet ouvrage se trouvait même en kiosque. La page de garde portait l'inscription suivante : « Freud à la portée de tous » *(Freud al alcance de todos)*.

En cette époque d'influence victorienne, l'initiation sexuelle était à la fois synonyme de stimulation et de panique. Des fantômes tels que les maladies vénériennes — surtout la syphilis —, voire la femme elle-même en temps que danger, ou le danger de la tentation, s'agitaient autour du sexe.

En pleine puberté, afin de nous familiariser «prudemment » avec le « virus » du sexe, on nous emmenait à l'Institut de prophylaxie, qui était alors dirigé par un homme renommé. Là, on nous projetait un film d'horreur apte à venir à bout des esprits les plus romantiques. Des images d'anciennes prostituées, d'hommes malades internés dans des asiles psychiatriques, défilaient sous nos yeux : ces gens payaient un tribut pour leur péché originel.

Un jour, alors que je passais mes vacances dans un petit village chez un oncle libraire qui lisait tous ses livres, je lui demandai s'il avait lu Freud, et si le pansexualisme[2] dont on le taxait était réel. Il me répondit négativement à cette dernière question, et m'assura que Freud était quelqu'un de très sérieux dont l'œuvre venait d'ailleurs d'être traduite en espagnol.

Je découvris donc ainsi, à la fin des années 40, les premiers volumes de ses œuvres complètes, parus en Espagne en 1922 avec une introduction de José Ortega y Gasset. La caution de ce grand philosophe représentait déjà une garantie pour moi. Freud — cet homme vénérable, à la barbe blanche, au regard à la fois aimable et intelligent — n'était donc pas un érotomane, mais un grand penseur, médecin et humaniste. L'édition de Biblioteca Nueva et la traduction de Luis Lopez-Ballesteros constituaient un événement : il s'agissait de l'une des premières traductions de Freud en langue étrangère.

Freud se frayait donc un chemin en Espagne et à travers le monde latino-américain, véhiculant un nouvel aperçu de la connaissance de l'homme « intérieur », de l'homme global, donc de la société et de son « intériorisation ». Et c'est ainsi que moi, à l'âge de dix-huit ans, je m'orientai vers la psychanalyse, comme nombre de jeunes gens de ma génération.

PANSEXUALISME ET EROS FREUDIEN

Dans les œuvres de Freud, c'est d'abord le sens du terme « pansexualisme » que j'ai exploré avec le plus de curiosité.

« La sexualité est importante ; cependant, ceux qui me critiquent en qualité de pansexualiste déforment ma pensée. Pour moi, la sexualité en psychanalyse correspond à l'Eros du divin Platon », écrit Freud dans son article intitulé « Trois essais sur la sexualité » (1905).

L'Eros freudien devait évidemment trouver son écho à Buenos Aires. Les accents nostalgiques du tango qui résonnaient dans les bars constituaient un fond sonore et donnait un cadre à celui qui éprouvait le besoin de raconter sa vie à l'autre : le psychanalyste.

A Buenos Aires, la catharsis est une institution publique. Que l'on soit homme ou femme, on cherche toujours quelqu'un, au hasard d'un café, dans un taxi, ou chez le coiffeur, pour établir un transfert — quelle que soit la nature de cette rencontre.

Notre génération de psychanalystes a bénéficié de l'« atmosphère » privilégiée de cette époque. Nous n'étions que dix ou douze inscrits à l'Institut de psychanalyse. Après les cours, nous allions dîner à la brasserie Adams, tout près de l'Institut. Professeurs et élèves restaient là jusqu'à une heure avancée de la nuit, à bavarder, à s'amuser, à se défouler, à se « purifier ».

Buenos Aires est une grande ville qui souffre d'insomnie, et le Porteño est un oiseau de nuit. Moi j'étais le Porteño type : j'aimais la nuit — mère d'Eros et de la lumière Phanes —, la rue Corrientes, le tango et les bars de Buenos Aires. Qu'il soit minuit ou une heure du matin, sans même se donner rendez-vous, on se retrouvait toujours dans des librairies — véritables salons propices au dialogue — qui restaient ouvertes jusqu'à deux heures du matin.

Comme autrefois à Madrid et à Paris, c'est dans les rues et les cafés que se rencontraient les gens de race et de culture différentes — immigrants et fils d'immigrants, exilés, esprits errants qui échangeaient leurs idées, partageaient leur nostalgie...

LA VILLE ET LE RÊVE

Pourquoi la psychanalyse a-t-elle joui d'un tel retentissement en Argentine dans ces années-là ? Un pourcentage élevé de la population de ce pays — qui comptait à l'époque vingt-quatre millions d'habitants — résidait à Buenos Aires. La capitale faisait figure de *leader*, ce qui a stimulé de manière non négligeable le narcissisme du Porteño. De surcroît, le rythme accéléré des activités de la vie quotidienne ainsi que l'échange ethnique le prédisposaient à rencontrer l'inattendu, le nouveau, le non-familier. Ce non-familier, partie intégrante de l'inquiétante étrangeté de la nuit, est une dimension essentielle de l'errance. Vaguant et divaguant, c'est au cours de ces promenades nocturnes que l'esprit inquiet entrait en contact avec l'aspect caché des apparences, l'inconscient de la ville.

Or, ce sens de la découverte, de l'aventure, de la recherche poétique, était lié à une certaine solitude, plus ou moins bien assumée par les fils de descendants d'immigrants, qui cherchent en état de veille la réalisation de leurs rêves. La nostalgie rêveuse qui se dégage également du tango correspond aux réminiscences d'un autre temps, d'un autre rythme, et surtout de quelque chose d'autre à rencontrer. Le temps est ici éternel présent, présent infini comme les trottoirs de Buenos Aires : lien labyrinthique qui s'introduit partout. C'est le même trottoir de Buenos Aires qui parcourt toute l'Argentine me disait mon ami Edgardo en parlant des nuits. Et il ajoutait que la nuit, le Porteño éprouve — comme Schéhérazade — le besoin de « se raconter » pour survivre. La psychanalyse de la ville est une métamorphose interminable comme dans *Les Mille et Une Nuits.* Le temps du rêve y joue un rôle primordial, que ce soit dans le sommeil ou dans la rêverie, c'est-à-dire dans toute rencontre imaginaire avec le réel. Au fond, comment assumerait-on la solitude s'il n'existait pas d'interlocuteur ? Comment le génie de conteur des écrivains latino-américains aurait-il pu se révéler sans ce besoin de « se raconter » à quelqu'un ?

L'un de nos écrivains les plus chers, Macedónio Fernández — que Borges considérait comme l'un de ses maîtres — a publié un livre sous le titre révélateur et parfaitement approprié au climat onirique de Buenos Aires : *No toda es vigilia la de los ojos abiertos* (Tout n'est pas veille lorsque l'on a les yeux ouverts). C'est la réalité plus que le rêve qui doit être mise en question... car, dit-il encore, « toute la réalité est ce que nous sommes, cet inconnu ».

L'Argentine est ouverte à l'étranger, à l'inconnu, aux idées nouvelles. Cette intégration culturelle et sociale s'est particulièrement manifestée au cours de la Deuxième Guerre mondiale pendant laquelle ce pays a joué le rôle de terre d'asile.

A cette époque, de nombreux artistes français y séjournèrent, participant à la promotion de la vie culturelle à Buenos Aires : Roger Caillois, qui enseignait à l'École des Hautes Études de Buenos Aires ; Falconetti (la Jeanne d'Arc des films de Dreyer) ; Louis Jouvet, qui joua dans un des théâtres renommés de la ville.

Je trouvais assez amusant que, dans ce Buenos Aires, des intellectuels français émigrés, tel mon ami Willy Baranger, professeur à l'École des Hautes Études, prennent — dans leur langue — des notes sur le cours que M. Pichon-Rivière (fils de Français) faisait en espagnol...

Vers décembre 1942, l'Association argentine de psychanalyse devient le centre de formation le plus important d'Amérique latine dont Enrique et Arminda Pichon-Rivière, Arnaldo et Luis Rascovsky sont le noyau fondateur. Les psychanalystes déploient à cette époque-là une activité très importante : avec Angel Garma (espagnol ayant fait ses études à Berlin avec Théodore Reik, contraint de résider à Buenos Aires à partir de 1938), et Celes Carcamo ; puis arrivent Marie Langer et plus tard Heinrich Racker, tous deux de Vienne.

J'ai moi-même eu le privilège de travailler en psychiatrie infantine avec le Dr Thelma Reca (qui avait fait ses études aux USA avec l'une des pionnières en la matière, Laureta Bender) et avec Arminda Pichon-Rivière (qui m'initia à la pensée de Mélanie Klein) en qualité de psychothérapeute pour enfants.

PSYCHANALYSE ET LIBERTÉ

Il y a vingt ans, pendant la période de dictature, une manifestation qui n'a rien perdu de son caractère avant-gardiste s'est produite à Buenos Aires. La nécessité de rencontrer l'autre était telle chez les psychanalystes, qu'ils organisèrent un congrès intitulé : « Le besoin de relation ou les relations entre les psychanalystes ».

Les psychanalystes, à l'instar des autres Argentins, ont souffert des différentes dictatures qui se sont succédé. Pour suivre une analyse — bien que les psychanalystes constituent une sorte d'« aristocratie » — une atmosphère de liberté est indispensable. Sans quoi, comment lever le voile de la restriction du surmoi ? Comment mettre une limite adéquate aux pulsions irréfreinables de la psychose ? L'équilibre humain ne peut retrouver toute sa latitude que dans un pays où le domaine culturel est à la fois perméable et rassurant.

L'Argentine est un pays fondamentalement démocratique. Aujourd'hui, avec un gouvernement qui représente l'esprit ouvert des Argentins, ceux-ci retrouvent leurs racines, leurs traditions sociales et leur aventure de départ.

La psychanalyse est par nature dialogante, mais il s'agit d'un dialogue très particulier au cours duquel la présence de l'un et de l'autre ainsi que l'atmosphère de rencontre, sont indissociables.

Être psychanalyste représente une démarche, une marche continue dans un parcours intérieur et extérieur à la fois, qui doit aller au rythme de son temps et de sa culture.

Chaque pays, chaque ville a sa propre façon de marcher, de « se retrouver » et de « se perdre »... A Buenos Aires et en Argentine, les immigrants devenus psychanalystes font partie d'un contexte social marqué par l'échange, où marcher dans la ville et marcher dans le temps ne sont qu'une seule et même histoire.

Une histoire qui pour moi, immigré en Europe depuis presque trente ans, ressemble à un itinéraire transsibérien (je suis d'origine russe). C'est en faisant appel à une nostalgie qui appartient à tout désir de vivre — même l'histoire à venir — que je me souviens d'un livre de Théodore Reik — l'un des élèves de Freud —, qui s'appelle *Trente ans avec Freud*... tout cela pour dire que cet article est une évocation de mes trente années « sans Freud à Buenos Aires ».

SALOMON RESNIK
Psychanalyste.

1. J'ignore encore si cet auteur est réel ou fictif.
2. Pansexualisme : préjugé populaire selon lequel la psychanalyse rapporte tout au sexe.

NORBERTO FOLINO

PETIT AGENDA FUNÈBRE

« Je mourrai à Buenos Aires
Ce sera à l'aurore
à l'heure où meurent
ceux qui savent mourir.
Dans mon silence flottera
la langueur parfumée
de ce vers
que jamais je n'ai pu t'écrire. »
Horacio Ferrer, *Ballade pour ma mort.*

LA VILLE-LINCEUL

« Je veux que mon cœur repose à Buenos Aires », dira le héros national argentin, libérateur du Pérou et du Chili, le général José de San Martin alors qu'il passait de longues années d'exil en France (où il mourut en 1850). Buenos Aires ne fut pas le théâtre de ses exploits politiques et militaires. Cependant, l'homme illustre coucha dans son testament le choix de cette destination finale pour son cœur.

A part un arbre, situé au voisinage immédiat de San Isidro et sous l'ombre charmante duquel San Martin aurait eu, face au fleuve, quelques entretiens d'ordre politique ou militaire..., Buenos Aires ne recèle aucun souvenir concret de son bref passage.

Dans les années 60, les restes de San Martin ne présidaient... qu'un parc de stationnement.

Curieusement, plus d'un siècle après le transfert de son corps à Buenos Aires, le monument funéraire se trouve toujours en dehors de l'enceinte consacrée de la cathédrale.

Ces faits illustrent à la fois l'attachement « viscéral » à la ville et le désir impérieux — pas toujours réalisé ! — d'un retour en son sein. Ces thèmes seront développés par de nombreux auteurs et, plus tard, transformés en lieux communs par les tangos.

Comme le chantait Carlos Gardel :

Quand je te reverrai, Buenos Aires,
s'effaceront à jamais peine et oubli. »

LE MORT-COUVERCLE

Le 24 juin 1935, Gardel mourait à Medellin, Colombie. La veille, lors d'une séance du Congrès, le sénateur Enzo Bordabehere — très lié au démocrate Lisandro de la Torre — était abattu par un homme à la solde des conservateurs. Lisez les journaux de l'époque : vous constaterez que la nouvelle qui fit sensation fut celle de la mort de Gardel. L'assassinat de Bordabehere passa au second plan.

Helvio Botana, fils du directeur du très important journal *Crítica*, rapporte dans ses *Mémoires* que le président Agustin P. Justo et son père, après avoir analysé froidement l'impact positif des images qui naissaient du culte voué à Gardel, décidèrent *ex professo* de retarder le retour de son corps, estimant que l'apothéose dont ce retour serait l'objet, aurait force de *couvercle* pour ce qu'on devait oublier, raison d'État oblige ! La mort de Gardel a-t-elle servi à distraire l'information de l'Assassinat, avec un A majuscule, de Bordabehere ?

Armando Defino, l'impresario de Gardel, part chercher le corps qui était, répétons-le, à Medellin, Colombie, et, pour cela, se dirige vers la France. En septembre, on retrouve sa trace à New York, puis au Venezuela et, en novembre, à Porto Rico.

Il arrive enfin à Medellin le 15 décembre, après avoir refait toutes les escales de la dernière tournée de Gardel. L'inhumation eut lieu à Buenos Aires le 6 février 1936, huit mois après la mort de Gardel, au moment où celle de Bordabehere n'était plus qu'un vague souvenir.

C'est lors des funérailles nationales du chanteur que l'entreprise chargée des obsèques inaugura la publicité mortuaire. La dernière voiture du cortège portait une affiche sur laquelle on pouvait lire : « Le service funèbre est offert gracieusement par la Maison Bisso. »

UN HAPPENING FUNÉRAIRE

Le monument du cimetière de la Chacarita qui reçoit le plus de visiteurs est celui qui renferme le corps de Gardel. Ce monument est surmonté d'une sculpture en bronze appelée, et cela peut paraître absurde, « le bronze qui sourit » ; mais ce raccourci possède toute la mesure d'une expression populaire car celui qui sourit est bien Gardel. Les visiteurs savent qu'il est magique et que c'est le seul bronze de Buenos Aires à avoir un mystère. Le bras droit du chanteur est replié sur sa poitrine et, à n'importe quelle heure du jour, monte la fumée d'une cigarette qu'il tient entre l'index et le majeur. En remplaçant les cigarettes consumées, les visiteurs contribuent à donner à la sculpture une touche romantique. Ce filet de fumée qui s'enroule autour des fleurs est la fantaisie, le don poétique d'un peuple qui croit que les bronzes ne sont pas que des bronzes.

La mort en couleurs

Le 28 janvier 1977 mourait le peintre du quartier de La Boca, à Buenos Aires, Benito Quinquela Martin. Sachons que, dès 1958, le peintre avait passé un contrat avec l'entreprise funéraire Cichero, installée depuis fort longtemps à La Boca. Il avait fait alors l'acquisition de son cercueil dans ce style qui lui est propre — couleurs vives et contrastées — et que l'on retrouve dans tout le quartier, depuis les peintures murales de la célèbre rue Caminito ou celles de la maison du compositeur Juan de Dios Filiberto, jusqu'à l'école Pedro de Mendoza, en passant par le musée des Arts et le jardin d'enfants... Le cercueil était gardé en réserve et tous ceux qui venaient passer une commande pouvaient le voir. Quinquela Martin orna le couvercle de son cercueil d'une barcasse, ces barques caractéristiques de La Boca. C'est donc une œuvre d'art avec, à l'intérieur, un cadavre qui, le lendemain de la mort de Quinquela Martin, passa devant une foule émue.

Les contes de la grand-mère Rosa

Grand-mère Rosa était centenaire. Elle aimait raconter des événements qui avaient eu lieu autrefois, dans le village de Calabre dont elle était originaire. L'histoire d'une jeune fille, dont la mort n'était pas réelle et qui fut enterrée vivante, avait excité l'imagination des habitants des environs pendant des décennies.

J'étais alors un enfant et je situais les récits de la grand-mère dans des terres lointaines, recouvertes d'une épaisse couche blanche... (Je n'avais jamais vu la neige.) Le thème de « l'enterré(e) vivant(e) » ne serait-il pas traditionnel dans la culture populaire (et dans l'autre) ? Écoutons plutôt...

Le 31 mai 1902 mourait à Buenos Aires, dans sa maison sise au 269 de la rue Montes de Oca, Rufina Cambaceres, descendante de Antonino Cambaceres — qui aurait fait fortune, au XIXe siècle, dans la viande salée et les cuirs. Ce 31 mai était un samedi, le décès se produisit le soir et l'enterrement fut décidé pour le lendemain dimanche, à 3 heures de l'après-midi. Les faits furent ainsi commentés dans la rubrique nécrologique du journal *La Prensa* :

La nouvelle du jour : *La profondeur du malheur est identique à la profondeur du bonheur dont il prend la place. La mort prématurée de Rufina Cambaceres, survenue hier après-midi, présente toutes les caractéristiques d'un deuil hors du commun, de ceux qui arrachent une protestation spontanée contre l'aveuglement du destin.*

Remarquablement douée, d'une beauté physique exceptionnelle, brillant au zénith de la haute société, dotée d'une fortune considérable et de qualités morales extraordinaires, Rufina Cambaceres disparaît le jour de son dix-neuvième anniversaire. Cette cruelle ironie met encore plus en relief ce malheureux coup du sort. Elle avait passé toute la journée d'hier à recevoir les marques les plus pures — celles que l'on réserve à de telles dates — de la tendresse des siens, et à partager ses heures ultimes avec ses meilleures amies. Elle s'était montrée joyeuse, affable, brillante et spirituelle. Pas le moindre soupçon de pressentiment n'était venu troubler la sérénité de ses joies innocentes. Elle avait franchi depuis peu les portes de l'enfance, et son entrée dans le monde avait soulevé des élans d'admiration. Hier soir, à l'instant même de sa mort, elle se préparait pour le théâtre, sans imaginer une seconde qu'elle se parait pour le sommeil éternel.

En réalité, Rufina fut victime d'une attaque de catalepsie. On l'enterra vivante. La nouvelle, accompagnée de détails terrifiants, se répandit dans toute la ville comme une traînée de poudre. L'homme chargé de l'entretien de la crypte dans laquelle était entreposé le cercueil remarqua l'étrange position de ce dernier et l'ouvrit : il découvrit une jeune Rufina dont le regard quémandait de l'air. Mais la bouche ouverte s'était figée en un rictus de mort. Le médecin de la famille nia ce que tous savaient. La mort véritable mit un point final à cette histoire.

En 1908, on fit construire un mausolée solide et massif dans le style alors en vogue appelé « art nouveau » : une jeune fille en marbre, d'une extrême beauté, est sur le point de franchir une fausse porte. Les yeux de la statue (ceux de Rufina ?) supplient qu'on ne la laisse pas seule.

1928

Le petit cortège funèbre, composé d'un corbillard et de deux voitures, avait franchi le pont et se dirigeait vers l'avenue América del Norte. La robe noire des chevaux étincelait et les bottes vernies du personnel en livrée rivalisaient d'éclat. Le cortège se trouva immobilisé au passage à niveau, sous un soleil brûlant. Les rideaux cachaient pudiquement le deuil des occupants des voitures. Malgré cela, des rayons de lumière filtraient par les interstices des rideaux.

Dans la première voiture, les trois amies de la défunte, Sara, Esther et Rebecca, exténuées, se parlaient peu. Elles observaient la longue queue qui s'était formée avec les tramways. Les chariots remplis de peaux et de ballots de laine, les coups de fouet des charretiers, les dais qui surmontaient les sièges des cochers pour les protéger du soleil... tout cela leur semblait appartenir à un monde étrange. Les barrières s'ouvrirent après le passage du train qui, avec son nuage de fumée et le bruit de sa locomotive, possédait — pour les amies sédentaires — le mystère de l'inconnu. Des Ford et des Oldsmobile dépassèrent les chevaux qui avaient repris leur trot. Le corbillard, tiré par un superbe attelage, avait été dépouillé de la croix.

La seconde voiture abritait des membres du « Syndicat », qui accompagnaient Sara, Esther et Rebecca. Le cortège s'arrêta devant l'entrée du cimetière d'Avellaneda, qui était « leur » cimetière. « Maria est la première d'entre nous à avoir trouvé la paix », dit Esther tandis que des hommes en livrée descendaient le cercueil du corbillard. « Maintenant, nous ne pourrons plus quitter le pays. Nous ne pouvons la laisser seule. »

Le cercueil fut transporté dans une salle située à gauche. Là, deux employées du Syndicat s'emparèrent de la dépouille et fermèrent les portes. Les femmes et les hommes furent enfermés dans une salle où, sous la direction d'un homme du Syndicat, ils rendirent grâce au Seigneur. Quand le cadavre de Maria, enveloppé dans un linceul, fut restitué ils le suivirent tous, en direction de la fosse.

Avec la dernière pelletée de terre, s'amorça le retour. Sara, Esther et Rebecca demandèrent quelques minutes pour aller commander une plaque qui porterait l'inscription « A Maria, ses amies de cœur ». Quand elles s'approchèrent des voitures, un homme dit : « Repos maintenant. Demain on ouvre de bonne heure. » Ce fut comme un signal, les trois femmes parlèrent à l'unisson :

« Tu ne penses qu'à ouvrir le bordel, espèce de fesse molle ! Tu aurais mieux fait de penser à appeler un médecin. Mais non ! Pour toi, Maria était triste et ne souffrait que de l'éloignement de notre village natal. Une bricole qui se guérit en ouvrant les jambes ! Nous savons maintenant que le moyen d'être libre, c'est la mort. Mourir, c'est comme prendre un bateau pour aller à la maison. Mourir, c'est ne plus te voir, toi et tes gens. »

Pâle, l'homme ferma la portière et fit un signe au cocher. Le fouet claqua. La voiture s'écarta de la bordure du trottoir et emprunta la rue pavée. Les sabots sonnèrent. Le véhicule oscilla. Par la lunette arrière, on pouvait voir les capelines et les chapeaux des femmes joints comme pour une prière.

(Traduit de l'espagnol par Françoise Thanas.)

NORBERTO FOLINO

Journaliste, érudit en culture populaire.

JORGE B. RIVERA

LA MURGA, OU LES DÉGUISEMENTS DE LA MORT

Le carnaval à Buenos Aires n'a certainement pas les dimensions de l'hécatombe grecque qui se renouvelle chaque année à Rio de Janeiro, du moins si l'on en croit les manchettes des journaux. Jamais il ne pourrait y avoir ces trois ou quatre cents victimes que la mort dissémine le long d'une semaine marquée par les mythes et la violence ; il n'a pas, bien entendu, cette atmosphère de communion, de fusion de diverses croyances qui caractérise le carnaval de Rio. Au contraire, il a, avec le temps, réduit son territoire et sa magnificence jusqu'à les confiner dans l'espace restreint des quartiers et villages suburbains (de ce qu'on appelle « la ceinture du Grand Buenos Aires »), un lieu où subsistent encore le petit corso de quartier, le *tablado* [1] et le défilé des *murgas* [2] ou groupes masqués ; une survivance d'un temps plus prospère.

Dans ce carnaval « relégué » (ou préservé) dans les banlieues constellées de bidonvilles et de vestiges d'importants établissements industriels qui, en d'autres temps, ont fourni de nombreux emplois et qui, aujourd'hui, rouillent irrémédiablement comme l'arsenal-fantôme du roman d'Onetti, la murga carnavalesque s'impose avec la richesse et la complexité d'éléments mêlés, violence, érotisme déguisé, jeu, scatologie et joie de vivre. Un sentiment qui fait alterner — comme le montre une analyse des symboles, des déguisements, des thèmes, des chants et de la structure générale de la fête — la tristesse et la joie, l'obscénité et l'observation fine et satirique de la réalité socio-économique, les catastrophes de la vie quotidienne et une sorte de revendication affirmée d'une identité populaire et de la participation communautaire ; et ce n'est pas par hasard que la plupart des murgas assument le rôle d'associations de quartiers qui cherchent à intégrer les habitants dans des actions de solidarité au-delà d'un simple carnaval.

LA GRAVITÉ DE LA FÊTE POPULAIRE

Il ne s'agit pas, comme dans le carnaval de Rio, d'un déploiement de costumes somptueux, d'un défilé interminable d'écoles de sambas au rythme de cette merveilleuse musique internationalement célèbre. Les murgas de Buenos Aires et de ses faubourgs sont beaucoup plus modestes même si parfois elles arrivent à rassembler et à vêtir avec une certaine richesse une centaine de personnages qui représentent les différents éléments de la formation. Il y a également peu de liens entre la fluidité et la variété rythmique et chorégraphique de la samba et le rythme répétitif et obsédant des diverses sortes de tambours joués par la murga argentine et qui servent d'accompagnement à une chorégraphie faite de contorsions et de mouvements spasmodiques curieusement semblables à ceux d'un automate sur le point de se désarticuler.

La murga portègne se trouve toujours aux frontières de la gaieté et de la gravité, et n'importe quel habitant de Buenos Aires peut témoigner que, vers la fin du régime militaire, il était encore dangereux d'entonner — comme le font les *murgueros* — certains chants virulents dirigés contre un président militaire, le désastre des Malouines ou la politique économique.

Le répertoire poétique des murgas dans les clubs ou sur les tablados ignore la légèreté des critiques et des plaisanteries des chants de la samba. Les paroles et les refrains interprétés par des groupes comme les « Mimados de la Paternal », les « Caprichosos de Villa Martelli » ou la murga du « Loco Gay » sont toujours très audacieux et par le contenu et par le langage, un héritage direct de la tradition de l'irrespect scatologique et de l'allusion obscène.

C'est presque une règle que les murgas, composées de gens de tous âges, appartenant à tous les métiers (souvent même à des familles entières), se rattachent indirectement à une tendance politique déterminée (les murgas « péronistes » sont bien entendu les plus nombreuses), à un quartier (Les « Mimados de la Paternal » par exemple), ou à un club de football (c'est le cas du centre murga les « Funebreros de San Martin »). Ces différentes appartenances provoquent des rivalités qui peuvent éclater en plein défilé et provoquer blessures et meurtrissures qui entretiennent et préparent les revanches des carnavals futurs.

Il arrive aussi que certaines murgas liées à des équipes de football intègrent des membres des bandes de leurs supporters qui ont alors recours aux formes de solidarité et de réciprocité pratiquées au bénéfice des victimes de la violence entourant ce sport pour aider la famille de celui des leurs blessé par une bande rivale ou emprisonné par la police.

UN GAI PERSONNAGE DANS UN CERCUEIL

Dans la vieille culture populaire du Moyen Age, le recours à des formes terrifiantes ou grotesques n'avait pas pour but de « faire peur » par la truculence de ses cérémonies mais de rappeler la profonde ambivalence des choses. La murga est de la même veine dans son irrévérence et sa volonté de désacraliser les vérités et les hiérarchies du monde « officiel » en parodiant ses tabous et ses symboles élevés à la hauteur de mythes.

Mort, rire, humour grossier, érotisme, mascarade, violence, joie de vivre, travesti équivoque, obscénité et critique politique, tout cela se mêle dans cette théâtralisation pleine de sève, multiforme, dans cette farce faite d'éléments hétérogènes explicités et mis en scène par la murga et les spectacles de rue au milieu d'une atmosphère de fête de « pauvres », un lieu de fusion, d'union.

(Traduit de l'espagnol par Hélène Le Doaré.)

1. *Tablado* : n'a pas d'équivalent en français. Ces tréteaux pourraient rappeler les planches sur lesquelles se produisaient les bateleurs du Moyen Age.

2. *Murga* : ensemble de gens masqués et revêtus de vêtements humoristiques jouant une musique bruyante et dissonante.

JORGE B. RIVERA
Journaliste et écrivain

ALICIA D'AMICO

De retour à la place. En 1973, après 18 ans d'exil de Perón, on décroche les tableaux et on fait prendre l'air aux symboles.

E. MOURA. GAMMA

ATLANTIDA. GAMMA

Les Porteños sortent de leurs quartiers périphériques et affluent vers le centre (1973).

ALICIA D'AMICO

L'arbre aux saucisses.

PIGNATI-MONTI. RAPHO

En 1973 comme en 1983, c'est la place de Mai que l'on occupe.

E. MOURA. GAMMA

ALICIA DUJOVNE ORTIZ

AU COIN DE LA RUE, L'AMOUR

Une jeune femme se promène dans Buenos Aires avec un air de fantôme. A son visage, à son accent, on devine qu'elle est Argentine, mais pas à sa démarche : hésitante et lointaine (tout étranger est comme le Christ marchant sur les eaux), elle semble planer à dix centimètres du sol. Mais ce n'est pas cela qui surprend. Depuis Alfonsin, il suffit aux Porteños d'un seul coup d'œil pour comprendre qu'il ne s'agit pas dans ces cas-là d'un miracle mais d'un simple retour au foyer. Une Argentine avec ces apesanteurs ou lévitations d'étrangère ? Une expatriée qui revient d'exil !

Ce qui surprend ce n'est donc pas sa démarche flottante mais le vêtement qu'elle porte. Oubliant la façon uniforme de s'habiller de ses compatriotes, leur peur du ridicule, typique de l'Amérique du Sud (en hiver tous les Porteños sont en bleu marine, en jeans ou en blouson s'ils sont jeunes ou pauvres, sinon en blazer à l'anglaise), elle s'est enveloppée dans une cape noire achetée à Paris (mais pas chez Dior). Elle a passé plusieurs années parmi des indifférents pour qui une cape n'avait rien de surprenant. Plusieurs années qui l'ont rendue invisible, même à ses propres yeux. Et soudain elle foule son sol natal et elle s'aperçoit qu'elle est là, qu'elle existe encore : comme dans le tango, « on s'arrête pour la r'garder ». Les envolées de sa cape créent autour d'elle des cercles, de silence d'abord puis de commentaires amusés : « T'as vu Zorro ! », « Eh ! petite, c'est toi le Vampire Noir ? ». Ou avec un certain ton grave et profond qui agite en elle des vagues de souvenirs : « Toi, tu caches quelque chose sous ton poncho. »

Ah ! Émerveillée, ravie, elle se laisse envahir par ses souvenirs. En un temps lointain, dans ces rues portègnes, on lui a crié ou murmuré des paroles décisives qui l'ont marquée pour toujours et qui ont forgé la conscience qu'elle a d'elle-même, son identité. « Tu manges quoi, petite ? Des boulons ? » lui avait lancé, guttural et frénétique, un camionneur penché à sa portière au péril de sa vie. Un autre, la mine inquiète, avait désigné du doigt le double promontoire qui avait impétueusement jailli de son buste adolescent et lui avait demandé : « Eh ! petite, tu bascules pas en avant ? ». Et dès le jour de ses douze ans, les jeunes, au coin de la crémerie du quartier de Flores, avaient demandé à sa mère : « Madame, si je gagne le gros lot, vous me donnez la petite ? »

« *MES YEUX, J'AVAIS OUBLIÉ MES YEUX* » *MURMURE-T-ELLE*

« Ah ! », se reprend-elle à soupirer avec nostalgie. C'est bien fini. On ne lui demandera plus jamais si elle mange des boulons ou si elle bascule en avant. L'ampleur de sa cape, mais plus encore cette résignation, obtenue non sans peine au cours des sept années qu'elle a passées à Paris, la protègent mieux que plusieurs capes superposées...

« Tu as de beaux yeux ! »

A-t-elle rêvé ? Entend-elle des voix à force de se sentir si étrange, si spectacle ?

« Eh ! Noiraude, tu as de beaux yeux ! » répète avec douceur l'homme qui a remarqué son sursaut.

Notre revenante porte alors une main à son cœur. « Mes yeux, murmure-t-elle, mes yeux, j'avais oublié mes yeux. » Si tant est qu'elle ait eu de beaux yeux, ses années d'Europe les ont fait s'éteindre. Personne, pendant sa trop longue absence, ne les lui a polis, ne les a fait briller à force de les regarder. Et voilà qu'elle revient « le front fané » comme dans le tango mais avec des yeux frais, non pas morts, seulement un peu embués et que maintenant, à Buenos Aires, elle voit se refléter à la fois dans au moins dix miroirs d'homme.

Inconsciemment, elle fait de nouveau taper insolemment ses talons, comme autrefois, et elle marche la tête haute. A Paris, l'absence de tout regard lui avait tassé les vertèbres, lui avait ramolli le squelette.

« Ah ! si j'étais la cape, si j'étais le cheval de ce Zorro ! »

Elle déborde de gratitude et, transgressant le code qui permet à la femme de Buenos Aires de sourire, si bon lui semble, mais jamais de répondre, elle affronte le dragueur surpris :

« Monsieur, je vous remercie, vous ne savez pas le bien que vous me faites. C'est que, voyez-vous, je vis à Paris et là-bas... »

Le Porteño réplique aussitôt :

« Et quoi, là-bas ? Les Français, ça ne fonctionne plus ? »

Les voilà dans un café, très copains, solidaires d'un machisme partagé, morts de rire à l'idée de ces Parisiens si sérieux et si occupés qui, n'ayant pas une minute à perdre, ne savent pas tourner un compliment ni regarder leurs femmes pour que leur beauté s'épanouisse.

« Alors, à Paris, rien ? insiste l'homme, intrigué. Ça alors ! moi qui croyais...

— Ça arrive, ça arrive », reconnaît-elle, s'efforçant d'être juste. Mais comment expliquer la différence ? « Paris, précise-t-elle, est une ville sans désir mais avec beaucoup de sexe. » Sexe concret, appliqué, courtois, sans âpreté, sans baratin ni guitares, sans cet oriflamme d'amour presque gratuit, presque désintéressé qui flotte à toute heure dans la rue portègne.

« Ici, tu passes ton temps à te rincer l'œil, oui ou non ? Du matin au soir, et pour rien, par simple jeu. Là-bas, tu regardes un type et il est pris de panique. D'abord, il baisse les yeux. Ensuite, pour ne pas gaspiller son geste, il regarde sa montre. Des paupières, mon vieux, encore des paupières, c'est tout ce que j'ai vu, mais le noir de l'œil, tu sais, la petite boule dedans, ça jamais, au grand jamais... »

« DÉCIDÉMENT, JE SUIS PROGRAMMÉE DIFFÉREMMENT » FINIT-ELLE PAR CONCLURE

Pour donner un exemple à ce macho tellurique retrouvé, qui la regarde bouche bée, elle raconte sa première touche parisienne. Car des boniments, lui explique-t-elle, on n'en fait pas là-bas, mais des touches, ça oui. Et de but en blanc, sans préambule.

L'audacieux était un blond à lunettes qui s'était approché d'elle pour lui susurrer, à l'oreille mais de profil, comme déjà prêt à toute fuite éventuelle : « Voulez-vous venir prendre un verre avec moi ? » Le blondinet n'était pas mal. La pénurie était grande et la sécheresse menaçait. Elle lui avait répondu en roulant les hanches, un trémolo dans la voix : « Non. » Elle s'attendait à un débat. A une négociation avec des arguments devant lesquels peu à peu elle aurait cédé. C'était ainsi et il en serait ainsi dans les siècles des siècles, c'est à quoi l'avaient habituée ses hommes, dans sa ville d'Amérique du Sud : des hommes insistants, obstinés, avec « de la suite dans les idées ». Et qu'avait répondu le Français ? « Oh ! pardon. » Et il était parti. Il était parti, laissant une Argentine désespérée, plantée en plein boulevard, contemplant le dos qui s'éloignait.

Alors, continua l'ex-exilée, devant une telle situation, elle s'était juré d'être plus rapide : de prendre au vol le prochain Français, avant le fatidique « pardon ». Et cet homme était arrivé. Non pas au bout de quelques jours ni au bout d'un mois, cela s'entend : beaucoup d'eau avait coulé sous les ponts mais il était arrivé. « Voulez-vous venir prendre un verre avec moi ? » avait proposé suavement le petit blond — et pas question de « noiraude » ni de « beaux yeux », après tout à quoi bon ? Le temps presse. La noiraude avait donc souri, gonflée d'aise, alléchée, tandis que de sa petite bouche peinte à la Manuel Puig, avait surgi l'inévitable « Non ». « Oh ! pardon » avait murmuré encore plus suavement ce descendant des Gaulois, disparaissant aussitôt vers l'oubli. « Décidément, avait-elle fini par conclure, je suis programmée différemment et je ne m'en sortirai jamais. » Fallait-il que ce soit elle qui prenne l'initiative ? Qu'elle réponde oui, très bien, enchantée, plus rapidement que prévu. Faire ça, elle ? Jamais ! L'aurait-elle voulu, elle en était incapable, et puis être celle qui cherche et non celle qui est cherchée ôtait son piquant à l'amour. C'est pourquoi elle avait baissé la tête, courbé l'échine et circulé dans la ville comme voilée de brumes et de paupières, comme si elle n'existait pas : incognito, puisqu'elle n'était pas reflétée dans d'autres yeux qui lui auraient dit « Allons, petite, réveille-toi », qui lui auraient redonné son épaisseur, son identité, la conscience qu'elle avait d'elle-même.

« BÉNIE SOIT LA MÈRE QUI T'A PORTÉ » CHANTONNE-T-ELLE

Maintenant, d'une cordiale poignée de mains, elle prend congé de son confident interloqué. Le fait ne laisse pas de la surprendre : elle découvre, chez ces nouveaux Porteños, une familiarité, une chaleur fraternelle. L'inflexible et sombre macho de son enfance, ce danseur de tango geignard et ténébreux, avec ses moustaches lui sortant des narines comme deux flèches noires, où donc est-il passé ? Attention : une voiture la suit lentement, une tête d'homme mûr souriant à la portière. La démocratie a gagné en Argentine, ce n'est donc pas un flic, d'ailleurs un flic ne sort jamais seul et n'a pas d'autre voiture que la Ford Falcon. Ce n'est donc pas un flic : c'est un dragueur. Elle respire à fond et continue à marcher sans se retourner, en comptant les pâtés de maisons. Pour elle, c'est un test : sa mémoire a enregistré des kilomètres d'insistance amoureuse, de poursuite obstinée. Autrefois, on la suivait pendant dix, vingt pâtés de maisons, à quel point auront-ils changé elle et son pays depuis qu'ils ne se voient plus ? Un pâté de maisons. Deux. L'auto suit. Cinq. « Bénie soit la mère qui t'a porté », chantonne-t-elle dans un andalou de base, en réfrénant son envie de danser avec des castagnettes, en tapant des talons tellement elle est contente. Au sixième pâté de maisons le monsieur d'âge mûr — qu'elle n'a pas regardé un seul instant — dans son automobile couleur de nuit prometteuse s'arrête, descend, s'approche, bredouille quelques mots tendres que la femme n'entend même pas, prise d'un fou rire qu'elle ne peut maîtriser.

« Ah ! Monsieur, explique-t-elle pour la deuxième fois de la journée, je ris parce que, voyez-vous, j'habite Paris et que...

— Et que tu meurs de froid, n'est-ce pas vrai ? » achève le propriétaire de la belle voiture, homme qui a par conséquent voyagé et qui connaît la chanson. « Eh ! oui, reprend-il d'un ton convaincu, pour les hommes, les vrais, rien de tel que Buenos Aires. Et, peut-être, l'Italie... »

Le lendemain matin, à onze heures, devant le théâtre Colón. Un homme s'approche d'elle à grands pas, l'air décidé. Il lui lance soudain à voix haute :

« Vous connaissez Osvaldo Iglesias ?

— Non, répond en battant des cils notre héroïne.

— C'est moi. Enchanté », assure Osvaldo Iglesias en personne, en lui tendant une main qu'il est impossible de ne pas serrer. Main que l'ex-exilée serre sans hésiter, secouée d'un rire de retrouvailles. Cet Osvaldo Iglesias, elle ne le connaît pas mais combien d'hommes entreprenants comme lui n'ont-ils pas, à Buenos Aires, forcé ainsi sa réserve par leur aplomb ?

« IL EST MANIFESTE QUE LE PORTEÑO D'AUJOURD'HUI A CHANGÉ » SE FÉLICITE-T-ELLE

Ce doit être sans doute notre sous-développement, pense notre héroïne qui, de minute en minute, se sent revivre comme un fantôme réincarné. Ce doit être parce que Buenos Aires est la capitale d'un pays en voie de développement et qui n'a pas encore atteint l'indifférence des pays riches — il s'en faut encore de beaucoup ! Dette extérieure, dictature : des causes qui retardent le moment triomphal où les hommes et les femmes des contrées évoluées du globe cesseront de se regarder les yeux dans les yeux. Tiermondistes même en cela (bien qu'ils le nient), les Porteños se surveillent, s'observent, se contrôlent, s'envient, se désirent, bref : se voient. Parce qu'ils doutent d'eux-mêmes, ils se sécurisent en regardant et en étant regardés.

Mais notre héroïne remarque des changements, compare avec ses souvenirs et applaudit à ce qu'elle voit. Du temps de son adolescence, quand le tango chantait encore que la seule sainte c'était la mère et les autres femmes toutes des putains, la ville fourmillait d'hommes inquiets. C'étaient des individus à sombres moustaches, solitaires, lancés à la poursuite difficile de la femme. Ils avaient cette tension caractéristique du chien qui flaire la femelle et s'assombrit, les muscles tremblants, l'air mauvais. Il est manifeste, et elle s'en félicite, que le Porteño d'aujourd'hui fait montre d'une élasticité musculaire enviable, qui suggère d'autres paroles de tango et d'autres amours. La chasse n'est plus difficile, cela se lit sur son visage... mais la facilité n'a pas nui à l'intensité, du moins pas encore.

L'enquête de notre ex-exilée que, pour lui donner un nom, nous qualifierons de sociologique, se tourne alors vers le centre même de cette intensité : le *telo.*

Telo c'est hôtel à l'envers dans l'argot portègne. Ce n'est pas un hôtel de prostituées. Ces bordels folkloriques à la lanterne si rouge, bondés de Françaises qui faisaient « le chemin de Buenos Aires » en espérant trouver au bout le riche et gominé propriétaire d'estancia, brillèrent de tous leurs feux dans les années vingt et fermèrent vers les années trente. La prostitution continua à rôder sous les arcades du Paseo Colón puis elle sombra dans l'oubli. Durant le premier péronisme, les « petites têtes noires », les ouvrières venant de la province, remplacèrent les Françaises autour des gares de l'Once, du Retiro et de Constitución. Mais il y a longtemps que Buenos Aires a cessé d'être une grande ville de prostitution : on peut y vivre une vie entière sans jamais tomber sur une de ces grosses brunes roulant des hanches et à la démarche d'une lenteur suspecte. En cherchant bien dans ses souvenirs, notre héroïne n'en retrouve qu'une seule, mais si laide et d'aspect si misérable qu'elle s'est toujours demandé si c'était vraiment une putain. On lui a raconté dernièrement que la crise avait encouragé en secret des initiatives rappelant l'ancien bordel à petite lanterne : des maisons où l'on peut trouver des filles de treize ans, chuchotent des informateurs aussi épris qu'elle de zèle sociologique.

« AH ! LA VOIX, LA VOIX DU GALICIEN » SE REMÉMORE-T-ELLE

Mais le telo n'a rien à voir avec cela. Le telo a été inventé par les autorités argentines pour éviter que des familles honorables ne côtoient des couples en plein processus amoureux. Comme une telle promiscuité leur semblait indécente, elles donnèrent l'autorisation d'ouvrir des hôtels spéciaux, consacrés à cette activité spécifique et qu'on appela « hôtels-abris » pour écarter toute idée de permanence et souligner l'aspect éminemment transitoire de la chose : la durée minimale pour « s'abriter » était de deux heures et la durée maximale d'une nuit. Qui donc imagina leur décor et leur rituel (car il est peu probable que les autorités elles-mêmes s'en soient mêlées) ? On peut avancer deux hypothèses : ou bien tous les telos de Buenos Aires ont eu un seul et même propriétaire ou bien l'esthétique de l'érotisme a été mystérieusement partagée par un vaste groupe de propriétaires, en général venus de Galice à en juger par leur voix.

« Ah ! la voix, LA VOIX ! » se remémore notre « ex », notre revenante. Comment oublier ces accents galiciens, associés à jamais aux heures les plus chaudes de sa vie ? Au bout de ces deux heures si noblement employées, le maître ou l'employé hispanique frappait brutalement à la porte ou hurlait au téléphone : « Deux ch'heures ! » Se sentant pris en flagrant délit par l'inquisiteur, le couple sursautait d'angoisse. Suivait une discussion rapide. Moment décisif, fondamental, qui en appelait aux sentiments et au porte-monnaie.

« Qu'en dis-tu, Maria Belén ? On reste encore deux heures ? »

Si l'amour ne l'emportait pas, il fallait se rhabiller à un rythme de service militaire, avec des pudeurs féminines et la crainte de se voir traînée nue par les couloirs jusqu'à la rue... D'autant plus que pour elle, le maître de la voix n'avait pas de visage. Le rituel des telos stipulait que la femme entre derrière l'homme, tous deux devenus soudain verdâtres à cause de la lumière. Quelle lumière ? Mais celle du lumignon de la porte, celle de la réception et des couloirs. De toute évidence, le décorateur de ces lieux avait dû penser que la lumière rouge rappelait trop les bordels, il avait donc opté pour la lumière verte. C'est pourquoi tout usager portègne garde dans sa mémoire érotique, outre l'accent de Lugo ou de Pontevedra, cette lueur apaisante qui, heureusement, n'éteignait pas l'ardeur amoureuse : si l'ascenseur verdoyait encore, passé ce moment lugubre et chlorophyllien, qu'aggravait de surcroît son reflet dans des miroirs, on atteignait enfin la chambre, avec sa petite ampoule blanche.

Mais il n'en demeurait pas moins que la femme, cachée derrière l'homme et dans l'ombre, ne voyait pas le visage du Galicien qui « deux ch'heures » plus tard mettrait fin aux caresses. Elle ne le voyait pas, elle n'avait pas à le voir et lui, il ne levait pas les yeux sur elle pour ne pas faire monter à son front le rouge de la honte, que même la lumière verte n'aurait su cacher. Tandis que le pécheur payait, la pécheresse se tenait en retrait, regardant ailleurs, indifférente et lointaine, comme si cette scène ne la concernait pas. Aussi ne reste-t-il dans son souvenir que la voix du Galicien, une vision de plantes tropicales en plastique et là-haut, au-dessus du lit, la chose inévitable : l'énorme chromo représentant, invariablement, un lac avec un palmier et un clair de lune argenté sur le calme plat des eaux.

Notre héroïne allait bientôt constater que cet emploi de l'imparfait pour parler des telos n'impliquait aucun changement fondamental : simplement des améliorations, et celles-ci plus techniques qu'esthétiques. Il est vrai qu'un certain hôtel de quartier chic s'est récemment offert le luxe de commander à une femme peintre célèbre la décoration de ses murs. Mais, dans l'ensemble, la technique des années cinquante sévit toujours : les plantes en plastique et la lumière verte, les tableaux de lacs et de palmiers sont toujours là, prêts à l'accueillir. Et ce ne sont pas les « chambres spéciales » qui susciteront son étonnement car elles ont toujours existé (j'entends par « toujours » le bref laps de temps d'une vie amoureuse) : chambres avec des lits ronds, gonflables, vibrants ou accrochés à des chaînes, avec des glaces sur les côtés et au plafond. Pure routine.

Ce qui, en revanche, la sidère, c'est l'audiovisuel pornographique, vigoureux signe de progrès, qui remplace aujourd'hui la simple radio d'autrefois avec ses boléros et — pourquoi pas ? — son petit tango. Mais ce qui la tue, ce qui vraiment la scie et la massacre, c'est l'écran mural. Orwell lui-même n'aurait pas eu cette idée, car si d'être réveillée en sursaut par le « deux ch'heures » c'était dur, inquisitorial et angoissant par l'absence d'un visage à mettre sur la Voix, que dire de l'écran lumineux qui soudain s'allume sur le mur pour annoncer : « Plus qu'une demi-heure. Plus qu'un quart d'heure. Plus que dix minutes. Plus... ? » Face à cet œil social qui froidement limite la durée de la tendresse, comment ne pas regretter l'ancienne brutalité si humaine et ne pas se dire que n'importe quel fascisme passé fut meilleur ?

Le couple silencieux, obéissant, mécanique, ne se consulte plus : « Qu'est-ce qu'on fait, Maria Belén ? On demande deux petites heures de rabiot ? » Maintenant ils se lèvent et s'habillent comme s'ils étaient en retard pour aller au bureau. Et aussi par solidarité : en arrivant, ils ont partagé avec vingt autres couples un salon d'attente. C'est samedi soir. Ces pauvres jeunes gens doivent toujours être en bas, dans une pénombre carcérale, à regarder la télévision en attendant leur tour. « On leur laisse la place, hein, chérie ? » — car pendant les années de la dictature, cet espace d'un lit pour « deux ch'heures » a été notre seul territoire libéré (imagine ce qu'a dû être le reste !) et l'habitude a été prise.

« NOS ENFANTS SAURONT-ILS ENCORE TOURNER UN COMPLIMENT ? » SOUPIRE-T-ELLE

La soirée continue dans le café, la soirée ne finit jamais à Buenos Aires. L'incessant bavardage met sur le tapis des sentiments et un peu plus : des sentiments dûment analysés. A Paris, pense notre « ex », la conversation roule sur la culture. A Buenos Aires, on parle de ce qu'on a dans le cœur. Et des potins. Estela a quitté Esteban pour épouser Raoul, récemment divorcé de Mabel, qui s'est mariée avec Carlitos. Ah ! j'oubliais : Raoul sort avec Poucette. Chaque divorce a été précédé d'une bonne psychanalyse de couple chez le Dr Grinberg, revenu lui aussi de son exil à Barcelone, où avec les docteurs Divinsky et Minguitella, il a recréé en terre catalane l'argentine Villa Freud (tout comme les conquistadores recréèrent des Grenade et des Tolède en terre américaine). Débarrassés de leurs fixations et complexes (il n'y a presque plus de machisme car la mère sacro-sainte du tango a été abondamment étripée et mise en pièces, à raison de trois heures de divan par semaine) Estela, Esteban, Raoul, Mabel, Carlitos et Poucette se sont consacrés de nouveau et de plus belle à la construction du couple.

— Du quoi, grands dieux ? s'écrie l'ex-exilée qui avait oublié ce mot et qui soudain est frappée par son caractère insolite.

Vivre en couple : mot d'ordre argentin. Celui qui vit seul est un malade (et se fait psychanalyser par Grinberg). Droiture des intentions, engagement total. On n'admet pas de duplicités : le triangle français a mauvaise presse, les ménages argentins se trompent rarement mais divorcent beaucoup, même si la loi s'y oppose. Le résultat est fécond. Des masses d'enfants, mal élevés, gâtés, tous avec leur moustache de chocolat, accompagnent leurs jeunes parents au cinéma, au parc, jusqu'à une heure tardive de la nuit. Personne ne les met au lit au coucher du soleil, personne ne les oblige à réprimer la force de leurs poumons ni à murmurer d'une voix de velours :

« S'il vous plaît, Madame. » « Comme nous sommes encore sous-développés, soupire notre héroïne. Devenus grands, sauront-ils tourner un compliment à une femme, la regarder dans les yeux, fréquenter des telos de plus en plus audacieux, bavarder sans fin, avec leur psy ou leurs amis, continueront-ils à porter de discrets blousons de nylon bleu marine, ou prendront-ils, grâce au progrès, l'air ennuyé, le teint punk, bâilleront-ils de fatigue quand on les emmènera faire du ski, baisseront-ils les yeux si on les regarde, perdront-ils l'innocence et, avec elle, l'ardeur à vivre ? »

Il est à peine quatre heures du matin. Elle prend congé de son ami, qui demain se lève tôt car il a sa séance de divan, et elle marche quelques centaines de mètres jusqu'à l'arrêt du 84. Ces hivers tièdes de Buenos Aires sont comme une caresse. Malgré la brise légère, elle a ôté sa cape de Zorro. Elle entend marcher derrière elle. Elle ne se retourne pas. Elle sourit. Elle sait qu'en la dépassant, l'homme qui l'aura vue lui lancera cette phrase qui soulève des vagues de bonheur et d'exaspération dans sa mémoire :

« Eh ! petite, tu bascules pas en avant ? »

(Traduit de l'espagnol par Françoise Rosset.)

ALICIA DUJOVNE ORTIZ

1. En français dans le texte.

HORACIO FERRER

LA NOCHE PORTEÑA

« Il ne faut pas confondre les noctambules avec les gens pour qui soudain il se fait tard. »

Juan Carlos Oria, patron du restaurant La Reja, danseur de tango et noctambule de grande classe, a trouvé dans cette phrase la formule infaillible pour séparer « l'or du plaqué or». Et grâce à cette formule nous pouvons exclure de notre confrérie de pèlerins des ténèbres tous ces rôdeurs timorés des alentours de onze heures du soir qui indiquent toujours d'un doigt craintif leur bracelet-montre en disant : « Plus que cinq minutes, *che,* il se fait tard... »

Buenos Aires, en effet, a animé les nuits ibéro-américaines en apportant à ce Sud du bout du monde — le corrigeant, l'intensifiant et le perfectionnant — le lointain et vieux style nocturne de Madrid, l'école instigatrice des réveils à midi. Tandis que dans d'autres grandes et belles villes d'Europe et d'Amérique que je connais, c'est un véritable supplice que ces couchers de soleil qui annoncent inexorablement la fermeture totale de tout avec la symphonie stupide des rideaux de fer baissés à sept heures du soir, nous imposant le gaspillage d'une noble part de l'existence.

Hélas ! ce sont des villes aux habitudes matinales, où les gens vont au lit à l'heure où les pauvres poulets tombent de sommeil dans leurs poulaillers, ce poulet de la fin du XXe siècle condamné exactement comme le poulet médiéval ou celui de l'âge de pierre à ne jamais sentir dans ses ailes le frémissement abyssal qui pousse aux grands vols nocturnes.

En effet, cet animal infortuné — si délicieux dans son rôle de « poulet à l'estragon » — est privé de vie nocturne car il ne jouit que d'un héritage biologique. C'est au contraire le privilège humain — comme de savoir que nous devons mourir ou comme de savoir que nous avons un passé — que d'avoir un précieux héritage de culture joint à celui de la biologie. C'est pourquoi vivre pendant la nuit humaine. Perturbant le « normal », les esprits noctambules transforment l'anormalité en anormalité dépassée et enrichie, tout comme l'anomalie du plan irréel peint sur une toile élève et spiritualise dans l'art la « normalité » du plus misérable des modèles réels.

A Buenos Aires, le crépuscule plonge les uns dans la mélancolie et tonifie les autres par sa promesse nocturne d'humeur joyeuse qui commence par l'envoi d'un télégramme lumineux : une certaine lumière où s'entremêlent les lueurs du couchant et les premiers scintillements des réverbères de la rue et des bars à demi éclairés. On sent un pollen annonciateur qui tombe graduellement sur les innombrables alvéoles de la ville, pour tourner la tête à Buenos Aires en lui donnant un petit coup sur l'épaule quand vient l'heure des plus beaux rêves.

Et un autre télégramme, acoustique : la nuit adolescente — la petite nuit — est annoncée par l'excitante rumeur du trousseau de clefs secrètes qui chantent dans les mains du gardien dans les couloirs encore déserts de la nuit, pour nous ouvrir enfin cette porte de l'esprit par laquelle nous entrons dans le monde nocturne, une étoile à la boutonnière.

C'est alors que les voix deviennent plus profondes et, dans les sonorités propices de l'ombre, s'apprêtent à servir une langue différente de celle du jour : femmes et hommes de la nuit, nous parlons un autre langage, qui a la même mélodie que dans le jour mais « avec d'autres altérations à la clef ». L'esprit se meut sur un tempo différent. Et le cœur bat, alimenté d'un air oxygéné par le règne végétal et par les êtres absents, plus présents dans la nuit, oxygéné par un oxygène non pas chimique mais poétique, qui parfume la chlorophylle noire des bandonéons du tango.

Il y a dix ans, j'ai écrit dans mon *Credo de Amor en Tango* :

« Je crois, mon amour, que le Tango renaît tous les jours, posé sur l'horizon, se souvenant des abîmes du crépuscule.

« Car le Tango à la lumière du jour est comme le salut d'un sourd-muet sans mains et sans personne à saluer.

« Étranger au jour arrive le Tango, au dos du premier bus qui a mis ses lumières, et la petite nuit lui tend sa pâle main chaude pour qu'il descende et qu'il danse.

« Les oiseaux assemblés dans les arbres du couchant sont les enfants de chœur qui annoncent l'office des ténèbres du Tango. »

LES PORTEÑOS ET LA NUIT : UNE TRADITION CONGÉNITALE

Bien que l'avènement de la télévision et des téléviseurs — qui incitent à acheter tant de choses — lui ait soutiré les économies qu'il destinait à son culte révérentiel de la nuit, ou l'aie obligé à prendre un second emploi qui l'arrache partiellement à la nuit — du lundi au jeudi — le Porteño est noctambule par tradition. Tradition congénitale pour les Porteños de naissance, et tradition acquise — comme par une sorte de surprenante réforme de la carte astrale — pour tous les étrangers — Japonais, Finlandais,

Italiens, Yougoslaves, Français, Arméniens — adaptés au métabolisme de Buenos Aires.

Mes plus délicats et intenses souvenirs ont le parfum de la nuit, dans laquelle je suis né et à laquelle j'ai goûté enfant sous l'effet d'un magnétisme génétique : tous les hommes et la plupart des femmes du côté maternel et paternel étaient et avaient été des noctambules. Mon grand-père, le docteur Arturo Ferrer, médecin légiste né à Montevideo et amoureux fervent de Buenos Aires, n'était jamais allé se coucher dans l'une ou l'autre ville sans être sorti tout au moins pour « prendre un petit café » et tout au plus sans aller au théâtre, écouter de la musique ou dîner dehors avec Naná, ma superbe grand-mère. Il en allait de même de mon grand-père maternel, écrivain et poète, Eduardo de Ezcurra, mort au début du siècle, ami intime de Rubén Dario et de José Enrique Rodó ; eux et tous les autres bohèmes des années 1900 furent les éternels piliers des bars Le Télégraphe et Les Immortels. Mes oncles, dont j'ai suivi l'exemple unanime avec une allégresse convaincue, avaient été des oiseaux nocturnes, passant leurs nuits dans des cabarets, des soirées avec guitare et chant, des théâtres d'amateurs et des « maisons galantes ». Goyo de Ezcurra, frère cadet de ma mère, était ami de Carlos Gardel. Il connaissait tous ses tangos depuis les premiers, ceux de 1916 et 1917, et il les chantait en s'accompagnant tant bien que mal à la guitare mais avec un «cachet »[1] de connaisseur :

> « Du cabaret on t'a chassée
> t'interdisant de revenir,
> tu n'as plus ton arrogance,
> tu t'es perdue dans l'oubli.
> On a dû t'offrir
> une méchante robe.
> Tu étais si pauvre
> que tu faisais peine à voir ! »

Et mon père, Horacio, pédagogue interminablement évoqué par trois générations de disciples, chantait *a capella* :

> « Quand vient la nuit enfin tu te lèves
> et tu sors, conquérant, chercher un béguin[2].
> Tu es fier d'exhiber ton élégance,
> mollement assis dans ton baquet[2] super. »

Il donnait ses plus belles leçons aux cours du soir — auxquels j'ai assisté moi aussi comme élève — et son plus grand plaisir était, à la sortie du cours, d'aller siroter des cafés à minuit, en bavardant avec ses élèves et ses collègues.

Que pouvais-je faire d'autre, moi, sinon me résigner, pris par ces courants familiaux qui m'ont souvent amené à conclure que tout ce que j'ai fait, durant mes cinquante-trois années d'existence, je l'ai fait dans le seul but de pouvoir vivre la nuit et me lever « de façon civilisée » à midi.

Cette passion pour la vie nocturne m'est peut-être venue d'une intuition que j'ai eue dans mon enfance et qui est devenue une évidence au cours de ma maturité : Buenos Aires, fondée par Juan de Garay le 11 juin 1580, est astrologiquement placée sous le signe des Gémeaux et son double signe dans la faune zodiacale lui a donné le caractère « phénicien » qu'elle a le jour et le profil « grec » qu'elle a la nuit, nuit, climat de l'âme qui s'harmonise d'autant mieux avec le cœur des artistes et des fous que nous croyons à la nécessité d'avoir un grand laps de temps devant soi pour bénéficier de la grâce de penser et de l'art d'écouter. En dépit des principes moraux des gens de bonne foi mais peu informés de ce qui se passe dans la vie, il est certain qu'on a toujours trouvé et qu'on continue encore selon moi à trouver le plus sain de l'existence portègne dans la belle atmosphère de la nuit.

LE CHARME ÉTRANGE DE LA RUE CORRIENTES

Plus ou moins peuplée, la nuit de Buenos Aires a toujours été ainsi. Et comme il n'y a jamais eu, même aux moments les plus tristes et les plus durs de la politique et de l'économie, de raisons durables pour qu'il en aille autrement, il n'y a eu de changements que dans les pôles d'attraction de la ferveur nocturne, dans le choix des quartiers, dans le genre des spectacles, dans la façon de parler et de s'habiller (le jean remplaçant la tenue de soirée) et dans la gastronomie. Ces changements mis en perspective dessinent sur plusieurs années la courbe de l'évolution de l'insomnie sur l'asphalte et révèlent — au passage — le degré de vitalité et les tendances artistiques, amoureuses et sociales de chaque génération portègne.

Quel charme étrange a donc la rue Corrientes qui se convertit toujours durant la nuit en forteresse imprenable de la culture la plus authentique de Buenos Aires ?

Au début — et ce début date du milieu du XVIIIe siècle — elle s'appela la rue San Nicolas. Son nom lui vint, dit-on, de l'église consacrée au saint de Bari. Cette petite église campagnarde qui sut faire entendre là sa cloche et sa prière, quand la rue n'était qu'un vague sentier de pierre et de boue tracé d'est en ouest sur un morceau de pampa appelé Buenos Aires. En 1807, peut-être un coup de feu des envahisseurs anglais supprima le saint et on l'appela la rue Inchaurregui. Mais le nom qui devait lui rester fut celui dont la rebaptisa en 1822 le gouverneur Rodriguez : rue Corrientes.

Corrientes devient rue quand la ville — sur la poussière de la défaite des provinces en 1880 — commença à prospérer et à commander avec des airs de city. Elle fut, dès le départ, une rue prédestinée à être un salon nocturne. Dès la fin du XIXe siècle, on avait coutume de voir sur ses trottoirs, venus de San Telmo ou du quartier de la Batterie — aujourd'hui Retiro — des mulâtres en chapeau melon, des hommes au verbe facile et fleuri, et des femmes prêtes à mener rondement un petit tour de quadrille, de scottish ou de mazurka avec toute sa variété de figures dans l'académie de Provin, à la hauteur des rues Corrientes et Talcahuano. Ou dans deux autres académies, près des rues Libertad et Uruguay, qui perdirent leur nom dans la bataille... C'est à cette époque que, rue Corrientes, on servit pour la première fois sur le zinc des verres de genièvre et de vin rouge qui s'entrechoquaient sur le comptoir : c'était au café de Doña Dominga où le piano, pour lui porter chance, fut baptisé avec l'eau bénite des tangos des éminents Rosendo Mendizabal et Rosendo Saborido.

COMME UN PETIT MONDE VIVANT À CONTRE-COURANT

La rue Corrientes est une longue rue. Longue comme l'espoir du poète. Elle commence à l'avenue Madero et finit au numéro 6800, face au cimetière de la Chacarita, de l'autre côté de l'avenue Federico-Lacroze. Mais l'âme de cette rue tient tout entière dans les mille cinq cents mètres d'asphalte qui vont du Bajo à l'avenue Callao. C'est là qu'on trouve depuis toujours sa personnalité nocturne, depuis qu'à l'épicerie et à la guinguette où l'on dansait la milonga étaient venus s'ajouter, pour lui donner son aspect nocturne essentiel, les bastions du théâtre créole : l'Apolo, pris à l'abordage et sans un sou en 1901 par le bataillon d'acteurs de la famille Podesta avec le clown Pepino le 88 à sa tête, le Nacional inauguré par Jerónimo Podesta le 5 avril 1906, le Politeama, le Royal Théâtre (qui fut ensuite un cabaret célèbre), le Smart (aujourd'hui Blanca Podestá) ouvert en 1914 et le Nuevo (aujourd'hui Teatro Municipal San Martin). Il y avait déjà l'ambiance « chocolat-beignets » à trois heures du matin.

Puis les théâtres et les saisons théâtrales firent naître une constellation de cafés : l'Aue's Keller, entre les rues Esmeralda et Maipu ; El Telégrafo, à l'angle de la rue Paraná, et El Quijote, accueillants refuges, tous, pour l'insomnie bavarde et rêveuse — parfois aussi pour la faim de loup — des acteurs, des auteurs comiques et des poètes qui battaient la semelle rue Corrientes — encore étroite alors — arborant leur lavallière de soie noire en signe de ralliement.

Peu à peu, à partir de 1910 environ, sans prévenir et discrètement, les cafés et débits de boisson installèrent des loggias pour orchestres de tangos : La Oración, Iglesias, Castilla, Domínguez fondèrent ainsi une dynastie de cafés « pour écouter le tango » qui deviendra légendaire avec El Nacional, Los 36 billares, El Germinal, et d'autres, dans d'autres rues mais sous l'influence primordiale de la rue Corrientes, tels le Guarany, les deux salons de thé Richmond avec orchestre et très fréquentés le soir dans les rues Suipacha et Esmeralda et les quatre cafés célèbres dans les années 40 et 50, qui s'ouvrirent au long des huit cents mètres rituels qui vont de la rue Cerrito à la rue Callao : le Marzotto, le Tango Bar, La Armonia et El Ebro.

C'est que Corrientes n'était plus seulement une rue mais comme un petit monde vivant à contre-courant. Elle avait même sa « lune personnelle ». Celle qui, des hauteurs voûtées des cabarets, éclaire le satin des vêtements, la fatigue et les cernes des entraîneuses du Pigall et du Montmartre, précédant les filles qui bientôt, ou un peu plus tard, après des nuits blanches, allaient sortir du Tabaris, du Casanova, du Marabú, du Tibidabo, du Sans-Souci, du Picadilly ou du Karim, dans l'aube silencieuse pour aller boire le réconfortant café au lait avec croissants qui contient la saveur de tout ce qu'elles ont perdu. Saveur semblable peut-être à celle des innombrables « express » que boit durant la journée « l'homme qui est seul et qui attend », cet homme auquel Enrique Santos Discépolo a appris à réciter l'Ave Maria païen, grotesque et amer, et qui chante sa plainte dans les vers du tango « Cambalache ».

AU MÉRIDIEN DE LA MOZZARELLA

En 1931, la municipalité de Buenos Aires ordonne l'élargissement de la rue Corrientes : la ville a grandi démesurément et une grande avenue s'impose. En quelques étapes de marteau-piqueur, en cinq ans, tout le trottoir de droite de cette voie qui n'avait que douze mètres d'une façade à l'autre disparaît dans l'oubli, emportant sa séduction et son mystère : trois générations de noctambules voient s'effondrer les murs aimés du temple de leur bohème nocturne.

Dans les colonnes du journal *El Mundo*, quelqu'un de très clairvoyant dit pourtant que ces monceaux de décombres et ces ruines n'annonçaient pas la mort de la rue. Voici ce qu'il écrit : « Portègne de tout son cœur, elle est si profondément imprégnée de notre esprit que même si on rase ses maisons jusqu'aux fondations et si on jette de la créosote jusqu'à la nappe d'eau, elle continuera d'être la même. » L'article a pour titre : « L'élargissement de la rue Corrientes ne fera pas mourir son esprit. » Son auteur est l'un des plus grands romanciers argentins : Roberto Arlt.

Malgré d'autres initiatives malheureuses suscitées par le zèle

« rénovateur » de l'élargissement de la rue, la prophétie d'Arlt s'accomplira : les délirants monceaux de mozzarella et les fleuves de sauces italiennes feront de cette rue qui était vouée au champagne, aux bandonéons et aux poèmes en *lunfardo*, un gigantesque garde-manger auquel accourent maintenant pour rassasier leur appétit les nouveaux propriétaires de salles de spectacles qui bradent sur les planches, pour quatre malheureux pesos, toute une tradition de théâtre populaire qui était née, qui avait grandi et qui avait eu sa consécration dans la rue Corrientes.

Mais cette rue surmonte tout cela et bien d'autres vicissitudes qui ont massacré son aspect et son atmosphère.

Si on dresse un inventaire général de ses lieux d'accueil, de ce qu'elle propose, de ses prestiges, des services qu'elle rend, des tentations qu'elle offre, de ses éventaires en désordre où se côtoient, à peine séparés les uns des autres, un déballage de corsages et des poèmes de Baldonero Fernandez Moreno, dans ses sept kilomètres de longueur, il ne manque à la rue Corrientes qu'un hôpital.

Elle a, par contre, tout le reste : rings de boxe, Molière, scatologie, primeurs, passage à niveau, cinéma d'art et d'essai, parc, milkbar, tables de jeu, chocolat et beignets à trois heures du matin, marchands de chaussures, danses d'avant-garde, boutiques de lingerie, confiseries, musée d'art moderne, cinéma érotique, sièges de partis politiques, librairies de neuf et d'occasion, restaurants italiens, études de notaires, hôtels, épiceries, cafés-concerts, petites entrées tout en marbre et immeubles de trente étages, salons de danse, restaurants végétariens, églises orthodoxes, distributeurs de café, pensions de famille, et cinquante autres choses encore, y compris, tout au bout de la rue, les gloires de son cimetière.

Elle s'égare quelque peu dans une certaine « fantaisie folle » à la Broadway, à son autre extrémité, du côté de l'avenue Leandro Alem, rendue encore plus folle durant le jour par les infarctus des faiseurs d'argent échafaudant des montagnes de dollars.

LE SECTEUR LE PLUS VOYOU ET LE PLUS TENDRE

Mais bien qu'elle soit une avenue depuis un demi-siècle, elle est restée une rue bohème, cette Corrientes. Et ses dérèglements reçoivent une absolution locale qui vient de l'ouest et purifie tout, entre les rues Cerrito et Callao, pour sa vie nocturne et son art le plus noble. Là, Corrientes montre sa quintessence et resplendit, unique dans la Table de Mendéleïev de la chimie citadine faite de la pluralité des styles des rues de Buenos Aires.

Ce secteur est le plus voyou et le plus tendre de Corrientes, le plus portègne, le plus inspiré, le plus charmeur jusqu'à trois rues plus au sud, du côté des marchands de pâtes, de vin, de viande, avec ses parlotes autour des grills qui rougoient depuis Spaghetti Street, annexe agitée de la rue Corrientes, en passant par les rues Talcahuano, Uruguay, Paraná, Montevideo et Rodriguez Peña, jusqu'à la rue Bartolomé Mitre.

Large, étroite, intoxiquée, présentant des caries sur ses trottoirs et d'inexcusables terrains vagues, euphorique, bruissante de plaintes et de gros rires dans les cratères bouillonnants de ses cafés, passage pour le troupeau des taureaux fleuris, tels que les a peints Quinquela Martin et que réincarnent ses autobus, naine et géante par la ligne chaotique de son architecture, elle ressuscite toujours de son infini désordre nocturne, secouée par le passage sous terre de son métro vert « Lacroze », par le souvenir et le présage de mille tumultes à fleur d'asphalte. Ces huit cents mètres presque bibliques de la rue Corrientes brillent du lustre que lui donnent les heures nocturnes vécues et à vivre sur ses trottoirs qui, vêtus de ténèbres et de lueurs de réverbères, sont l'arbitre suprême qui décide de la consécration ou de l'oubli des manifestations artistiques.

La rue Corrientes a été et sera le podium d'où les applaudissements résonnent avec le plus d'écho. Florencio Sanchez, Horacio Salgán et Pirandello, Lola Membrives, Anibal Troilo, Alfredo Alcón, Alberto Vacarezza, Vicente Greco et le « Tano » Marino, Bill Evans, Charles Aznavour, Oscar Araiz, les Discépolo, Iris Scacheri et Osvaldo Pugliese, parmi des dizaines d'autres artistes, connaissent la saveur particulière d'un examen passé rue Corrientes.

Constellée de théâtres, d'endroits où l'on joue des tangos, de librairies ouvertes toute la nuit, ces huit cents mètres classiques ont accueilli la flânerie nocturne argentine, avec les cheveux longs, les flots de toile de jean devenus pantalons, blousons, sacs, étuis à cigarettes de deux générations d'adolescents qui ont élargi leur éventail culturel et, à leur façon, sont parvenus à prendre plaisir à la lecture d'Homero Manzi et de Rimbaud, de Luis Alberto Spinetta, de Chico Buarque, d'Eladia Blazquez, d'Ungaretti et de Joan Manuel Serrat dans l'obstination fanatique d'une insomnie si portègne qu'elle unit les tables du Ramos à celles du La Paz, de l'Ondine ou du Pernambuco dans la même dévotion nocturne qu'avaient arboré les jeunes gens à grands chapeaux et à lavallières de soie noire, soixante-dix ans auparavant, dans les recoins du café Los Inmortales, baignés des premières lueurs de l'aube.

LES AUTRES NUITS DES QUARTIERS

Si le cœur de la nuit portègne appartient au champ magnétique de la rue Corrientes, la vie nocturne de Buenos Aires a donné naissance à de véritables légendes hors de cette voie lumineuse.

Dès la fin du siècle passé, quand un puissant souffle créateur engendra, dans la clandestinité des mauvais lieux, les voix ensorcelées du tango, les bars à filles du quartier portuaire de La Boca abritèrent, au sud, les triomphants quatuors et quintettes avec bandonéon, tout comme peu avant, à l'autre extrémité, au nord, les discrets lieux de plaisir du bois de Palermo — le parc Tres de Febrero, Lo de Hansen, El Kiosquito, El Velódromo, furent les pistes des précurseurs géniaux du tango dansé. La Boca et Palermo, en des styles bien différents, continuent d'offrir une bonne gastronomie et de bons programmes de théâtre et de café-concert.

La vie nocturne a régné et règne encore également dans le quartier haut et le quartier bas de la belle place San Martin, qui a son côté marin et crapuleux de la rue du 25 de Mayo et de l'avenue Leandro Alem, et son côté élégant de la rue Florida et de ses alentours. Le Ba-ta-clán, le Charleston, le Jamaica, le Palacio de las Flores, le Gong, le Rendez-vous, le Rugantino, La Noche, le Tucumán 676 et le Carpas de la Bateria — où les soldats dansaient des tangos en 1900 — sont les endroits qui font le renom de ce monde du soir où s'entremêlent, depuis presque un siècle d'art et de distractions, les noms aimés de Piazzolla, Villoldo, Salgan, Pepita Avellaneda, Ciriaco Ortiz et Juan Carlos Cobian.

Il y eut en d'autres temps des noctambules célèbres Avenida de Mayo quand, présidée depuis 1858 par le café Tortoni, qui existe toujours, cette avenue était le salon des arts d'avant-garde, et elle l'est encore avec le salon de thé Castelar qui ne ferme jamais. Le quartier de La Recoleta offre une vie nocturne différente de celle de La Boca ou de Palermo, s'affermissant depuis 1975 dans son audace provocante, très portègne, qui a fait prospérer, face à un grand cimetière, une élégante pépinière de cafés, de théâtres et de restaurants avec terrasses et clients à l'infatigable bavardage et à la respectable soif.

Nous avons aussi l'apogée récent du quartier San Telmo, converti depuis 1969 en une sorte de Montmartre local, avec l'ouverture du Viejo Almacén, du Maleña al Sur et du Michelangelo qui prolongèrent la nuit de l'Union Bar et furent ensuite soutenus par une constellation de bars où l'on peut voir de la peinture ou des spectacles, écouter de la poésie, du jazz, du folklore et des tangos — La Poesia, Taconeando, La Casa de Esteban de Luca, Los Patios de San Telmo et autres — tout comme l'avenue du théâtre Colón vit sa nuit — rues Libertad et Talcahuano — au Cambalache, à l'Edelweiss, au Petit Colón, au Caño 14, au Don Luis et au Pichuco.

Bien sûr, des quartiers plus éloignés ont eu aussi leurs nuits, quand le Salon Peraca, le café Venturita, le débit de boisson La Blanqueada ou le café El Pasatiempo abritaient les veilles des voisins de Villa Crespo, de Barracas et de Pompeya, et que San Cristóbal avait son café La Pichona. Mais plus récemment il y a eu comme un éclatement de la nuit sous la poussée des vagues déferlantes de la ville qui grandissait, de Flores à Belgrano et des endroits les plus élégants de Vicente Lopez au far-west nocturne de Ramos Mejia à Morón, là où les rues de la capitale fédérale deviennent des rues de province.

EN GUISE D'AUBADE

Alors, loin du centre aussi, l'aube met sa toile de fond rose pour que dansent leur pathétique pas de deux chaque premier habitant du jour avec chaque dernier client de la nuit, en un champ et contrechamp de visages reposés par la trêve du sommeil et de visages livides scellés par l'ombre.

Clair-obscur de figures comme des masques aristophanesques accrochées derrière les vitres des cafés qui pour les uns s'ouvrent gaiement pour un petit déjeuner et pour les autres ont la mélancolie pâle et romantique d'un épilogue.

Car à Buenos Aires, comme disait mon ami, « il ne faut pas confondre les noctambules avec ceux pour qui à onze heures il se fait tard ».

(Traduit de l'espagnol par Françoise Rosset.)

HORACIO FERRER
Poète

1. En français dans le texte.
2. En français dans le texte. *Baquet* en argot français du début du siècle désigne une belle voiture.

FIGURES DE PROUE

LE TROUBADOUR : MARIA ELENA WALSH

Une « Argentine typique » : grande, blonde, aux yeux bleus, au nom anglais. Une enfant prodige : à quinze ans, poète acclamée par la presse. Une folkloriste à part : avec Leda Valladares, elle avait formé ce duo, « Leda y Maria », qui différait des autres par son souci de pureté, d'authenticité, non pas d'engagement politique. Une femme troubadour, capable de s'adresser aux petits (ô chanson de « la vache studieuse », que tout enfant argentin connaît par cœur), aux grands (ô célèbre chanson sur les « exécutives », que tout homme d'affaires argentin fredonnait, dans les années 70, pour se montrer dans le vent !). Enfin, conteuse : inoubliables aventures de l'éléphant Dailan Kifki, ou de la « plapla » — la lettre à l'humour fantasque, qui s'envolait de sa page. Peut-on la résumer en trois mots, Maria Elena ? Oui : perfection, professionnalisme, tendresse. En plus d'un charme qui n'est pas chaleureux, un charme froid, dans le sens où le cristal est froid, mais transparent.

ODA

LE THÉÂTRE : CECILIO MADANES

C'était un samedi soir, au théâtre Coliseo, où m'avait entraînée mon ami Frédéric, subtil explorateur de la vie argentine. Partout se pressaient des dames en noir. Cecilio Madanes, très entouré, saluait et surtout recevait les hommages. Élégant, altier, portant fièrement sa canne à pommeau d'argent, il était l'incontestable vedette de la salle. Plus tard, seulement, lorsque nous serons attablés dans son restaurant favori, Zum Edelweiss — « N'est-ce pas qu'il ressemble à une brasserie parisienne ? » — je recevrai à mon tour la pression de son regard bleu, je succomberai à son art du récit, à sa ferveur du théâtre. Il nous parla de Paris, de Saint-Germain-des-Prés dans les années cinquante, de *Maître Patelin*, sa première mise en scène, de son apprentissage avec la compagnie Renaud-Barrault... A son retour en Argentine, il fonda dans le quartier populaire de La Boca, le « Caminito », un théâtre en plein air où, au cours de la saison d'été, il mettait en scène Goldoni, Labiche, Hugo, Shakespeare. Pendant quinze ans, le public devint là, dans de mémorables séances d'avant-garde, un des véritables acteurs de l'intrigue, comme dans la Commedia dell'Arte. Nommé dès 1983 directeur du théâtre Colón par le président Alfonsin, Cecilio Madanes continua d'inventer, de décloisonner, de démocratiser la culture. Symboliquement, il commença par lever l'interdit qui consistait à n'autoriser l'entrée au Colón qu'aux individus portant une cravate ! Et il entreprit de faire sortir l'orchestre dans la rue, de lui ouvrir des répertoires de jazz ou de musique populaire, rassemblant ainsi des publics de 8 à

10 000 personnes ; regrettant cependant de ne plus signer ces mises en scène qui avaient fait l'admiration des critiques les plus élitistes — ce fut le cas lorsqu'il monta *Equus* ou *La Traviata* de Verdi — « Il ne cesse d'innover, de phosphorer me dira de lui un collègue, je me souviens notamment d'une croisière picturale vers la fin des années cinquante : Cecilio avait fait faire le tour du monde aux plus belles toiles des peintres argentins du moment. »

Pour l'heure, dans le restaurant où il est encore une fois la vedette, il nous invite à le rejoindre au théâtre Cervantes, le lendemain matin. Il vient d'inventer un concours de dessin populaire consacré à la danse. Chaque dimanche, plusieurs centaines de Porteños viennent croquer les danseurs ; il y a là des fanatiques de tous les âges, de toutes les professions, de tous les milieux sociaux. « Le lauréat est un architecte qui avait toujours voulu peindre à plein temps », me dira Cecilio le lendemain. Et, exultant, il ajoutera : « Je suis heureux parce qu'on lui a changé la vie ! »

Annie Cohen-Solal

LA SCIENCE : LUIS FEDERICO LELOIR

Le plus modeste des Argentins remarquables a quatre-vingts ans. Prix Nobel de Chimie (1970) il est l'image discrète et laborieuse d'un pays qui, tout en se plaignant de son absence de rigueur, a les seuls trois prix Nobel scientifiques d'Amérique latine et 600 000 émigrés chercheurs et artistes.

G.S.

LE CINÉMA : MARIA LUISA BEMBERG

Héritière d'une des familles les plus riches d'Argentine (et probablement du monde entier), Maria Luisa brise les liens avec son milieu pour filmer avec vigueur le monde féminin de la bourgeoisie : *Señora de Nadie* (Madame de Personne), chronique d'une femme *Miss Mary* (avec Julie Christie), et *Camila*. Ce dernier film raconte la mise à mort au XIXe siècle d'un couple maudit : le père Ladislao et son élève Camila qui sera exécutée après avoir été contrainte d'avaler des litres d'eau bénite pour que le bébé qu'elle attendait monte au ciel.

C'est la femme cinéaste la plus importante d'Argentine. Intelligente, battante, indépendante, féministe. Propriétaire richissime, elle vit discrètement dans un petit appartement à Buenos Aires ayant abandonné l'idée d'être comme toutes les autres.

G.S.

LE SON DE BUENOS AIRES : ASTOR PIAZZOLLA

Quelques notes, égrenées par le bandonéon de Piazzolla, suffisent pour faire naître des images qui évoquent la ville. Le Buenos Aires de ce sentimental à la tête froide et à la volonté inébranlable se trouve surtout dans l'esprit des gens qui l'aiment bien, « les amis », vers lesquels il revient chaque fois que son destin d'enfant prodigue le lui permet.

« A Buenos Aires, les quartiers que j'aime ne sont pas les plus "typiques", les quartiers pauvres, mais ceux du nord de la ville comme, par exemple, Belgrano... la rue Rodriguez Peña... Les quartiers résidentiels, ceux qui sont vraiment beaux. » Et Piazzolla ajoute, se moquant un peu de lui, en vrai Porteño qu'il est : « Peut-être suis-je un bourgeois manqué ? »

Il poursuit : « Un critique a dit un jour : "Piazzolla est célèbre, mais il n'est pas populaire." C'est vrai. Quand je suis venu à Paris pour la première fois, en 1954, j'apportais un de mes tangos *Prepárense*. Il a plu ici, alors qu'il n'était pas accepté à Buenos Aires. Encore maintenant, quand j'y retourne, je remplis une salle de concert une ou deux fois. Mais si je reste, je n'ai pas de travail. »

Edmundo Eichelbaum

LE TANGO : SUSANA RINALDI

Au début, c'était la comédienne. Plus tard : la chanteuse. Une chanteuse qui n'a jamais cessé d'être une comédienne, de surveiller, avec une minutie presque maniaque, la mise en scène de chaque tango, choisissant de trouver le naturel par la voie d'un artifice exacerbé. Grande diva, ses mains chantent avec elle, se crispent sur le ventre comme si elles voulaient dire : « Voilà, c'est d'ici même que surgit le tango : du fond des tripes. » Et ses jambes se plient et se déplient, respirent, croirait-on, selon le va-et-vient du bandonéon, accompagnant sa voix rauque, profonde, sa voix aux « sons noirs ». On l'appelle : « la Tana », « l'Italienne », à cause de sa passion sans retenue. Elle est aussi le flambeau d'un tango de femmes, moins plaintif, moins rancunier, qui veut rompre avec les gémissements stéréotypés du pessimisme mâle.

ODA

LE FOLKLORE : MERCEDES SOSA

Visage large, pommettes saillantes, une cage thoracique ample et carrée, qui vibre comme le plus sonore des instruments : un orgue humain, à l'apparence indienne. Ce visage, ce corps ne semblent être que le support d'une voix venant de la poitrine sans même frôler la gorge au passage, circulant librement, à l'aise, dans l'espace généreux, sans que la volonté de la chanteuse lui mette des entraves. C'est pourquoi la « Negra Sosa » peut chanter comme elle veut — comme la musique le veut : immobile ou en mouvement, assise, la tête baissée... peu importe —, toujours enveloppée de son poncho de Salta, rouge. Chanteuse « engagée », souvent elle nous inflige les slogans rhétoriques des paroliers attachés au modèle de Neruda. Mais écoute-t-on vraiment ce qu'elle dit ? Tout n'est que prétexte pour assister à ce phénomène naturel, comme on assisterait aux mouvements de la mer, au déchaînement de la pluie.

ODA

ENRIQUE SYMNS

DÉRIVE DE NUIT

LA MODE DU « CEMENTO »

On l'appelle le *Cemento,* c'est « le lieu » ultramoderne qui exprime le plus clairement les tendances actuelles de la jeunesse de classe moyenne. Un hangar dépouillé en ciment brut d'une capacité de 3 000 personnes. Parmi les originalités : des chanteurs d'opéra, des guérisseurs, des violonistes, des strip-teaseuses et des acteurs se promènent dans les couloirs. Superficialité et frivolité de rigueur. C'est là une sorte de bal masqué où, sous prétexte d'écouter Talking Heads, Duran Duran, Culture Club, des centaines d'adolescents se réunissent chaque fin de semaine pour montrer leurs beaux costumes. Les filles se déguisent en prostituées ou en petites panthères séductrices et les garçons, dans un style Rudolph Valentino, en gouapes inaccessibles. Dans une société corsetée par l'inconfort de la veste et de la cravate, la panoplie *new wave* prend l'allure d'un défi déterminé contre les règles établies de convivialité.

Peu de sexe au Cemento, ce n'est pas précisément un lieu de drague. Il fonctionne plutôt comme un quartier général de la modernité. Parfois, la violence surgit, comme une poussée d'acné.

Une bande autobaptisée « Les travestis heavy metal » envahit le local et distribue quelques mollards et quelques grosses gifles à l'assistance. En réalité, malgré les efforts de la presse à sensation pour en faire un gros titre, la bande est totalement inoffensive.

Le Cemento est l'épicentre de la nouvelle mode adolescente qui s'est emparée de Buenos Aires, s'étendant du vieux quartier de San Telmo au cœur du Barrio Norte.

Ces jeunes gens modernes sniffent de la cocaïne, ne lisent pas les journaux, ne croient pas à la politique. Des *patotas* qui vont sans idéologie, les bras ballants et qui ne s'amusent qu'en dansant jusqu'à l'aube, en faisant la roue devant le miroir des autres.

A la marijuana, ils préfèrent la cocaïne. Les effets hallucinants du cannabis sont considérés comme décadents pour une époque où des mots comme pacifisme, amour, révolution ont perdu tout leur pouvoir subversif. La cocaïne en revanche, produit un efficace système de réponse à la rigidité du milieu social.

Enfin, ces jeunes sont parvenus à déstabiliser la morale timorée des Porteños en déstructurant le système conventionnel de véhiculation érotique. Les propositions pour aller au lit sont spontanées et dépourvues de tout bavardage. Un simple « On y va » ou « Avec qui tu dors ce soir ? » marque le début d'une aventure.

LA RUE « PSICOBOLCHE »

Si le Cemento et toute une série de bars du même genre (La Esquina del Sol, Neo Latex, Palladium) sont les endroits où se rassemble la jeunesse la plus frivole et la plus élégante, la traditionnelle rue Corrientes, en plein centre de la ville, se charge, elle, d'agglomérer la crème de la jeunesse *psicobolche* (en argentin, cette expression signifie : de gauche et psychanalysé).

Ses préférences sont diamétralement opposées. Les *psicobolches* préfèrent la musique latino-américaine au rock-and-roll, l'alcool à la cocaïne et de longues discussions politiques à une table du bar La Paz au déchaînement de lumières stroboscopiques du Paladium. A l'indifférence *new wave,* ils opposent le militantisme existentialiste, au manque d'espoir punk, l'idéologisation de ce même désespoir. Ils peuvent militer soit dans les partis d'extrême-gauche comme le parti ouvrier ou le Mouvement vers le socialisme, tous deux qualifiés de trotskystes, soit dans les rangs modérés du Parti intransigeant (3e force politique du pays), soit au « caméléon » Parti communiste argentin. Leurs principales activités politiques sont les marches pour les droits de l'Homme et les manifestations contre la visite de représentants caractéristiques des ennemis du peuple comme Nelson Rockefeller. Ce sont des experts de la dérive nocturne. Ils déambulent sur la rue Corrientes, toujours à la recherche d'une table pour renouer la conversation ou pour commencer une histoire d'amour. Il y aura beaucoup de genièvre, beaucoup de jargon lacanien avant d'arriver au lit.

Le café de Agosto, le bar Los Pinos et le déjà mentionné bar La Paz (tous situés sur la rue Corrientes) sont les centres de conspiration de ces jeunes qui, en attendant la révolution, continuent à l'utiliser comme tétine pour se divertir pendant que les années passent.

L'INVASION « GRAFFITI »

Même le traditionnel journal *Clarin* a dû rendre compte de l'événement et inclure une double page centrale sur le phénomène des graffitis dans une de ses éditions. En effet, peu de mois après l'implantation de la démocratie, et à un rythme croissant, étonnant une société désaccoutumée à la liberté d'expression, un grand nombre de groupes de jeunes se mirent à utiliser les murs de la ville comme les pages d'un journal libertaire.

Le *Bolo Alimenticio*, anarchiste, fut le premier à ouvrir le tir. Ses inscriptions scandaleuses provoquèrent la colère de l'Église et des secteurs plus modérés de la société portègne. « Dites non à l'avortement, enculez-vous », « En Argentine, l'homme a un pénis, le vagin a une femme », « Dieu est un psychopathe sexuel », furent quelques-uns des slogans les plus commentés. Ce fut aussi l'étincelle qui mit le feu aux poudres. D'Avellaneda à San Isidro, de Pompeya à Liniers, beaucoup d'autres groupuscules (Los Tolchokos, el Partido Esquizoide, Los Vergaras, Partido del Semen), commencèrent alors à couvrir les murs de la ville en se moquant de tout et de tous. Une expérience inquiétante et explosive qui mélange et conjugue tous les courants de la pensée alternative. Ses promoteurs revendiquent au même plan Bukovski, Deleuze, Nietzsche et les Talking Heads. Ils ne sont ni de gauche ni punk. Ils refusent toutes les étiquettes et conservent l'anonymat. La nuit de ces anarchistes individualistes est clandestine et créative. Les revues *underground* se sont, elles aussi dépouillées de tout vieux langage militant. Pour exemple, la revue féministe *Manuela* qui a ajouté à une de ses parutions un vrai préservatif dans lequel était grossièrement dessiné le pape en train de se masturber et le magazine gay *Sodoma* qui fait une authentique apologie de l'homosexualité, invitant tous les hommes hétérosexuels à « l'essayer ne serait-ce qu'une fois ».

La génération argentine post-guérilla paraît avoir assumé l'impossibilité d'un affrontement direct avec le déjà tant décrié système et semble diriger ses pas vers la pratique d'un nouveau langage qui, explorant la frivolité, découvre le futur.

LE ROCK DES BANLIEUES

Les concerts de rock sont une espèce de peste qui répand le bonheur sur la nuit de Buenos Aires. Du plus pouilleux des clubs du sud de la province au bar le plus luxueux de Palermo, les guitares électriques et les voix effrénées invitent nuit après nuit les corps à se déchaîner et à se libérer.

Le mouvement punk a engendré une énorme quantité de groupes curieusement dotés de noms à consonance politique (Tumbas NN, General Videla, KGB) ou sociale (Los Violadores, Los Delicuentes).

Mais si dans le centre de la ville, tous se maintiennent dans les limites de la frivolité et du débat idéologique, le phénomène prend des proportions plus inquiétantes dans le Grand Buenos Aires, la sombre périphérie qui s'étend de Puente Avelladena jusqu'au sud ou de l'avenue Général Paz jusqu'à l'ouest. Là, un nouveau type de délinquance quasi démentielle, ayant pour principaux protagonistes des jeunes chômeurs désemparés et une police à laquelle la démocratie a donné le droit de tuer, a commencé à se manifester.

A Quilmes, Wilde, Moron, Ituzaingo, les bals et les concerts de rock atteignent un niveau de violence inhabituel. Les bandes *metaleras* (expression argentine pour *heavy metal*) essayent d'imiter leurs grandes sœurs new-yorkaises et déclenchent de véritables batailles rangées.

Ni l'élégance, ni le désenchantement idéologique, ni la drogue ne font partie de ce cadre nocturne marginal. C'est peut-être là qu'on sent avec le plus de profondeur, le désespoir d'une génération qui durant une décennie a souffert la plus absolue castration de son destin individuel et social.

(Traduit de l'espagnol par Alain Guillon.)

ENRIQUE SYMNS

Journaliste, explorateur du milieu marginal portègne.

PHOTOS DE JUAN TRAVNIK

NOS PLUS VIFS REMERCIEMENTS À AGATHE GAILLARD

PERON VIVE

MULTIS

LA VILLE QUI N'EXISTE PAS

entretien avec
JORGE LUIS BORGES

LE BUENOS AIRES DE BORGES EST UNE VILLE QUI N'EXISTE PLUS. D'UNE PART, LA PERTE DE LA VUE FIXA LA VISION DE L'ÉCRIVAIN AUX RUES DE SA PRIME JEUNESSE, MAIS SURTOUT, CELUI-CI S'ATTACHA À RECRÉER UN BUENOS AIRES À PARTIR DES RÉCITS MYTHIQUES SUR LES BAS-FONDS DE LA VILLE, CAÏDS ET APACHES. BORGES AIMAIT PROFONDÉMENT SA VILLE ET LA PLAINE QUI L'ENTOURE. QUAND DRIEU LA ROCHELLE VINT EN ARGENTINE, BORGES L'EMMENA SE PROMENER UN SOIR AVEC NESTOR IBARRA. LES LUEURS DE L'AUBE LES SURPRIRENT À PUENTE ALSINA, L'UNE DES LIMITES DE LA VILLE À L'ÉPOQUE. AU-DELÀ, C'ÉTAIT L'IMMENSITÉ DE LA PAMPA. ET TANDIS QUE DRIEU QUALIFIAIT LA PAMPA DE « VERTIGE HORIZONTAL », BORGES, QUI NE PRONONÇAIT PRESQUE JAMAIS DE PAROLES VULGAIRES NI GROSSIÈRES, S'EXCLAMA : « C'EST LA PATRIE, *CARAJO* ! »

CET ENTRETIEN A ÉTÉ RÉALISÉ QUELQUE TEMPS AVANT LA MORT DU GRAND ÉCRIVAIN.

Maria Esther Vazquez. - Quel est ton premier souvenir de Buenos Aires ?

Jorge Luis Borges. - Un patio de dalles rouges et un jardin au fond, avec un palmier et des fromagers en fleurs, et un escalier avec un enfant assis sur la dernière marche en train de lire des histoires qui à l'époque me paraissaient merveilleuses. Elles l'étaient en effet, puisqu'il s'agissait des contes de Grimm, des romans d'Alexandre Dumas, de Walter Scott, des *Premiers Hommes sur la lune* de Wells. Nous les lisions ensemble avec ma sœur Norah.

Comment était le Buenos Aires de l'époque ?

Une ville aux maisons basses, avec des patios et des citernes, des rues qui se prolongeaient jusque dans la plaine. Que c'est drôle, au fond de la citerne, il y avait toujours une tortue. Les grandes personnes disaient qu'elle servait à purifier l'eau, mais j'ai des doutes sur la question...

A quel moment as-tu pris conscience de l'amour que tu portais à la ville ?

Je devais avoir treize ou quatorze ans quand on m'a emmené en Europe. Le bateau sur lequel nous étions embarqués fit escale à Rio de Janeiro et là, un soir, accoudé au bastingage, j'entendis chanter un garçon qui était assis sur le quai. Il chantait en portugais, mais les paroles étaient absolument transparentes. Ça disait : « Dans mon pays il y a des palmiers / dans lesquels chantent les *sabias*[1] / Les oiseaux qui ici gazouillent / ne gazouillent pas comme chez moi. » Et je t'assure, je me suis mis à pleurer en pensant à Buenos Aires, à ses rives sombres, à ses pauvres oiseaux citadins. Ensuite le chanteur parlait des étoiles et la chanson se terminait par : « Dieu fasse que je ne meure pas / avant d'être rentré chez moi. » Et cette phrase m'émut à tel point qu'aujourd'hui encore, quand je suis en voyage, loin de chez moi, je me souviens de ces vers et je me les récite.

Et pourtant, quand un étranger arrive à Buenos Aires et te dit qu'il trouve que c'est une belle ville, tu essaies de lui prouver le contraire.

En effet. Mais je le fais par jalousie, parce que je ne veux pas que d'autres l'aiment et en profitent. C'est bizarre mais quand je suis loin de Buenos Aires, je pense aux quartiers les plus pauvres et les plus tristes, comme le Once par exemple, avec ses boutiques minables, sa gare et la place Miserere, laquelle est réellement une misère, et là, je ne sais pas pourquoi, ça me produit un effet paradoxal, c'est-à-dire que j'éprouve une tendresse incroyable pour un endroit où par ailleurs je ne vais jamais.

Comment est le Buenos Aires que tu retrouves en 1921, à ton retour d'Europe ?

Pour moi qui avais quitté ma ville en 1914, tout était inconnu. C'est bizarre, quand on se remémore une chose qu'on a vue ou vécue quand on était petit, on se l'imagine toujours plus grande ou meilleure qu'elle ne l'était en réalité. Sachant cela, quand je me suis retrouvé à Genève, puis à Venise, et après à Barcelone, Séville ou Madrid, en pensant à Buenos Aires, je la rapetissais et j'amenuisais mes souvenirs. Mais j'ai exagéré.

Comment ça ?

Je l'ai trop rapetissée, ce qui fait que je me suis retrouvé face à une ville inconnue, bien plus grande et vaste que je ne m'étais obligé à en garder mémoire.

J'étais très lié à Francisco Luis Bernárdez, et tous les samedis et dimanches, nous partions ensemble explorer Buenos Aires. Nous arrivions à l'aube à Puente Alsina ou au fond de la Chacarita ou dans le quartier de Saavedra, où vivait Xul Solar. Là, deux fois nous nous sommes fait arrêter et fouiller pour voir si nous ne portions pas d'armes, car entre Cabildo et ce qui aujourd'hui s'appelle Rivadavia s'étendait une zone très sauvage. Il y avait beaucoup d'ombre, une baraque, le ruisseau Medrano et, derrière, une ferme.

Maintenant c'est un quartier très chic avec des villas et des gratte-ciel. Et du côté de Palermo ?

Du côté de Palermo, nous allions souvent jusqu'à El Lazo qui n'existe plus, je suppose.

Si, si, c'est devenu un quartier très snob.

De mon temps, c'était un quartier misérable et mal famé. Il s'étendait derrière la prison et il était habité par des gens de la pègre et des femmes de détenus. Nous étions très jeunes, et avec Bernárdez, je ne sais si je devrais l'avouer, nous étions (moi plus que lui) sur le point de devenir alcooliques. Nous croyions que cela ferait de nous de vrais *criollos* portègnes. La chose bizarre c'est que pour être plus portègnes, nous buvions du *guindado* oriental[2] et de la *caña*[3] brésilienne...

J'ai l'impression que tu as gardé un faible pour le guindado oriental.

Oui. A une époque, j'en avais fait une sorte de rite. J'avais l'habitude d'en boire un verre pour me donner du courage quand je devais dicter le texte d'une conférence. Mais je n'en prends plus que rarement. Pourtant, Bernárdez n'aimait pas l'alcool, curieux quand même.

Nous partions parfois à l'aube du côté de Palermo, remontés à bloc, et nous décidions de donner des coups de pied dans tous les portails de fer que nous trouvions sur notre chemin ; le vacarme réveillait tout le quartier. Oui, j'ai bien failli devenir alcoolique.

Et qui t'en a empêché ?

Le destin qui fait et défait toute chose. Je me trouvais un jour en visite chez des gens où il y avait d'autres invités. Au bout d'un moment, je me levai, saluai la compagnie et sortis. Mais juste derrière la porte, je m'aperçus que j'avais un lacet de chaussure défait. Je m'accroupis pour le renouer et à travers la porte restée entrebâillée, j'entendis quelqu'un déclarer : « J'ai lu quelque chose de Borges, il n'écrit pas mal — C'est même plutôt bien », reprit une autre voix anonyme qui conclut par : « Dommage qu'il soit alcoolique. »

J'imagine ce que tu as dû éprouver.

Je me suis senti si mal que depuis ce jour-là je n'ai plus jamais touché à l'alcool.

Sauf ton petit verre de guindado.

Ah, ça c'est ma petite goutte rituelle.

Je crois qu'un jour, en te promenant dans Palermo avec Bernárdez, vous avez rencontré don Nicanor Paredes.

Oui, c'était un caïd qui était fier du quartier Palermo. Je les présentai l'un à l'autre, et Paredes demanda à Paco de quel quartier il était. « D'Almagro ! » répondit celui-ci avec emphase. Et Paredes, qui avait passé les soixante-dix ans à l'époque, et qui savait que devant nous les jeunes il devait tenir son rôle pour préserver sa réputation, répliqua : « A Almagro, ce sont des braves, ils n'ont pas peur... du froid ; ils sortent sans manteau. » Alors Bernárdez me poussa du coude en me lançant à voix basse : « Eh ben celui-là il prend vraiment le patriotisme de quartier au sérieux ! »

J'ai l'impression que dans la première partie du siècle, ce « nationalisme », disons, de quartier était assez marqué.

Ah oui. Chaque quartier avait son hymne propre ; mais c'était surtout une histoire de caïds et d'apaches qui régnaient sur un rayon de vingt à trente pâtés de maisons, toute l'étendue de leur quartier, et qui ne permettaient à personne de venir leur faire ombrage.

Je ne suis pas sûre que ce n'était qu'une affaire de caïds de quartier. Je crois me rappeler que lorsque tu parles de la fondation de Buenos Aires par Solis en 1536, tu laisses clairement entendre que la chose se produisit à Palermo (« ce fut à Palermo, ce fut dans mon quartier »). Il s'agit de celui où se trouvait ta maison, où tu as passé ton enfance et que ta sœur Norah allait peindre si souvent plus tard.

Que faire ! Il faut croire que je me sentais un homme de Palermo quand j'ai écrit ce poème.

Et maintenant ?

Maintenant je ne sais plus. Je crois que Palermo a tellement changé.

Ton coin à toi est resté à peu près le même.

Ah bon ? Il y a longtemps que je ne vais plus par là-bas.

Il est évident que le Buenos Aires de ta littérature n'est pas une ville réelle.

Sans doute.

Pourquoi as-tu choisi ce sujet : la ville ?

Je crois qu'il est inexact de parler de choix de sujets ; ce sont les sujets qui vous choisissent, et celui-là m'a sollicité comme tous les autres qui apparaissent dans ma prose comme dans mes vers. A mon avis, il vaut mieux que l'écrivain intervienne peu dans ses œuvres, je veux dire qu'il ne fasse pas intervenir ses opinions. Les opinions sont si transitoires, si éphémères ! En revanche, quand une chose vous a été donnée, on se sent obligé de la respecter, de ne pas trop la modifier.

D'autre part, le Buenos Aires de tes livres n'est pas le Buenos Aires d'aujourd'hui.

En effet, ce n'est même pas celui de ma jeunesse. Tout le monde s'est sans doute rendu compte que je parle d'un Buenos Aires antérieur à ma propre enfance. Je suis né en 1899 ; or, mon Buenos Aires est un peu vague et se situe aux alentours des années 1890. Il y a à cela deux raisons : d'une part en vertu de l'adage qu'« autrefois c'était toujours mieux » ; d'autre part parce que je crois que c'est une erreur de faire de la littérature strictement contemporaine — cela est du moins contraire à toute la tradition : Homère a écrit je ne sais combien de siècles après la guerre de Troie. Cela comporte en outre un inconvénient d'ordre pratique : si j'écris sur un fait contemporain, je place le lecteur dans une position de limier en quête d'erreurs. En revanche, si je dis que tels faits se sont produits à Turdera ou à la périphérie de Palermo dans les années 1890 et quelque, personne ne peut savoir exactement comment on parlait dans ces faubourgs, ni comment on était, et cela assure une plus grande liberté ainsi que l'impunité à l'écrivain. Et comme la mémoire est sélective (à en croire Bergson), il semble qu'on puisse mieux travailler avec les souvenirs qu'avec le présent qui vous comprime et vous entrave. Enfin, lorsqu'on écrit sur le présent, on court le risque de paraître moins écrivain que journaliste.

Tu as quelque chose contre les journalistes ?

Non, Maria Esther, mais l'écrivain a l'illusion que son travail peut perdurer alors que celui du journaliste ne dure que ce que dure le journal dans lequel il écrit : quelques heures seulement. C'est pourquoi on ne s'attend pas à ce que quiconque se donne trop de mal ni prétende écrire avec le soin d'un Cervantes pour quelque chose qui ne survivra pas à la lumière du jour.

Tes trois premiers livres, jusque dans leurs titres, sont très liés à Buenos Aires.

C'est vrai.

Le premier est celui qui a le titre le plus évocateur.

Ferveur de Buenos Aires, c'est le meilleur des trois. Mais le titre m'en paraît parfois exagéré.

Pas du tout. Il s'agit d'une véritable déclaration d'amour, et phonétiquement il sonne bien.

Je l'ai écrit en 1923 quand, tout jeune encore, je me suis rendu compte...

que « les rues de Buenos Aires sont devenues mes entrailles ».

Oui, ainsi commence le premier poème du recueil. Pour moi, *Ferveur de Buenos Aires* préfigure tout ce que j'allais faire par la suite. Mais pour celui-là, je m'étais fixé plusieurs buts.

Lesquels, par exemple ?

Être Macedónio Fernández[4] ou devenir un écrivain du XVIIIe siècle ; mais ce que je désirais le plus c'était chanter un Buenos Aires aux maisons basses, avec ses villas entourées de jardins, tournées vers le sud ou le couchant. En ce temps-là, je recherchais les crépuscules, les faubourgs et le malheur.

Et maintenant ?

J'ai secrètement changé. Maintenant, je cherche le matin, le centre ville et la sérénité.

Dans *La Lune d'en face* et le *Cahier de San Martin*...

Bah, j'estime que ces deux-là sont de second ordre.

C'est ton opinion.

Mais si tu les lis, tu te rends compte que la ville de *Ferveur* ne cesse jamais d'être intime, alors que dans les deux autres, les poèmes sont plus ostentatoires.

Non, je ne trouve pas, je me souviens de quelques très jolis poèmes, et d'un notamment, absolument superbe : « Cette nuit-là on veillait quelqu'un dans le sud. »

C'est le premier véritable poème que j'aie écrit. Mais tout ce qu'on écrit — en l'occurrence sur la ville de Buenos Aires qui constitue une présence permanente en moi — se fait avec des souvenirs personnels ou avec des souvenirs étrangers qui finissent par devenir personnels comme tout ce qui relève du passé. Mais si les souvenirs qu'on a du *Don Quichotte* qu'on lisait quand on était petit sont des souvenirs du patio de la maison, on intègre le tout. Buenos Aires fait partie de mon passé, celui de mes parents, ce sont aussi les mensonges, pourquoi pas, du vieux caudillo Paredes, les gens que j'ai vus chez lui, les conversations, les récits de seconde ou de troisième main qui me sont parvenus, et quelque chose encore. Buenos Aires c'est moi-même et je pense parfois que pour l'aimer davantage je dois m'en éloigner, car en la mettant à distance je la pense, je la rêve, je la sens comme ce qui m'est arrivé de mieux dans la vie.

(Traduit de l'espagnol par Céline Zins.)

propos recueillis par
MARIA ESTHER VAZQUEZ

Journaliste et écrivain, auteur de *Borges. Images, dialogues et souvenirs*, Le Seuil, 1985.

1. ***Sabia*** **: sorte de grive.**
2. **Alcool. « Oriental » désigne ce qui vient d'Uruguay.**
3. **Boisson alcoolisée.**
4. **Écrivain et poète argentin (1874-1952), maître à penser de Borges, Maréchal, Calabrini Ortiz et Mastronardi entre autres.**

ANNE RÉMICHE-MARTYNOW

¿ ADIOS BUENOS AIRES ?

entretien avec
RAUL ALFONSÍN
Président de la République argentine

LA CAPITALE FÉDÉRALE DOIT-ELLE QUITTER BUENOS AIRES ET S'INSTALLER DANS UNE AUTRE VILLE ? DÉSENGORGER CETTE TÊTE IMMENSE QU'EST BUENOS AIRES VERS OÙ TOUT CONVERGE : LE COMMERCE, LES INDUSTRIES, LA POLITIQUE ?
DEPUIS L'ANNONCE EN MAI 1986 PAR LE PRÉSIDENT RAUL ALFONSÍN DE CE PROJET DE TRANSFERT, BEAUCOUP DE QUESTIONS SUR LE POURQUOI, SUR LE LIEU, SUR L'AVENIR. ET COMME PARTOUT, ON INTERROGE LES CITOYENS. SELON UN SONDAGE PUBLIÉ DANS LA *NACÍON*, EN JUILLET 1986, 50 P. 100 DES PERSONNES INTERROGÉES CONSIDÈRENT QU'IL CONVIENT QUE LA CAPITALE FÉDÉRALE SOIT TRANSFÉRÉE VERS D'AUTRES LIEUX DU PAYS, DONT 22 P. 100 ESTIMENT QUE CELA DOIT ÊTRE DANS LA ZONE DE VIEDMA-CARMEN DE PATAGONIE.
LE PRÉSIDENT RAUL ALFONSÍN A BIEN VOULU RÉPONDRE À NOS QUESTIONS CONCERNANT CE TRANSFERT DE LA CAPITALE FÉDÉRALE DE BUENOS AIRES À VIEDMA. A. R.-M.

Anne Rémiche-Martynow. - Je suppose que la vision de Buenos Aires doit être différente, selon que l'on se trouve à l'extérieur ou dans la Casa Rosada. Comment voyiez-vous Buenos Aires avant, et comment la voyez-vous maintenant ?

Président Alfonsín. - D'un point de vue personnel, je pense que les grandes métropoles engendrent généralement des sentiments de dépersonnalisation, et même de perte d'identité, provoqués par la pratique systématique de l'anonymat. Comme vous le savez, dans de nombreux pays, les grandes villes tendent à devenir des lieux de travail entourés de cités-dortoirs ou banlieues-dortoirs, dans lesquelles les gens se retrouvent dans un concept de voisinage ; dans lesquelles chacun cesse d'être un sujet anonyme et abstrait pour redevenir quelqu'un que ses amis saluent et à qui il donne la main.
Je crois que c'est à propos de cette dimension du pays que Miguel de Unamuno a parlé de patrie et de matrie. La patrie, disait-il, est un concept unitif et structurant, qui place les sentiments dans une communauté nationale avec laquelle on entretient un rapport affectif important. Lors d'un championnat mondial de football, on remarque le lien affectif qui existe par exemple entre les Argentins et l'Argentine.
Lorsque l'on se trouve à l'étranger et que l'on pense à son pays, on se rappelle en général le club dans lequel on se réunissait, l'arbre

que l'on a vu grandir devant chez soi, la place sur laquelle on jouait au ballon, le garçon qui habitait en face ou l'épicier du coin. C'est à cette dimension qu'Unamuno fait allusion quand il parle de matrie (c'est-à-dire, quelque chose davantage lié au sentiment direct et naturel de l'amour que l'on porte à la mère, qu'à celui, légèrement plus intellectuel et organisé, de l'amour que l'on porte au père). En ce qui me concerne, je pense qu'il n'existe pas de plus bel endroit au monde pour y vivre que mon village, Chascomús.

On parle beaucoup du projet qui consisterait à transférer la capitale à Viedma. Pourquoi ce projet ?

L'histoire de la frustration argentine — et n'oubliez pas qu'il y a cinquante-cinq ans, l'Argentine était l'un des sept pays les plus importants du monde — passe également par l'incroyable distorsion macrocéphalique qui a converti Buenos Aires en capitale. L'Argentine possède d'immenses espaces vides, et tous les pays qui ont besoin d'occuper des espaces vides y transfèrent leur centre politique. Le centre politique nord-américain s'est installé à Washington afin d'avancer vers l'est et de ne plus être un pays côtier ; le centre politique du Brésil est devenu Brasilia pour appréhender l'intérieur. Notre changement sera plus modeste : nous allons faire de Viedma une capitale mais pas une métropole. La capitale n'a pas à être une métropole. Pensez à Bonn. Bien, vu que notre grand espace vide se trouve dans le sud, que nous devions conquérir notre mer (et que nous ne pouvions pas ne pas profiter de notre froid), nous avons cherché une ville située dans le sud patagonique, près de la mer, et qui en même temps ne soit pas isolée des zones les plus peuplées du pays, afin que la capitale ne constitue pas une abstraction. Nous n'avons pas choisi Viedma. Je crois que Viedma était la seule ville qui réunisse toutes ces conditions.

Ne craignez-vous pas que cette capitale devienne une ville réservée aux fonctionnaires ?

Il faudra peut-être changer le nom de la capitale, qui englobe non seulement Viedma, mais aussi Carmen de Patagones et les zones limitrophes.

Non, ce ne sera pas une ville de fonctionnaires. D'abord parce qu'elle vit déjà, et ensuite, parce qu'elle constituera un aimant dans le cadre d'une politique de développement du Sud.

Je suppose que la création d'une nouvelle capitale ne se limite pas uniquement à un changement de lieu. Quels projets politique, économique, social ou culturel comprend-elle ?

Je pense que l'un des projets politiques implicites consiste à séparer et ainsi à rendre indépendants, le centre des décisions de l'État du centre des affaires. Selon un écrivain politique, les capitalistes voudraient que les patrons des entreprises soient les patrons de l'État ; les communistes voudraient que l'État soit le patron des entreprises, et les radicaux voudraient, eux, un État indépendant avec des entreprises indépendantes — qui détiennent leur propre force économique, mais n'aient pas pour autant de force politique.

A votre avis, quels seraient les avantages et les inconvénients que la ville de Buenos Aires tirerait de la création de cette nouvelle capitale ?
Je ne crois pas que Buenos Aires se trouve affectée de quelque manière que ce soit par la création de la nouvelle capitale. Elle serait par contre gagnante dans le domaine des droits politiques parce que, vous ne le savez peut-être pas, le maire de la ville de Buenos Aires est le seul qui soit choisi par le président de la République, et le district de la capitale est le seul qui ne possède pas de parlement local, ce qui crée des problèmes juridiques extrêmement complexes. Les habitants de Buenos Aires sont un peu des citoyens de deuxième catégorie. Ils gagneront d'importants droits politiques, et fondamentalement, celui de gérer eux-mêmes leurs propres problèmes. Tout cela vient du fait que, selon la Constitution nationale, le président de la République est le chef direct de la capitale fédérale. Mais afin d'éviter que Viedma ne se trouve plus tard confrontée à cette situation, il faudra amender la Constitution nationale.

(8 octobre 1976)

propos recueillis par
ANNE RÉMICHE-MARTYNOW

APRÈS "PHÉNOMÈNE FUTUR" LE NOUVEAU ROMAN D'OLIVIER ROLIN

Sylvie Peju

Annie Assouline

Dans les souvenirs d'un homme qui ne se lasse pas de porter aux barmaids un amour vif et futile tournent des silhouettes de villes au loin, des portraits de femmes qu'un trait brillant sauve de l'ombre, des évocations d'écrivains qu'il a connus - en chair et en os, ou en mots ? Buenos Aires, Lisbonne, Trieste, Prague ou Alexandrie, ce lent vertige fait s'échanger les lieux, glisser les images jusqu'à esquisser la chimère d'une ville unique, d'une femme qui les rappelle toutes, Amalia, Adriana, Aurelia de l'Ideal, d'un écrivain-Protée dont Pessoa, le poète aux multiples masques, pourrait être la figure centrale. Autant dire, simplement, que ce livre tente de transcrire les obsessions d'une mémoire, les échanges d'émotions qui nouent parfois, assez mystérieusement, les charmes des villes, des pages, des visages. Au demeurant, il s'agit tout de même, mine de rien, d'une histoire, que j'aimerais avoir racontée en empruntant quelque chose à l'art lancinant de la rengaine, à la sentimentalité ironique d'un tango. Si le narrateur n'est pas exempt, souvent, d'une légère ivresse, c'est qu'elle lui permet, à la façon d'une initiation, de participer au grand tournoiement du ciel, des songes, de l'eau, des langues qui disent tout cela, agrippées en hélice. A ceux qui préfèrent décidément la ligne droite à la spirale, je puis tout de même assurer que tous les bars, bistrots, *confiterias,* casinos, *caffe, kavárnas* des villes du monde ici évoquées existent à l'adresse indiquée, et qu'ainsi ce livre pourra au moins leur être de quelque utilité en voyage.

Olivier Rolin

Collection Fiction & Cie 79 F

S E U I L

REVUE AUTREMENT

LISTE DES TITRES DISPONIBLES

LA REVUE

N. 3 Finie, la famille ? .... 65 F
N. 7 La fête, cette hantise .... 65 F
N. 10 Dans la ville, des enfants.... 55 F
N. 11 Culture immigrée .... 55 F
N. 17 Libres antennes, écrans sauvages .... 35 F
N. 20 Si chacun créait son emploi ? 60 F
N. 21 Jeunes 16/25 ans cherchent . 60 F
N. 22 Enfants et violence......... 55 F
N. 24 Couples .... 60 F
N. 26 La santé à bras le corps .... 60 F
N. 27 Technologies douces .... 42 F
N. 28 La carotte et le bâton ...... 55 F
N. 29 Les révolutions des minuscules 60 F
N. 30 L'explosion du biologique .... 60 F
N. 31 Californie .... 80 F
N. 32 Célibataires.............. 60 F
N. 35 Un enfant ? .... 65 F
N. 36 La « télé », une affaire de famille 55 F
N. 37 Informatique, matin, midi et soir ! 70 F
N. 38 Algérie : 20 ans .... 75 F
N. 39 New York................ 75 F
N. 40 Sauve-qui peut, la crise ?.... 55 F
N. 41 Je t'aime d'amitié .... 60 F
N. 42 On le met dans le « privé » ? 55 F
N. 43 A corps et à cri !.......... 70 F
N. 44 Brésil .... 75 F
N. 45 Passions de joueurs .... 55 F
N. 46 Tu habites chez ton père ou chez ta mère ? .... 60 F
N. 47 Le local dans tous ses États . 60 F
N. 48 Les créateurs .... 75 F
N. 49 Black .... 70 F
N. 50 Avoir 20 ans et entreprendre . 60 F
N. 51 Fous de danse .... 70 F
N. 53 La pub .... 80 F
N. 54 913 973 inconnus : les étudiants .... 60 F
N. 55 La bombe................ 99 F
N. 56 Animal mon amour !........ 65 F
N. 57 Intelligence, intelligences... .. 65 F
N. 58 Show-Biz .... 65 F
N. 59 Les héros de l'économie..... 70 F
N. 60 Québec.................. 70 F
N. 61 Père et Fils .... 65 F
N. 62 Humeur de mode .... 70 F
N. 63/64 Guide des technologies de l'information .... 145 F
N. 67 École Plus .... 95 F
N. 68 Les Médecins............. 70 F
N. 69 Écrire aujourd'hui .... 70 F
N. 70 Acteurs .... 70 F
N. 71 Opéra .... 80 F
N. 72 Objectif bébé .... 75 F
N. 73 Armes .... 80 F
N. 74 Technopolis .... 75 F
N. 75 La scène catholique .... 75 F
N. 76 L'ère du faux .... 80 F
N. 77 L'espace superstar .... 80 F
N. 78 La culture des camarades .... 80 F
N. 79 Europe-Hollywood et Retour . . 80 F
N. 80 L'Amour foot .... 80 F
N. 81 L'intime .... 80 F
N. 82 La science et ses doubles .. 80 F
N. 83 Villes en guerre .... 80 F
N. 84 Créateurs d'images .... 80 F
N. 85 Autres médecines, autres mœurs 80 F
N. 86 L'Excellence .... 80 F
N. 87 La mort à vivre (février 87) . . 80 F
N. 88 Passion du passé (mars 87) . . 80 F
N. 89 Noblesse (avril 87) .... 80 F
N. 90 La Mère (mai 87) .... 80 F

LA SÉRIE MONDE

N. 01 Berlin .... 75 F
N. 02 A l'Est .... 65 F
N. 03 Hong Kong .... 65 F
N. 04 Jérusalem .... 75 F
N. 05 Désert .... 75 F
N. 06 Londres .... 75 F
N. 07 Australie................ 75 F
N. 08 Tokyo .... 75 F
N. 09 Capitales de la couleur ...... 75 F
N. 11 Marrakech .... 75 F
N. 12 Le Caire .... 75 F
N. 13 Inde .... 85 F
N. 14 Venise .... 85 F
N. 15 Afrique du Sud........... 80 F
N. 16 Transsibéries............. 85 F
N. 17 Pékin .... 85 F
N. 18 Mexico .... 85 F
N. 19 Munich .... 85 F
N. 20 Texas .... 85 F
N. 21 Corne de l'Afrique (janvier 87) 85 F
N. 22 Buenos Aires (février 1987) . . 85 F
N. 23 Irlande (mars 1987) .... 85 F
N. 24 Madrid (avril 1987) .... 85 F
N. 25 Villes suisses (mai 1987) .... 85 F

Bulletin d'abonnement à la revue

Je souscris à :

☐ *L'ABONNEMENT SIMPLE :* 10 numéros mensuels d'Autrement axés sur les phénomènes de la société contemporaine.
1 an (10 numéros) : 570 F (au lieu de 800 F vendus au numéro).
Étranger : 660 F.

☐ *L'ABONNEMENT AUX NUMÉROS HORS-SÉRIE :* 7 numéros centrés sur les villes et pays du monde.
1 an (7 numéros) : 450 F (au lieu de 595 F vendus au numéro).
Étranger : 520 F.

☐ *L'ABONNEMENT COUPLÉ :* 10 numéros mensuels + 7 numéros hors-série.
1 an (17 numéros) : 980 F (au lieu de 1 395 F vendus au numéro).
Étranger : 1 120 F.

JE JOINS MON RÈGLEMENT PAR :
☐ chèque bancaire ou postal à l'ordre de NEXSO AUTREMENT.
☐ mandat-lettre

Nom et Prénom : ____________________

Adresse : ____________________

____

Code Postal - Localité : ____________________

Ce bulletin ou une photocopie de ce bulletin doivent être renvoyés à Autrement, Service Abonnements, 99, rue d'Amsterdam 75008 PARIS (Tél. : 42.80.68.55).
Les virements postaux sont à effectuer à l'ordre de Nexso (CCP Paris 1.198.50 C).
Pour tout changement d'adresse, veuillez nous prévenir avant le 15 du mois et nous joindre votre dernière étiquette d'envoi.
Vente individuelle des numéros déjà parus : Autrement, 4, rue d'Enghien 75010 PARIS.
Diffusion en librairie : Éditions du Seuil.

Directeur de la publication : Henry Dougier, Revue publiée par Autrement
Comm. par. 55778. Corlet, Imp. S.A., 14110 Condé-sur-Noireau.
N° 9900, Dépôt légal : janvier 1987.
ISBN : 2-86260-197-7 — ISSN : 0336-5816. *Imprimé en France*
Index des annonceurs : Le Seuil : p. 254, Air-France : p. 253.
Aerolineas Argentinas : 3e de couverture.